戴國煇全集 

採訪與對談卷・七

◎未結集5：我們生涯之中的中國

目次

contents

未結集5：我們生涯之中的中國

輯一　我們生涯之中的中國／吳亦昕譯

輯二　省視現代漢民族

戴國煇全集 24

採訪與對談卷・七

未結集5：我們生涯之中的中國

翻　　譯：李尚霖・李毓昭・吳亦昕
蔣智揚
日文審校：吳文星・林彩美・邱振瑞
校　　訂：林德政

輯一

我們生涯之中的中國

第一章　我的青春談

時間：1981年11月17日、12月8日，1982年1月25日、4月5日、4月26日、5月31日、6月21日、7月19日，1983年3月17日

地點：國際文化會館

與會：伊藤武雄（東方科學技術協力會會長）

岡崎嘉平太（前全日空董事長）

松本重治（國際文化會館理事長）

戴國煇（立教大學教授）

高橋正衛（みすず書房編輯）

主持：阪谷芳直（中國研究者）

三人的一高時期

阪谷芳直（以下簡稱阪谷）：我恃著伊藤武雄、岡崎嘉平太、松本重治三位先生平日對我的關照，提出宿願，邀請三位先生就中日交流史進行「鼎談」，承蒙三位爽快允諾，真是感到無上的幸福與感謝。從今日起就由戴國煇先生和我擔任「問話者」＝主持人的角色，來進行這場鼎談會，請各位指教。

「鼎談」的主軸，是自大正時期到現在遠遠超過半世紀長的時間中，三位先生在各自的領域發揮顯赫成就的中日交流史。如同三位先生這般熟知裡外實情的寶貴存在，在今日已經可遇不可求，因此我們期待三位先生的「鼎談」所交織出來的中日交流史，必定是前所未見、非常精采的。

拜見三位先生的履歷，發現您們幾乎是同時期成了學長學弟，在舊制一高、東京帝國大學學習。伊藤先生是大正6年（1917）一高德法科、大正9年東大法科畢業；岡崎先生是大正8年一高德法科、大正11年東大法科畢業；松本先生則是晚岡崎先生一年，大正9年一高英法科、大正12年東大法科畢業。再從三位先生自大學畢業後，都和中國問題深切相關的背景看來，其中想必存有某些共通之處，因此今天開始「鼎談」的第一回，就以「我的青春談」為主題，希望各位對此能夠暢所欲言。

首先，按照年齡順序，先請伊藤武雄先生發言。

伊藤武雄（以下簡稱伊藤）：我進入一高最高興的事，就是可以不用花太多錢。我出身貧窮，生長在大概只有一甲田地的百姓〔譯註：農民〕人家，所以學校的費用如果太高就困擾了。我會報考一高的其中一個原因，就是看準那裡有學校宿舍，聽說經費非常低廉。入學之後，果然學費不高，寄宿費也很便宜。

松本重治（以下簡稱松本）：當時是一個月1圓吧。

伊藤：對啊。我那時是一個月4圓50錢或5圓，宿舍生活就夠了。

松本：我們那時是10圓。

岡崎嘉平太（以下簡稱岡崎）：我們是6圓50錢。

伊藤：所以漸漸變貴了。

松本：對，變貴了。我那時一個月的伙食費是6圓左右，所以（一天的伙食費）大概23錢。

伊藤：而且，不管穿多麼破爛的衣服也不會被討厭，那時我就想沒有比這裡更好的學校了。

阪谷：伊藤先生是進入德法科，是之後的文乙。這有什麼特別的原因嗎？

伊藤：我是因為聽到前輩說：「要學習外國的事，最好就是學習德國或德語。」所以才報考的。我其實落榜過一次。學科測驗結束後，要接受體格檢查。能夠參與體格檢查的，已經是包含候補名額的極少數成員。通過之後就能入學。我那時滿心以為我已經合格了，結果是被放在候補名單中，所以又過了一年才入學。

阪谷：岡崎先生呢？

岡崎：我能進入一高，簡直就像是小說中的情節。中學的時候，和田博雄君（首屆吉田內閣的農林大臣）的令尊就是我的數學老師。他是位腦筋很好、後來成為甲南高中教授的人物。由於當時我的數學算是比較好的，所以從中學四年級開始，老師就不停地勸我說：「你應該去讀工科。」

松本：您中學是讀哪裡？

岡崎：岡山中學。此外還有一位教歷史的村上老師，聽說是村上水軍〔譯註：日本中世在瀨戶內海一帶活動的水軍，大多是真言宗的信徒〕的後裔，因島人。因為我很喜歡歷史，所以十分受到村上老師的疼愛。這位老師跟我說：「你去做官吧！」還說要當官就要到一高……。

要選哪一邊，我很猶豫。直到現在，我依然喜歡工科相關事物，也從事許多與發明相關的工作。但是村上老師充滿活力又善於演說，所以我最終被他的話語說服，就讀一高。

會進入德法科，是因為村上老師教我要去最困難的地方。而聽說德法科是最難的，所以來應考，並不是因為想要學德語。總之幸好我考上了。

與中國的關聯則從中學時期就已經開始。這事之後再提。

松本：岡崎先生進一高的時候，是在東京參加考試的？

岡崎：對，是在東京。

松本：這樣啊！我那時已經是綜合考試制，所以我在京都考試。以一高為第一志願。因此我連一高的門都沒看過，僅聽說一高是最好的就報考，然後就考上了。

岡崎：我剛上京的時候，同鄉的前輩開了一家像是自治寮的寄宿舍，我暫時先住在那裡。結果不管想要出去哪裡玩耍，那位前輩都會說你是為了應考才來東京的，所以不讀書不行，而不讓我出門。那時，有一名叫史密斯（Art Smith）的飛機特技師來到日本，在芝浦表演。由於從小石川的山崗上可以看到表演的情形，我很想去看，卻不被允許，我就想：「與其要這樣準備考試，倒不如去開飛機還比較好。」但是當時駕駛飛機是有生命危險的，所以我被罵了：「成為飛機駕駛員會早死！別做這種笨事！」現在回想起來，後來我從事與飛機有關的工作（創立全日本空輸公司＝全日空，之後成為社長），也算是一種奇妙的機緣。

伊藤：這讓我想到，我會立志考一高也是有前輩的影響。因為我中學時打棒球，當時來擔任棒球教練的，大多是一高、東大的學長。

松本：您中學是哪裡？

伊藤：豐橋，當時叫作愛知縣立第四中學。明治38年（1905）畢業的戶田保忠是中學的大學長，也是一高的投手；40年畢業的風岡憲一郎是捕手，後來擔任東芝的技師長，目前還健在。進一高的前輩都打棒球，因此我想也打棒球的我，去一高最好。

戴國煇（以下簡稱戴）：您所謂的棒球，以現在的水準來說到什麼程度？

伊藤：當時，以東大為首的官公立大學並沒有棒球社，只有一高等少數舊制高等學校有棒球部。一高除了與學習院、三高、慶應、早稻田四校之外，不和其他學校比賽。私立的明治或法政之類的，都被視為落後學校，不會認真當對手看。如果與明治對打，就會說「這只是練習賽」。我說的就是那種時候的棒球。因為一高算是非常早期就從橫濱的外國人球隊引進棒球，從此一直有身為先驅者的自負。所以明治時期的一高棒球相當具有權威。我們都是在橫濱的外國人俱樂部打球，或是與早稻田、慶應、學習院、三高等校平起平坐比賽，其他就是練習了。

阪谷：如此說來，伊藤先生在一高時有加入棒球部嗎？

伊藤：有。

松本：守備位置是？

伊藤：右外野。我一點也不厲害。有一次擔任右外野，和三高對打，結果我嚴重失誤，球漏接從兩腿間滾過，差點就輸掉比賽。內村祐之君（往年一高的名投手）就是我學弟，好像晚我兩年。

岡崎：我一高時和內村同屆。那時岡山中學有一家打棒球的名門姓岡崎，兄弟很多，大多擔任投手或捕手。其中有位叫岡崎孝平的；早我一年進入一高。因為我來自岡山中學，又姓岡崎，棒球部的人認為我「絕對是那位岡崎的弟弟」，所以極力邀我進棒球部。但是我只打過業餘棒球，從沒打過正式的棒球，所以頗為困擾。

在我之後，翌年有位在岡山中學當過投手，名叫島村鐵也的進來一高，所以我們二年級的時候，一高由內村任投手、岡崎當游擊手、島村當一壘手，在對四校的比賽獲得全勝。我們稱作黃金時期。松本君應該也知道吧？

松本：知道、知道。是內村二年級的時候吧？

岡崎：對，二年級的時候。他一年級的時候還被三高打得落花流水。

松本：對、對。

岡崎：對手是現在東京批發中心（【T. O. C.】顧問【前社長】）的古海他們。我們也有去京都加油，清楚記得我們輸得慘兮兮。

阪谷：三高的古海先生，是指從大藏省轉任滿洲國政府的古海忠之先生嗎？

岡崎：沒錯，就是那位古海。他是對方的捕手（三高一年級的時候是左外野手），和一位叫山根的投手是搭檔。我們這邊先派一位叫谷本的舊投手，不太順利，之後派出內村，還是被打到體無完膚。內村君可能就是因此而激起、奮發的。翌年，幾乎都讓對手掛零。

松本：那時的三振好像取得九還是十一、二次。捕手叫平松嗎？

岡崎：中村（潤之助）。

伊藤：要拉內村星期天出來參加練習很麻煩。因為他星期天絕對不出席練習——基督徒星期天是不能從事勞動的。要拉他出來，得費好大一番功夫說服他的父親（內村鑑三）才行。

松本：所以星期天不會有比賽。

伊藤：對。就像岡崎剛剛說的，一高棒球部出現黃金時期，在大連的一高前輩，還招待一高棒球部到大連。大連有滿俱（滿洲俱樂部）及滿鐵的棒球隊，由一位從早稻田來的岸君擔任投手，當時一高是衝著只要對滿俱的比賽順利獲勝的話就招待去中國旅行的約定，而前往大連。結果一比零，一高輸掉比賽，中國旅行也就此告吹，眾人剃了頭，拉軍回日本。

阪谷：那就是伊藤先生踏上中國大陸的第一步吧？

伊藤：我大正9年大學畢業，進入滿鐵會社，10月赴任曾遊之地大連；翌年在東京結婚，同年10月，調任調查課北京駐在員。結婚時岳父給我一些銘刻在心的忠告，是我在滿鐵任職期間謹記不忘的忠告，所以向大家介紹。我岳父說的是：「滿鐵會社是以他國的土地做為事業基地的組織，所以在那裡工作的日本人，就如同入贅。如果入贅婿只為原生家工作因而忘記入贅之家，有一天就會被討厭、被掃地出門。不能不注意。」

這個「入贅論」，我在敗戰的時刻感受特別深，最近面對所謂「孤兒問題」難題時也會想起來。我認為「孤兒」這句表現並不符合實情。實際上應該是養父母和養子的關係，經「協議斷絕關係」之後歸國，才是應有的姿態。

阪谷：請松本先生談談一高入學的時候。

松本：我中學就讀神戶一中。前輩中有位矢內原忠雄先生，暑假等期間時常會來學校訪問。我們總是仰慕瞻望著：「那就是有名的矢內原學長啊！」因此我也莫名地覺得應該要效法矢內原先生進入一高。中學時期，我家過著算是比較安定的一般生活，屬於中等家庭。家父當時任職於鐘淵紡績（鐘紡），社長是武藤山治。家父名為枩藏，留美期間曾經擔任過武藤山治赴美時的招待，因為這次機緣成為社長祕書。而我的祖父曾經是大阪金融界的主管，但是因為日俄戰爭後的不景氣造成130家銀行倒閉，結果破產，只好舉家從大阪遷往神戶過了一段拮据的日子。當時，武藤山治和一位叫吳錦堂的中國商人……

戴：他是神戶有名的華僑。

松本：對、對。他在舞子〔譯註：舞子之濱，在神戶垂水區以風光明媚著名〕有豪宅……。我的父親不知道為什麼和這位吳錦堂相當投緣，問我說：「要不要和吳錦堂先生的兒子一塊兒玩啊？」那時有兩個男孩，一個是吳錦堂的兒子吳啟藩，比我大五歲左右，另一個是堂弟吳啟祥（之後慶應大學畢業）。堂弟很乖巧，不過兒子就有點粗暴，常常打我。我因此很討厭中國人，以為中國人都是粗暴的。那時我才小學四、五年級，老是被中國人的朋友打，實在讓我氣得要命，可是實力上又無法對抗，所以奮發向上，一高、東大畢業後，就跑去美國。那陣子因為關東大地震，我家被燒掉了、書也被燒了、東大法學部的研究室也被燒了，什麼都沒有了，所以家父就說：「反正你先去美國吧！」我就去了。

後來家父罕見地寫來一封長信，囑咐我：「你或許會和美國的朋友發展出各式各樣的友誼，相信這對將來是非常有意義的。但是那裡應該有很多中國留學生，也務必要努力和中國留學生交遊。」我認真服膺這份叮嚀，和眾多中國留學生結為朋友。我的英語不太好，所以與其和美國人交際，倒不如和同樣只會說隻字片語的英語但還是可以溝通的中國人來往比較輕鬆。就當成是獲得練習的對象，我結交了許多中國人的朋友。在我生日的時候會招待我吃飯的，就是中國朋友們，其中一位就是最近剛過世的何廉*1。

戴：何廉？

松本：對，何廉。1923年末，也就是我到美國的第一年，遇見歷史學者查爾斯・比爾德（C. A. Beard）。同他會面之際，我讀他的論文，其中提到日美關係的核心問題就是中國問題，日本對中國的態度，和美國對中國的態度，必定有發生衝突的危險性，所以不注意不行。對此持論，我深銘肺腑。我也和比爾德老師直接談過這個問題。那時我才開始認識到中國問題對日本而言是非常重要的議題，加上又與許多中國留學生成為朋友——也算稍微懂一點中文——所以感覺對中國人有了一知半解之後回到日

---

*1　何廉（1895～1975），中國經濟學家。耶魯大學經濟學博士，創立南開大學經濟學院，對於中國早期的經濟學術發展有重要貢獻。

本。也是蠟山政道君、嘉治隆一君等人剛發起「社會思想社」不久的時候……。我想伊藤先生那時已經從海外回國了不是嗎？

伊藤：我是大正15年末成為滿鐵的駐外研究生前往歐美，昭和4年（1929）才回日本。大概是這年在「社會思想社」的同人大會時，在東京和你初次見面吧。

松本：您去了那麼久？

伊藤：大概兩年半吧。

松本：我是昭和2年的夏天回來的。

戴：其實吳錦堂先生是鐘紡的大股東。目前我正在進行調查，可以補充一些資訊。吳錦堂先生是當時神戶不管在財力、見識上都是過人的存在，和日本金融界有很深的關係。

松本：我也認為如此，他是非常重要的人物。

戴：姑且不論這些，我想問個可能很失禮的問題，我拜讀過岡崎先生、伊藤先生的書，其中頻繁出現一高時期的事，但是松本先生的書中，卻不太出現一高。這是為什麼呢？能否請您再稍微補充一些一高時期的生活？

松本：一高時，我在班級選（班際對抗賽）中參加划艇。成為端艇部二軍選手時擔任舵手，教練就是岡崎先生。岡崎先生不只是厲害的學長，又是教練，而且有人情味，所以自那時開始，我就不稱岡崎先生為「岡崎君」，都稱呼「岡崎先生」。這一生，我都很尊敬，也很喜歡岡崎先生。

岡崎：謝謝。

與中國人的交友

戴：剛剛松本先生說，您小時候和吳錦堂的兒子們玩耍，常常挨揍，所以對中國人產生某種負面的印象。後來是因為到美國耶魯大學，與何廉等人相處之後才改觀。當然其中應該有令尊的影響，不過您現在回想起來，如何整理其間的心理轉折？

松本：我到耶魯的時候，身體已經變壯很多，也從事划艇之類的運動，就算是打架也已經不會輸給中國人留學生，再不是那個挨打的小孩，所以相處很融洽。

可是不知道為什麼，那時的中國留學生大多是獲得庚子賠款的錢而赴美的，因此幾乎都反日。

戴：正好那時又是日本提出對華《二十一條要求》和五四運動（1919年5月4日的中國反日運動）之後。

松本：日本政府是在1915年左右提出《二十一條要求》。而我到美國的時間，是在關東大地震之後的1923年年底。所以那時中國學生大多反日。但是中國人留學生之間會說：「松本例外，我們只和你來往。」——雖然我並不知道為什麼。那時日本人的人數很少，大概只有二、三人。中國人則有百餘人。

戴：中國留學生到耶魯的特別多。我讀松本先生的書時，感覺到令尊留美十多年的經驗，同樣也投影在您身上。像是美式的生活方式、考慮事情時的格局等，您選擇了「英法」和這點應該也有關係吧？

松本：的確有。

戴：同時也因為在耶魯，和中國留學生之間才有可能發展出與在日本國內不同的、新的相處方式。

松本：我的父親非常喜愛漢學。即使到了美國，也讀「唐詩選」等。我小學二、三年級的時候，先被送到漢學塾，翌年才開始上英語塾。因此讀過《大學》、《論語》、《孟子》，中學時已經讀到《十八史略》。當時一般中學課程要到二年級才開始學習漢文，所以上漢文課時我就打瞌睡。總而言之，家父非常喜歡漢學、喜歡中國，一直到最後都讀白文〔譯註：沒有注釋或訓點的漢文文本〕。

戴：伊藤先生提到自己一高時期的中國旅行，其中有位中國友人後來成為馬占山的參謀長。包含這位朋友在內，我想請教您在一高生活期間與中國人結識的情形。

伊藤：依當時制度，一高的畢業是在七月。之後參加大學入學考試，然後就進入暑假。我畢業當時正逢日本於第一次世界大戰中加入聯合國陣營，準備奪取德國殖民地、南洋諸島、中國山東省的權益。

戴：是與德國關聯的利權……。

伊藤：第一次歐洲大戰（1914年7月～1918年11月）的前後大約五年期間，一直以來歐美諸國為了在中國等亞洲地區收奪殖民地而伸出的魔手，因為忙於歐洲戰場而極端鬆弛起來。日本於是趁此間隙，以《二十一條要求》為首，逐漸展開對中國侵略的腳步。一高的旅行部就是為了參觀占領地而組成夏季旅行團。最先出發的團是前往南洋群島，翌年交替為前往中國的旅行團。我原本也想去南洋，最後在畢業那年參加了中國旅行團。之所以會選擇中國，是因為我父親曾在韓國當學校教師，後來退休，我高中畢業時他投入福利設施、社會事業相關工作，就住在京城〔譯註：今首爾〕。所以我想如果參加中國旅行，回程就可以順道去京城。那次的旅行是從宇品搭公務船到青島，用最便宜的費用周遊中國、韓國約兩個月的時間。旅費大概是75圓上下。團裡有一位中國人特科留學生就是韓樹業，那時好像是工科志願的學生，非常老實善良。他的中文在旅程中幫助我極多，對於解除旅途不安有很大的貢獻。

最有趣的事情是，到旅順的時候我們沒有住飯店，而是有一位親切的站長先生聽說我們是一高的學生，就說：「到我家住吧！」招待十幾位學生去他的宿舍叨擾。結果韓君因為還不熟悉和室房間，一屁股坐在壁龕上，站長先生見到勃然大怒，不知道對方是中國人留學生，破口就罵：「什麼！這樣也算是一高的學生？這麼不禮貌的人快滾出我家！」團長誠惶誠恐地道歉：「其實他是中國人，不太熟悉日本的風俗習慣，所以……，還請您多多包涵！」「原來如此，這樣就怪不得了。不過你們也應該教導中國人了解日本的禮儀規矩才對啊！」結果站長還是大大訓斥我們一番。就是這段旅程中發生的小插曲。韓君是東北（滿洲）吉林省出身，我們一團在往哈爾濱的東支線上其中一站，也就是雙城堡一帶，目送他踏上歸途。

如果只是這樣就沒有什麼大不了的，但是我畢業後進入滿鐵，從事調查、情報關係工作之時，碰巧滿洲事變〔譯註：九一八事變〕中出現一位中國要人裡唯一揮刀指向關東軍的馬占山將軍，我確認過情報，赫然發現那位馬占山將軍的參謀長，不就是我們的韓樹業君嗎！吃驚的我於是非常注意他的動向。馬占山軍在日軍的驅逐之下也不屈服，繞道西伯利亞進入新疆。關於其後的狀況我調查了很久，可是直至今日都沒有他的消息。

戴：之後就無消無息了？

伊藤：對。我還想要請教戴先生，在中國也是逢人就問，不過這方面的情報似乎尚未整理，沒有人可以告訴我。

我在那次旅行中還獲得另一種印象。在日本人的一般觀念中有先入之見，認為中國的治安很亂，所到之處馬賊橫行，只有滿鐵沿線和日本的勢力範圍內安全。走出這些範圍一步，立刻會被馬賊襲擊，這種中國處於亂世的觀念非常強烈。

但是經由那次旅行，我體驗到中國內地的治安問題，和在日本所想像的差異極大，更切身體認到沒有外語（中文）的素養就去旅行是何等的不安和傲慢。在我們排定的行程中，要到非通商港口的純中國內地參觀曲阜孔子廟、攀登天下第一峰泰山，還為了看塞北的萬里長城（不是北京北郊的八達嶺），最遠還到蒙古入口處的張家口。全部都是日語不通的地方。

我們在津浦線（天津至長江北岸的浦口）途中的曲阜站下車時，已經是午後時分。從車站到孔廟所在地縣城間有十多公里路，獨輪車（農業用肥料搬運車）是唯一的交通工具。我們兩兩一組分坐在車子兩邊的貨架上，由車夫用肩繩和手保持平衡，推著車前行。在車子的輾軋聲中，行過比人還高的高粱田間的窄路，雖然是充滿異樣風景詩，但也是讓人感到極度不安的兩個多小時路程。

曲阜縣城所到之處都是聖蹟，感動至極的團長葉山老師花了太多時間參觀，以致當我們踏上歸途的時候，夏天的太陽都已經快要落到地平線上。縣城和車站之間沒有橋樑，隔著那條鼎鼎有名的泗水，一想到渡河前來時水流的湍急，就有點害怕。等我們抵達泗水岸邊的時候，太陽早已下山，渡船的船夫都回家去了。車夫們七嘴八舌地商議了半個多小時，對於不懂中文的我們來說，真是又久又難熬的時光。幸好團員中的韓君很有耐心，巧妙地和車夫進行交涉，拜託獨輪車的車夫協助重新召集已經回家的船夫們，說服船夫決心渡過夜半危險的泗水，將我們一行平安送到對岸。經過這次旅行，不只是治安，當地勞動農民國際級的親切態度也讓我們感激莫名，迫使我們痛徹改變自己對中國先入為主的偏見，同時不得不省悟中文和日文是擁有對等價值的語言。

泰山登頂時則遇到夏季豪雨，考慮到冒雨下山很危險，就留宿在山頂上的玉皇廟（無人）中。這個值得紀念的一晚，也是憑恃著對韓君的信賴，度過寂寞不安的一晚。

而在塞外蒙古入口處的張家口，日本商人只會在冬季時來此採買毛皮，當地並沒有日本居民，因此我們投宿駱駝商隊投宿的「棧」，與院落裡的駱駝們隔著牆過了一夜。萬事仰仗韓君的安心感是我這次旅行的一大收穫。也因此覺得到中國發展不錯，成為我進入滿鐵的動機之一。

戴：岡崎先生以岡山的陳範九先生為始，與中國人是如何結識的？

岡崎：我本來從鄉下搭火車通學到岡山，但是太花時間，所以二年級時住進學校宿舍。宿舍的走廊兩邊都有房間，而我正對面的房間住著一位名為陳範九——大概是陳家第九個孩子——號洪聲的中國人學生，他那時是中學四年級，擔任室長，意思是日本人學生都在他之下。因為是對門的房間，所以我前去聊天，發現他實在是個好人，一直笑嘻嘻的，體格壯碩，與我聊有關支那——當時稱中國為支那——的消息，告訴我很多事。都是些初次聽聞的新鮮事，所以十分有趣。

過不久，我知道他的書法很厲害，就常常買紙、磨墨，請他寫字給我。反正只要有空，我就會過去陳兄那裡聽故事，次數頻繁到被抗議：「你這樣常來聊天，害我沒辦法念書！」那時請他寫的字，現在還留在我家。

戴：您的書《我的紀錄》〔《私の記録》〕（1979年，東方書店）封面上的題字「一葉扁舟」就是嗎？是陳先生中學四年級時的字？

岡崎：對，沒錯，很漂亮吧？

戴：對。

岡崎：我請他寫了好多。陳兄為人親切，因而我和中國人也比較能交談了。而且也很有趣。

進高中之後，當時的一高如果把特科生也算進去的話，大概有一百七十幾位中國人留學生，本科生占的人數較少，分散在各班，我班上也有一位……

戴：是龔德柏*2先生？

岡崎：是的，他有張嚴肅的臉。

松本：龔德柏跟岡崎先生同班？

*2 龔德柏（1891～1980），字次筠，中國武溪鎮人。日本問題研究專家。曾與成舍我合辦《世界晚報》，並創辦《大同晚報》、《救國晚報》。著有《揭破日本的陰謀》、《中國必勝論》、《日本必亡論》等。

岡崎：沒錯，大正5年開始。那時日本學生還不太想和中國人留學生交談，也因為是第一次，語言又不通。但由於我有和陳範九聊天的經驗，所以馬上過去和他說話。對方因為寂寞，所以也和我交談，就這樣經過了一、二年級。我們班上另外比較願意和他說話的同學中有位松坂佐一，後來成為京城大學教授。

伊藤：他是我中學的學弟。

岡崎：真的嗎？我從龔君那邊聽到很多事，例如上海英屬租界的公園立有「狗與支那人禁止入內」的告示牌。他說起這件事時，真的是一臉憤恨、不快的表情。我喜歡中國人，所以深感同情，覺得沒有比這更過分的事了。「狗與支那人」的告示，狗根本看不懂，這樣將中國人和狗視為同列，我感到非常侮辱人。

那時我就想：「這不單只是對中國人的侮辱，也是對全體東洋人的侮辱。對於說出如此傲慢、過分話語的傢伙，不抨擊是不行的。」因而我特別努力學習東洋史，思索亞洲事務。結果發現當時世界人口號稱20億，亞洲就有10億，然而這10億當中真正獨立的民族，只有日本而已，那時日本的人口約6,000萬人。而中國號稱4億，是半獨立國。泰國還處於暹羅時代，也是半獨立國。兩國人口和日本加起來有5億——也就是說，亞洲只有一半的人口是獨立國・半獨立國，剩下的全是歐美領土所以才被欺負。

可能是因為我喜歡中國歷史的緣故，雖然現在講出來可能非常失禮，但那時我認為所謂的亞洲人是與非洲不同的。亞洲諸民族幾乎都擁有高度文明，當下之所以會被欺負，是屈服於歐洲諸國的侵略之下。然而就在全體亞洲皆因此而苦於貧困之際，唯獨日本一國占領青島、耀武揚威，其實遲早也會完蛋。歷史證明沒有永遠興盛的國家，所以日本不應該這樣做，反倒應該與中國和睦相處，謀求亞洲的獨立才對。必須振興教育、隆盛文化，藉此一掃亞洲的貧困，不然如果日本照現在這樣獨自耀武揚威下去，下次就是日本遭殃了。自從有了這些初步的想法以後，我就開始認為必須與中國親善來往。

不久之後，在大正6年大概第三學期的時候，龔德柏叫住我：「岡崎！來一下！」把我帶到校園的角落，對我說：「我要回中國了。」我問：「為什麼要回去？至少把學業完成吧！」「不！我本就不該來可惡的日本，我家很窮，不得已只好來日本，可是我已經不想再待在這個討人厭的地方，所以決定回國。岡崎！你對我諸多照顧，因此通報你一聲。」他說完，真的就回中國去了。

我也曾耳聞他回國後即加入共產黨，但之後不知不覺間就淡忘了。日本戰敗之後，我在上海擔任日本大使館辦事處的參事官，不知道從誰那裡聽說，蔣介石那份著名的「以德報怨」宣言，就是由龔德柏起草的。由於除了我之外，大概沒有其他日本人知道龔德柏，所以應該是從中國方面人員那邊聽來的。當時我經常前往湯恩伯將軍的司令部，就跑去問湯恩伯司令部的總務胡少將：「這位龔德柏君現在在哪裡？」獲知他跟著何應欽的軍隊來到南京，就拜託胡少將：「請轉告龔德柏君，他的同學岡崎現在人在上海，想請他來上海一趟。」不久之後來了回音：「現在南京方面非常忙碌，無法親赴上海。還是請你申請許可來南京吧！」然而當時日本和中國間的折衝談判非常之多，結果我終究沒能抽身去南京。

一高時期透過龔德柏，我得以熟知許多中國的事情。升上二年級之後，我成為學校宿舍的委員，也擔任中堅會的會長。有次十點過後，我回到寢室準備睡覺，看到房間裡有位陌生男子和室友正在爭執。我問：「怎麼了？」得知那名男子是中國人留學生，來此要求借住一晚，可是學校規定他校學生不得留宿，所以遭到拒絕，因而起了口角。依規定就算是住宿生，也不得到別間寢室睡覺，因為當時好像剛發生同性戀糾紛不久。我現在有點記不起來他的名字。那次我才知道，當時在東京的中國人留學生之間分成抗日派和親日派。後來也聽說龔德柏是抗日派的領導人。兩派在外時常發生衝突，那名男子就是深夜逃過來的。儘管他要求：「現在怎樣都不能回去，拜託讓我留在這裡！」可是礙於規定無法答應。我毅然說：「這事由我負責，讓他留下來過夜吧！不是有句話說：『窮鳥入懷時，獵夫亦不殺』嗎？」於是並未知會舍監，由我承擔一切責任，讓那名男子住了一晚。隔天早上他離開的時候，對我說：「岡崎君，你的恩惠我一生不會忘！」之後就再也沒有他的消息了。

到了三年級，這次一起來了三、四個中國人留學生要求住進宿舍。同樣也是因為發生了鬥爭的樣子。但是這次他們要長期住宿，所以一定得通報舍監。由於三年級學生多半會外宿念書，像我的寢室原本住十人，現在只剩三、四個人，所以我拜託舍監先讓他們住進來，獲得了許可。最後他們寄宿了半年左右，我也是被大大感謝了一番。便是這樣，相處過後知道中國留學生人很好，於是有了好感，再加上當時的情勢，特別是被英國人立告示牌的那段話所刺激，我開始覺得無論如何亞洲全體不獨立是不行的，而這唯有與中國攜手合作，此外別無他法，所以現在軍部的作法是不對的。這就是我日中友好、提攜論的開端。

戰後，我再次前往中國，造訪上海二、三趟期間，有次市政府的人員招待我上百老匯大廈16樓吃飯，我在感謝致詞中提到：「為何我會對中國感到興趣，進而親密起來？全都是因為曾經立在那邊的告示牌！」那塊牌子於昭和12年撤走。如果英國人沒有撤走的話，大概也會被中國人燒毀吧。要是留存下來，就是相當具有歷史性的物品了——對我而言更是。

戴：後來松本先生和龔德柏先生有在哪裡見到面嗎？

松本：沒有。我拿到他痛批汪兆銘的書，但沒見到本人。高宗武曾經向我說過：「龔德柏的書中幾乎沒有半句假話。」

岡崎：我確實因他而領悟。

阪谷：請問伊藤先生，韓樹業君那時是中途放棄了一高的學籍嗎？

伊藤：不、不，他畢業於另一所高中。旅行當時，是他剛結束日本語特科一年級的時候。不過他沒有確切說出是就讀哪一科（京都大學畢業）。

阪谷：您不知道他投身馬占山軍的經過嗎？

伊藤：對。那個時候主要都是在滿鐵內部看情報，並沒有直接的通訊。所以看到他的名字而進行追蹤的，應該就只有我一個。

大學生活與新人會

阪谷：雖然離題，我當初會立志讀一高，是受鶴見祐輔的小說《子》所感動的結果。我前後讀了幾十遍，幾乎都要背起來了。《子》的內容主要是描寫主人公名叫大河進的青年的一高生活，故事中有段描寫1918年11月11日第一次世界大戰停戰紀念日（Armistice Day）當天，整個宿舍在興奮沸騰中，一高的偶像級人物——三年級學生泉清發表演說，陳述威爾遜總統的十四條理想主義如今正為世界人民所接受的場面。我很好奇一高的學生當時動不動就有那類議論，各位的年代有發生過這樣的事嗎？

松本：關於國際問題的議論好像不多，我覺得最受討論的還是人生問題。

我認為一高制度中最好的一項，就是雖然總得到教室露個臉，也要參加考試，但是午後的課外時間，學生可以主動找來各種講師，組成20人或30人的小組進行研究的風氣很盛。

譬如有淨土真宗的近角常觀、成蹊高中的小林一郎，還有就是我到內村鑑三先生那邊聽他說教等。總之，我們請來了各色各樣的人物。我記得濱口雄幸也來過。

岡崎：大隈（重信）先生也來過。

松本：真的？總之我們對課外學習確實很熱心。就這層意義而言，我感覺一高生活真的很充實，可是我不覺得大家曾專注過國際問題。

岡崎：宗教方面則很多。

松本：對，很多。

岡崎：我們相當熱中於研究真宗，對於親鸞……

伊藤：我是近角先生「德風會」的成員，我手邊有照片，過世的社會黨原彪君、做過法政大學校長的谷川徹三君等人，都曾是「德風會」的成員。

阪谷：東大正門前入口處，有一棟好像是近角常觀先生教會的建築物。

伊藤：對，那是求道會館。

松本：近角先生的說教彷彿澄澈人心，非常好。

伊藤：在我的家族中，母親是熱心的「一向宗」門徒，或者說信徒。可能因為受到她的感化，我曾經有一段時間整個浸淫在近角先生處。

岡崎：總之關於人生觀的很多。

松本：沒錯。我讀「英法」，所以看了不少托爾斯泰。

岡崎：那時又很流行俄國文學。

松本：的確如此。

岡崎：我雖然不是讀原文，不過當時出版了很多翻譯書，接觸到俄國文學大概是我三年級快結束的時候，一開始準備考試，就會想看別的書——那時候都是這樣。

阪谷：大家的話題都集中在一高時代，請問進東大之後的階段，有什麼事讓各位留下印象呢？譬如我拜讀了伊藤先生的書，裡面頻繁提到吉野作造先生；還有岡崎先生等人畢業後都進入金融界，這是因為大學時代有什麼……？

岡崎：我一進大學，就和高中時期一直很尊敬的三輪壽壯先生——不如說是對方主動來接近的。

松本：他和伊藤先生是同屆吧？

伊藤：嗯，也是新人會的同人。

岡崎：同時也是划艇前輩，這位人物的性格非常吸引我。

松本：曾經是柔道選手？

岡崎：對、對。

松本：三輪拋摔技。

岡崎：對！他獨創三輪拋摔技。當時右翼、右派的領導是上杉慎吉老師。我一進到大學，三輪兄馬上就說：「跟隨我吧！」於是同班的千葉雄次郎和我兩個人便應邀到新人會。可是那時不是還有個網球很厲害的叫德永豐？

松本：有、有。

岡崎：那位前輩也想辦法拉我加入上杉老師那邊的集會。不過三輪先生比較有魅力，因此我經常出入新人會。那時其實沒有讀過德文的資本論，但是就覺得共產主義很好。也可能是由於經驗尚淺的關係，總之我想如果可以實現人不再剝削人的世界，那就太好了！所以有一陣子醉心其中。

阪谷：現在講到新人會，聽起來伊藤先生參與了成立經過，我想松本先生大概也加入了吧？

松本：不，我沒辦法進新人會。我沒有資格，還沒有……

伊藤：但是新人會的後身就是社會思想社。為什麼會稱作新人會呢？那時一高出身者成為政府官員是主要路線，因此一放暑假，熱心學問的人就會外宿準備高等文官考試。不過輕井澤不是有錢人就去不了，去戶隱山最便宜。戶隱山是新開拓的地方，還不太有人聽說過。當時一高的學生間興起到戶隱神社的禰宜（神社神主的下屬、神官）家等處借住念書的風潮，我也藉口要準備文官考試而從父母那邊領到暑假的學習費用，和三輪、林要、河西太一郎等人一同跑到戶隱山，結果完全沒有準備考試，一個勁兒地閱讀那時出版的社會思想相關書籍。但是那時還沒有一本像樣的書，翻譯的東西也很少，所以讀大杉榮也熟讀惠特曼（Walt Whitman）的詩集。讀書讀倦了，白天就召集地方的小孩，在戶隱神社前的廣場打棒球，或是唱唱寮歌〔譯註：一高學寮的歌〕、漫步村中；晚上則針對米騷動及印刷廠的罷工進行議論。如此烏托邦式的生活過了大概一個月，成為我們進入「新人會」的溫牀。

最早結成新人會的，是早我們一年的赤松克麿、宮崎龍介，還有麻生久、佐野學等人。吉野作造老師和浪人會的對決辯論會在神田的南明俱樂部公開舉行當天（大正7年11月23日），赤松、宮崎、佐野等人認為必須有人守在吉野作造老師身邊，不然之後會發生什麼事都無法預料，所以在他們的號召之下由同志擔任護衛，結果聲勢壓倒浪人會。吉野老師在大喝采聲中發表演說，將對方駁得啞口無言回家去。大家於是認為趁此機緣要為改造日本而努力，遂成為「新人會」組織的根源。

正好目白有間房子，是之前辛亥革命的領袖黃興等人亡命日本時，丸尾忍提供給他們使用的地方。後來宮崎龍介好像獲得所有權，負責管理，那陣子又空著，就提供為新人會的集會場所。獲得許可，結果等於在那裡形成了「梁山泊」。會到此處的通常是最為熱心的新人會成員，我並沒有那麼熱心，可是還是常常從寄宿處跑到那裡去。這就是「新人會」的濫觴。總之，我們班進入新人會是順著戶隱山共同寄宿的氣勢，認為要幹大事，現今已經不流行當政府官員或是進入銀行、公司，因而去新人會。我並非勤奮用功的人，也沒有讀過很多書，只是碰巧到中國旅行，又有我父親在殖民地工作之緣，自然而然地分擔起中國問題。在那裡也學習很多，算是我在「新人會」獲得的經歷。

戴：在伊藤先生、岡崎先生的時期，新人會有中國人留學生參加嗎？還是沒有？

伊藤：前幾年，史密斯（H. D. Smith）先生所著《新人會研究》〔*Japan's first student radicals*〕的前頁照片中，我看到宮崎龍介籌劃的東大「時局演講會」的講師陣容，除了尾崎行雄、吉野作造等人之外，還有留學生盛沛東（一高、東大法學部畢業）的名字。畢業後我在上海與當開業律師的他首次會面，才驚訝地發現我們自一高以來都在同年級。台灣出身，目前是北京全人代表的陳逸松先生在四高・東大時期也在做和新人會相當的活動。其他參加的外國人還有韓國的金俊淵和金雨英兩位（見本章文末附註）。

戴：和岡崎先生大致同時期的，不是還有一位後來升上醫學部的陶晶孫（或陶熾，大正8年一高醫科畢業。後為上海自然科學研究所研究員）？

岡崎：我沒見過他。

戴：完全沒聽說過？

岡崎：對。

戴：他是郭沫若那群中的一員，後來也進入文學界。所以您與陶先生並沒有交流。松本先生和新人會全然沒有關聯嗎？

松本：沒有。不過嘉治（隆一）先生有參加！

伊藤：你認識嘉治和三輪？

松本：是。可是沒有人來勸說我，從一開始就不被當一回事。還不夠格吧。

阪谷：剛剛說的那個活動據點，也就是由宮崎龍介管理的、像是新人會本部的房子，大家都在那裡做些什麼呢？有別於大學的課程，大家不去大學上課，自己決定某個主題。

伊藤：我們只有一年級的時候會到大學上課，從二年級開始就光靠講義準備考試。我只會出席吉野作造老師的課，還有鹽谷溫老師課外教授的時文（現代中文），其他時間幾乎都沒去學校。

目白那裡的氣氛是極不規律的，從來沒有靜下來讀書或決定主題進行辯論商討的時候。我是從外面進出的，但是每次去一定都會有閒聊的對象在。借林要的話來說，就是：「與其以理論的形式進入腦中，不如用皮膚直接呼吸那種氛圍」的方式。

松本：那個時代還很逍遙。即使是大學，我們一半靠著講義考試就可應付了。

伊藤：不過，參加新人會還是有各種煩惱。就連三輪，對於要不要參加也是非常苦惱。因為他好像是養子，用養父母家的錢來上學，所以如果不想當政府官員，也不進銀行或公司，就必須先得到養父母的諒解。因此他在戶隱已經和大家做了約定說：「我暫時先保留入會與否，要得到養父母家的諒解才可以。」經過好一陣子，他才終於決意加入新人會。從這點看得出來他通情達理，非常忠於自己。

岡崎：我出入新人會兩年多後就退出了。當初退出的動機，現在回想起來也覺得是正確的選擇。我是大正8年入會，那時不知道伊藤先生在不在？我不記得有在那裡見過伊藤先生。

有一陣子東京市電〔譯註：市街電車〕發起罷工，大家想去聲援，我也被要求前往某車庫。我對三輪說：「我還在學習共產主義，是好抑或不好還沒有得出一個結論。這時就叫我進入實踐的階段，未免過早。」三輪回答：「不要因為這些事就產生猜疑，我們要做錐子的尖端！」

此外，從很早之前，要是有參加新人會的成員進入商社之流，就會有人在背後說他的壞話：「那傢伙是叛徒！」我的確不是擁有相當進步思想的人，只是覺得真要搞革命的話，不將現在所謂的細胞滲透到各個地方是不行的，因此進入商社不是反而比較好嗎？我向三輪先生提起這樣的想法，卻被他斥責：「那樣不慍不火的作法是不行的。」於是我斷然對三輪先生說：「那麼我還沒辦法跟隨您。」就分道揚鑣了。如果照我所說的去做，說不定就實現革命了。

戴：請教松本先生，有位和您就讀工學部時同期的學生，說不定與您有過接觸，是大陸人，戰後到台灣擔任台灣大學校長的陸志鴻（大正9年一高工科畢業，後為南京工業學校教授），您有印象嗎？

松本：我不知道。不過有位滿洲事變不久後擔任奉天市長、叫李德新（？）的人，有聽過嗎？

戴：李德新？

松本：好像是李德新——他和我同年級。還有和我宿舍同寢室的有位王延鋼，為人穩重，不過他之後怎樣就不曉得了。

戴：和您同屆的「英法」有李德新和殷汝昌，後者和殷汝耕（1935年11月在日軍支持下，於華北通州組織冀東防共自治委員會，宣布脫離中央）有什麼關係嗎？

松本：這個我就不清楚了……。我只記得李德新。

戴：大概在伊藤先生和岡崎先生之間，不是有位哲學家三木清先生？他的一高生活情況如何？有記憶嗎？

岡崎：不曉得，伊藤先生呢？

伊藤：三木是跟我同一年的文科。1940年（昭和15年）4月，在上海的伊藤公館有一場由中央公論社主辦的「支那更生之課題」座談會（刊載於5月號）。成員有三木清、今中次麿、山村廣藏、立石峻藏、名和統一，其他還有年輕的滿鐵職員中西、貝島、山崎、三輪、內之崎、石川等人與會。

戴：原來如此。我現在看了名簿，他和您同期，是文科。

伊藤：三木不太出現在我們夥伴之中。那時文科的大抵都受到輕視。

阪谷：我們剛才聽了不少松本先生、伊藤先生大學畢業後所走的路，可是岡崎先生之前提到您在岡山中學時有位村上老師叫您去當官，因而進入一高，大學畢業後卻又選擇進入日本銀行，這是有什麼緣由嗎？

岡崎：這就有趣了。話說正當我已經到了必須好好準備成為官吏的高文考試時，我有一位伯父是小實業家，某次聊天講到西門子事件（大正4年1月發覺的軍艦採購收賄弊案。有海軍、三井物產、德國的西門子公司的首腦涉案），那時我很天真地說：

「軍人及官員竟然收賄，真是成何體統！」伯父說：「你不是說你想當政府官員？像我經營事業，想辦法讓官員抓住錢就是一項大工程。不拿錢的官員是無法出人頭地的。」這話讓我大為困擾，能不能出人頭地倒是其次，但一直在最下端也難以忍受，可是要往上升就要接受賄賂……。我先天的性格上就不喜歡營利的事物，結果在大學將要結束的時候，開始煩惱不知何去何從……。

松本：岡崎先生到日銀後，在北海道待了很長一段時間吧？

岡崎：我那時和朋友商量後得到的意見是：「不然你留在大學當老師吧！」可是家父早逝，我是母親一個人養大的，所以實在沒有辦法三年、五年都當個無薪的助教。困擾之際，我想起大我一屆的學長濱口（雄彥）、下岡（忠一），就調查他們的出路，得知他們去了日本銀行。我想：「喔！原來有個日本銀行。」由於下岡君當一年志願兵正入伍服役，我就去濱口君那邊問：「那是怎樣的地方？」剛到那裡一年的他回答：「很好！在這裡什麼都不用做，每個月就能領薪水，快來吧！」於是我參加考試，偶然就考上了。結果上班不久後就被告知：「岡崎，真不好意思，這裡就像不夠熱的洗澡水，想要離開，又怕離開了會冷，沒辦法只好泡著。」總之，我就是這樣進到了日銀。翌年我志願到小樽支店服務，在那裡待了正好三年三個月。現在回想起任職小樽時的事情，還是很快樂。

附註：伊藤——有件顯示我糊塗的事情，就是鼎談之後，山本秀夫告訴我有資料證明新人會和中國有很深的情誼。在會報

《同胞》1920年12月號中，田漢即代表「少年中國學會」[1]寄贈慶祝新人會兩周年的讚歌，題為「少年與新人的問答」。

關於當時的情況，小口一郎在《中國文化》〔《中国文化》〕（大塚漢文學會，1980年6月）中詳細記錄了新人會、少年中國學會、創造社（上海）之間的思想交流樣貌。從吉野作造給李大釗的通信、新人會會員岡上守道（黑田禮二）的訪問北京與拜會李大釗，做為這些努力的成果，實現了1921年4月以北京大學教授高一涵為團長的「北京大遊日學生團」（加上李初梨、黃日葵共五名團員）訪日，新人會在東大的山上御殿〔譯註：山上會議所〕召開歡迎會。

小口這篇論文如同其副標題「以田漢的文學觀為中心」所示，是以田漢為中心，除了「少年中國學會」的性質、活動之外，對於創造社的一面、「新浪漫主義」、「少年中國的創造」、「靈肉一致的世界」、「個人的完成與社會的改造」等思想的開展，以及日本、朝鮮、中國、愛羅先珂（Vasili Eroshenko）等會員所組成的Cosmo俱樂部（民主國際人俱樂部）

1 由李大釗於1916年設立準備會（毛澤東、李大釗的初次會見是1918年10月）。馬克思主義學說研究會始於1918年冬。1919年7月1日，「少年中國學會」正式成立，本著科學的精神為了社會活動，而創立本會。1920年8月，周恩來、鄧穎超等人會於天津，「少年中國學會」、「覺悟社」、「曙光社」、「人道社」、「青年互助社」五團體結成「改造聯合」。同年9月，「北京共產主義小組」成立。同年11月，「社會主義研究會」在北京大學開設。1921年春，天津社會主義青年團成立。同年6月，馬林（G. Maring）等人的北京會見。同年7月，北京、湖南、湖北、山東、日本等各地共產主義小組派出代表，在上海與國際共產主義代表聚會。同年8、9月間，馬林在桂林拜會孫文、廖仲愷。同年下半旬，中共成立北京執行委。

也有詳細的敘述，是極具貢獻的論文。

如同方才所言，《同胞》（《先驅》改題）1920年12月號中，田漢以北京的「少年中國學會」（由李大釗等人組成的中國共產黨先驅組織）的名義祝賀創立兩周年，寄贈讚歌〈少年與新人的問答〉，以下介紹其31行詩。《同胞》的大正9年12月號，頁8：

圍著火盆

○　適逢本會二周年，下列詩是少年中國學會的田漢君所贈

少年與新人的問答

「新人呀！新人呀！你幾歲？」
「我今年正好兩歲。」
「你的父親在何處？」
「我沒有什麼父親。」
「不可能沒有吧？」
「喔！New Spirit是我的母親。」

「新人呀！新人呀！伸出手，
我們兩人一起玩。」
「你有幾個兄弟？」
「那可就數不清了，
所有New Spirit的孩子們，
都是我的兄弟。」

「新人呀！新人呀！在海邊玩耍的時候，
你喜歡做什麼？」
「有件事我什麼時候都喜歡，
就是以人搭起橋來。」
「這個我也喜歡，
一起來造人類之橋吧！」

「新人呀！新人呀！你不重嗎？」
「背著那樣的重擔。」
「重是很重，
可是其他還有誰會來背？
再說你背上扛著的，
不是比我的還重嗎？」

「新人呀！新人呀！請等一下！
你這麼著急的要往何處去？」
「我現在要走進人民之中，
人民引頸企盼著我們。」
「唉呀！唉呀！和我同路，
讓我們一起走吧！」

《先驅》改題，一部拾錢
《同胞》12月號

大正9年12月28日　印刷審查樣本
大正10年1月1日　發行
編輯發行兼印刷人　新明正道
東京牛込早稲田鶴巻町362
印製　冬夏社工廠
發行　新人會
東京都本鄉區駒込上富士町5
劃撥　東京18125號

第二章　滿洲事變以前的滿蒙問題

身為滿鐵調查員的體驗

阪谷：今天想要請教各位的是昭和初期——金融恐慌至滿洲事變前後——的事情。將各位大學畢業後至昭和10年前後的履歷排在一起並見的話，會發現形成相當有趣的配合。即伊藤先生大正末年的四、五年間主要在滿鐵從事調查的工作，之後留學歐美，昭和4年的春天學成歸來。松本先生是大正12年關東大地震那年畢業，在研究所待一陣子後留學美國耶魯大學，之後再前往歐洲留學，正好是昭和2年的夏天歸國。岡崎先生則是於稍後的昭和4年，以日銀行員的身分派駐德國，滿洲事變後的昭和7年秋天歸國。大致是這樣的關係。

因此，有關至昭和初期為止的期間，承續上回，想請伊藤先生談談您到滿鐵就職後，到昭和初年留學歸來之間的中國問題，特別是滿蒙問題，麻煩根據您在滿鐵的經驗為我們做個開場。之後再切入正題，談昭和初期金融危機以後——其中包括在京都舉行的第三屆太平洋會議（京都會議）、滿洲事變等若干重要話題——的事情。

首先就請伊藤先生先從您就職滿鐵後歷經東亞經濟調查局、滿鐵總公司，以及北京、南京駐在員的經驗談起。

松本：關於此點我很想請教，您當初是因為想進滿鐵才進去的嗎？

伊藤：我看就從我就職的經過談起吧！「新人會」的成員差不多都看準工會、容許自由的調查機關、律師、大學老師。三輪要當律師，林與河西決定去大學。

滿鐵調查部、特別是東京的東亞經濟調查局裡面，有右翼的大川周明和左翼的佐野學兩位先生，又自由，所以我本來就想進滿鐵，加上嘉治隆一、波多野鼎、石濱知行也要去，我便跟著提出申請。

當時擔任大學就職相關業務的鳩山秀夫老師問我：「你究竟為什麼會想進滿鐵？」我回答：「雖然我光是打棒球，不太念書，可是我認為健康的人應該要到滿洲才對，所以提出志願。」就這樣獲得同意。

滿鐵的錄取考試是由佐野學、大川周明兩位先生擔任審查委員，局長的松岡均平先生擔任委員長。松岡均平先生在東大開授經濟政策，同時兼任東亞經濟調查局局長。我到東亞經濟調查局考試的時候，適逢河合（榮治郎）先生跟農商務省吵架，憤而辭職成為東大教師，河合先生在報紙上刊載箇中原委。

松本：經濟思想史。

伊藤：嗯。正好那個問題發生，所以口試時馬上被問到。我同意河合先生的舉動，所以表示肯定的回答，結果可能因為我是棒球選手，所以勉強過關。

松本：和發生森戶事件（大正9年1月，東大經濟學部的學報《經濟學研究》刊載森戶辰男助教授的〈克魯泡特金的社會思想研究〉〔〈クロポトキンの社会思想の研究〉〕，觸犯當局禁忌，被判以監禁兩個月、大學停職的處分，學報的名義發行人大內兵衛助教授也以違反新聞法遭到起訴）的時候不同吧。

伊藤：嗯，兩個因素都有吧！加上新人會的關係和棒球，總算通過了。

松本：錄取考試是在東京進行的？

伊藤：對。可是因為嘉治和波多野占了東亞經濟調查局的名額，我就被擠出來，派往總公司的調查課。不過先在東京見習半年，由此大致掌握了滿鐵調查部的氛圍。真的是非常自由！每天的工作就是各自依照被分配的外國文獻資料和日文的雜誌、報紙，根據滿鐵及東亞經濟相關索引進行查閱，分攤的工作結束後就可以回家。

我在這裡的半年，其間石川鐵雄先生已經從金澤的高中（四高）進入滿鐵，成為總公司的調查課長。另外還有位學長叫佐藤貞次郎先生，文科出身，當時和「帝國文學」的谷崎潤一郎是同人關係，也於同一年進滿鐵，就在東京。課長、主任，大家紛紛接踵至大連赴任。我是在十月底前往大連，進入總公司的調查課。那裡的石川課長採用東亞經濟調查局實施的系統，也開始製作索引。

松本：在大連？

伊藤：在大連。調查課的作風大致分為後藤新平以來的台灣總督府系統，以及軍隊所必要的兵要地誌等兩個流派。台灣系統由岡松參太郎博士率領，從事舊慣調查和土地問題；「兵要地誌」系統則是延續日俄戰爭前後軍隊在東北（滿洲）進行的實地調查模式。這個系統中東亞同文書院出身的人很多。

戴：某種意義上，是於東亞同文書院的畢業旅行中先經歷一遍調查員的訓練之後，再由滿鐵接納的形式。

伊藤：對、對。調查課的成員除了同文書院系統和台灣系統之外，也有一些外語學校中文科出身的人，不過極為少數。還是同文書院出身者為大宗。

石川先生進公司後，想要將這種個別零散的專家集團型態，改變為齊心協力有組織的系統化調查方式。他立即採取查對中文資料和日文報章雜誌，來進行以滿鐵及滿洲經濟（不含中國關內）為中心的資料蒐集的方式。至於外國的資料那時在大連則不太被使用。然而，專家們對於這種全員合作系統化感到不滿，認為無法活用自己的方式，而且是製作資料的資料，有不對勁、無趣的氣氛。我赴任當時進來了三位東大畢業生，加上前一年進來的兩人，總共有五位官立大學出身者，這些人遵循石川先生的指示，大致上帶動起課內風氣，配合製作索引。

松本：最後做成了索引卡片。

伊藤：嗯，因為強制大家做了很多，所以課內有一陣子不太愉快，充滿對立的氣氛。

松本：所謂的報章雜誌是什麼？

伊藤：以漢文報紙和日文報紙為主，雜誌則以日文雜誌為主，上海、香港以外的東西很少。

松本：日文新聞是哪些？

伊藤：以《朝日新聞》、《每日新聞》為主，那時不知道有沒有《日本經濟新聞》（前身是《中外商業新報》）？我有點忘了。

松本：有查綜合雜誌嗎？

伊藤：沒有查。

松本：像是《改造》等……？

伊藤：《改造》（大正8年4月創刊）和《解放》（大正8年月6月創刊）剛好都是大正8年前後創刊的。但是應該沒有進行查閱，畢竟還是以中國關係機關的雜誌為主。像是同文書院的雜誌，或者《外交時報》、《東洋經濟新報》等，相當多。

我們製作索引的同時，石川先生打算集中調查課的全部力量，完成「滿洲大百科」的《滿蒙全書》〔《満蒙全書》〕。雖然這項企畫也不是全員都打從心底贊成，但我們抱持著也算是一種學習的心態，從資料蒐集開始耗時三年，雖然中途我遷移北京，終於完成《滿蒙全書》八卷，可以說實現了調查課的近代化或產業化（Industrialization）化。這就是我在調查課的生活。

松本：調查課大概有多少人？

伊藤：包含公司業務統計股在內，大概不滿50人吧。另一方面，負責土地慣行調查的專家們儘管持續不懈地從事自己的工作，但還是漸漸式微，斯界第一把交椅天海謙三郎先生也離開滿鐵，轉到三菱經濟研究所。

阪谷：我有一種錯覺認為從後藤新平先生成立滿鐵的初期開始，滿鐵就擁有相當龐大的調查機構。但是根據現在的說法，不管在方法論也好或是在各個方面上，滿鐵的調查機構都是在那個時候逐漸確立起來。還是一旦有過的大調查部中途變小，然後……

伊藤：後藤先生創辦時期的公司結構很單純，總公司組織是鐵道部、地方部、調查部三大部門。調查部一開始除了調查業務之外，還要負責部分審查及人事業務。本身的調查業務則是「慣行調查」和「兵要地誌」。因此人數並不多，實地工作人員以外也沒有多少人，規模不怎麼龐大。但是隨著調查業務逐漸整頓，調查部也清理成為調查課，隸屬總務部其中一課。調查課運作數年以後我們才進去，在曾經被稱為新渡戶（稻造）十哲之一的石川先生手下推動近代化。

戴：調查部的草創時期曾經聘請過數名外籍專家人士吧？

伊藤：那是東京的東亞經濟調查局的創立時期。

戴：我覺得有必要就外籍專家和大川周明所發揮的作用給予適當的評價。戰後，大川周明因屬右翼而備受批評，全盤否定的氣氛非常濃厚。可是想要掌握大川周明的《可蘭經》研究、伊斯蘭教研究等，就必須置於當年具體的狀況中來定位。特別是後藤新平歷經台灣的民政長官後成為滿鐵總裁，他在構想調查部，也就是滿鐵經營所需的調查研究機關的階段，如何將歐洲的殖民地統治經驗日本化？又如何在將其日本化之後應用到經營滿鐵上？這些研究課題，也勢必關聯到必須客觀評價外籍專家和大川周明所扮演的角色。伊藤先生的看法如何？

伊藤：那時是聘請國外的，也就是德國的學者及行政官擔任顧問。

後藤的殖民地經營之所以考慮到活用調查機能，確實是以德國的科學和殖民地經營為範本。他在統治台灣的初期，採用留學德國，並實際參與過當地殖民地政策研究與行政的大內丑之助等人才；一方面邀請京都大學教授岡松參太郎來台，完成台灣舊慣調查、清國行政法等調查；之後又將這種模式與人才應用到滿洲經營上。大連的調查部就是調查課的原型。

後藤更在東京設立與大連當地擁有不同調查機能的機構，使之成為以亞洲和世界為對象的綜合性機關，超越滿鐵一介企業的範疇，置入日本的視點。只是模式上依然沿用德國的科學方法。高級工業學校教授（後任威瑪共和國政權外交部長）的奇斯博士（音譯，ドクトル・チーズ）是第一屆顧問，第二屆為內務參事官奧托（Otto Wiedfeld）（後任德國克魯伯公司〔KRUPP〕董事長、駐美大使），第三屆是高級商業學校教授貝蘭多博士（Dr. Behrend），如此持續到1915年。而歷任這三屆祕書職務的巴菲特（Baumfeld），則直至我們進公司的1920年代都還在職，協助新進員工的資料整理入門。

之後，東京經濟調查局分為馬克思主義國際派和日本國粹派，進入鬥爭時代。大川周明的〈東印度公司研究〉〔〈東印度会社の研究〉〕、永雄策郎的〈殖民地開拓鐵路之研究〉〔〈植民地開拓鉄道の研究〉〕，乃至做為共同研究的世界製鐵事業的翻譯等，都與公司業務有關。機關誌也從《經濟資料》轉變成《亞洲》。

東亞經濟調查局在日本的調查機能發達史上留下的貢獻，是企業在大正中期調查業務的活用方面還很幼稚的時代，結成全國調查機關聯合會（官民機構加入），東亞經濟調查局和日銀調查部共同擔任幹事，擔負起年輕日本諸企業的指導者角色。

而如同之前所說，大連的調查課是在1920年，石川鐵雄擔任課長以後，從個人型專家集團轉變為近代化的東京型。

不過，後藤的滿洲經營方針中有一項重大失誤。就是著名的50萬日本移民招攬與數百萬頭的畜產經營。為了能充分支持以鐵道、煤礦為主軸的中心，他計畫用某種程度數量的日本移民來移殖適合曠野的畜產。在滿鐵組織中，這個使命是地方部農務課的工作。可是由調查課對關東州內殘存的日本農村相川村進行實況調查（野中時雄）的現實看來，滿鐵幹部對滿洲移民採取消極的態度，直至發生滿洲事變。

關東軍一手捏造「滿洲國」，半強迫性的從日本招來開拓移民・義勇軍移民，送到國境地帶，（滿拓——滿洲拓殖株式會社，後改組為滿洲拓殖公社——為日本的滿洲農業移民扶助機關）掠奪式的收購中國農民的既耕農地，建立起日本名的開拓村。結果敗戰後想當然爾，遺留下數萬棄民的不人道歷史，在三十餘年後的今日成為「孤兒問題」而丟盡國家顏面，教人無言以對。

戴：我也是這樣解釋。話說回來，對於佐野學和大川周明等人，我真的認為不該只從他們表面的動向就輕易決定左翼右翼。我想從當時的具體情況中，進一步了解那些人物究竟如何進行他們的研究活動。關於這方面，伊藤先生從現在這個時點回過頭看，是怎樣一回事？

伊藤：當我還是新進職員的時候，看著前輩們的研究活動，真的覺得很自由。像是佐野學，比起坐在調查局裡的時間，他到礦工公會的時間比較多，一下子參加公會的執行會議，一下子又到其他方面的組織去，分配給他查閱的資料全堆在他的桌子上。大川先生則是認真於工作，《可蘭經》和其他是後來的事，當我在調查局的那段時間，他著手於東印度公司的研究，並以此獲得學位。可以說大家都是照著自己的興趣，自由地選擇調查的主題。雖然有資料查閱的共同作業，但是研究主題就可以擅自決定，進而從事調查，上司也不會有任何責難。對於調查計畫、企畫似乎不怎麼嚴格，不過編纂資料的工作就必須統一作業。

戴：調查課縮小的過程，某種意義上與台灣的情形幾乎雷同。

伊藤：是大連的調查課延續台灣的案例。岡松先生的弟子沒去東京。

戴：是，所以後藤新平也是在以岡松參太郎為中心組成的舊慣調查會發揮了某些功能之後，接著進行縮小。也就是說，不是將組織固定化，而是因應時代的狀況進行縮小。因此滿鐵調查部縮減為調查課的過程，我相當可以理解。但是一般的印象都不是這樣，好像總是期待出現更大的東西，懷抱著主觀的願望。

伊藤：這是創業期和中間期（至滿洲事變為止）的變化。

戴：是的。現在說到後藤新平的話題，與此相關，松本先生在上回提到鶴見祐輔先生，您在美國與鶴見先生見面的時候，他已經和愛子小姐（後藤新平的長女）結婚了嗎？或是還沒有？

松本：應該已經結婚了。

戴：在與鶴見先生的交往當中，您個人對於後藤新平的滿鐵經營等，有獲得什麼特別的印象嗎？

松本：沒有，我從沒聽鶴見先生說過後藤的事。

阪谷：伊藤先生大學畢業後進入滿鐵，僅一年三個月後就被派為北京駐在員，在北京創刊《北京滿鐵月報》，又到華南視察，在我們看來，您年輕的時候就有如此闊達的活動舞台，讓人欽羨。請您就當時中國關內的狀況，簡單跟我們說一下。

伊藤：我到北京是石川先生的企畫。只在東北活動的話，對滿鐵經營未必足夠，所以後藤先生之前曾赴北京表敬訪問。而石川先生繼承這個想法，決定在職務編制上設置調查課北京駐在員，因此我才會去北京。然而我在大連罹患了中耳炎，所以從最初接到命令起算，我的赴任大概延了半年，翌年（1921）年底才進北京。當時北京有個叫滿鐵公所的辦事處，不叫公司而叫公所，意思是負責與中國政府管轄的鐵路交涉、聯絡的辦事處。相關鐵路有連結東北（滿洲）鐵路和北京的京奉（北京至奉天）鐵路，以及其他連接線。日後也為所謂借款鐵路的日本鐵路利權交涉。有數名所員常駐北京。

公所中也設有調查課駐在員的席位，後來身分轉為北京公所員，我負責北京公所的調查機構。

當時北京的政情，一言以蔽之，可以說是軍閥割據鬥爭的時代，也是遭國際間帝國主義瓜分的前夕，北京中央政府完全被壓倒在內外的勢力之下。

根本問題之一是財政。治安統一遭到破壞，所以北京政府沒有足夠的政治力量來確保稅金及其他收入，是靠貸款在維繫國家的時代。那些國際借款，據說都埋下了日後分割中國的伏因。因此，石川先生認為滿鐵要在東北工作，就有必要掌握中國本土、亦即北京政府的狀況，以及圍繞整個中國的國際情勢，於是派我為研究駐在員，並指定財政為我的研究主題。

松本：當時北京政權的最高領導人是誰？

伊藤：一直在換。最初是名義上的總統徐世昌，之後是黎元洪，接著為直隸派系的曹錕，是個更迭不斷的時代。每個軍閥都瞄準北京，競相爭奪，正是所謂「中原逐鹿」的鬥爭期。在那個時代，軍閥鬥爭和外國的利權鬥爭就以北京為舞台，掀起陣陣波瀾。

然而，我對於財政並沒有熱誠。就讀東大時，大內（兵衛）先生從大藏省到東大當講師，開授財政學的課程，我只出席那堂課，但我的財政知識也就只到那個程度而已，所以總提不起勁來搞財政。碰巧同班同學中有位竹內一真做了駐北京財務官的輔佐官而來到北京，我就向他要來一切他做的東西，充當報告呈交給滿鐵，初期就這樣一點都不想接觸財政。而且北京大學圖書館裡有位李大釗主任，去那邊向他學習思想運動、勞工運動、學生運動還比較有趣得多，所以我就朝那個方面走，決定了我的中國研究取向。

戴：您和李大釗是用什麼語言交流？

伊藤：日語。

戴：李大釗的日語很厲害嗎？

伊藤：和我說話時十分應對自如。他之前是在早稻田大學。

戴：年齡大約相差幾歲？

伊藤：差六歲，但看起來像差十歲。我起初規避財政，終究慢慢明白財政還是很重要，像借款就是一種國際性的滲透。可是畢竟勞工運動、社會運動比較有意思，就都專注在那方面。

松本：那時北京政府的收入來源是什麼？

伊藤：關稅餘款（關稅收入抵債後的結餘）、鹽餘（鹽稅收入抵債後的結餘）、印花稅，還有對過境北京市的貨物徵收的落地稅。情況最糟糕的時候，這個落地稅是北京政府唯一能確保的財源，其他稅金都被地方軍閥中途侵占。

戴：落地稅也就是釐金稅（過境徵收1%稅）的一種。

伊藤：對，只限於北京的釐金稅。地方徵收的釐金，不是用來抵押貸款，就是被地方軍閥私吞，只有落地稅是唯一收入，所以北京政府處於悲慘的貧困狀態。抵押用光之後，也無法繼續這樣向外國貸款，所以開始國內貸款。那時國內銀行間成立了銀行公會，中國資產階級的興起也逐漸萌生，差不多到了可以開始國內貸款的時候了。北京政府便是這樣四處張羅籌錢。

至於勞工運動，我到北京赴任的翌年，1922年3月，香港發生海員罷工事件。這是最初的中國式大規模罷工，以香港為中心，就連幫外國人做事的雇傭也發起同情罷工。國內的勞工運動同時與反帝運動相互聯繫。

阪谷：您現在說的香港船員罷工，之後一路演變成中山艦事件、北伐宣言等吧！

伊藤：中山艦事件、北伐宣言是更以後的事。1926年進入第二次罷工期，以第一次船員的罷工為開端，那時外國投資的事業——好比開灤煤礦，還有青島、天津的紡織企業，大部分都是來自日英的紡織資本——罷工頻傳。與反帝運動有十分密切的關係。

當然，滿鐵也相當關心罷工的情況。我是1921年年底赴任北京，翌年3月隨即發生罷工，因此儘管我還不太會說中文，一提出想去觀察南方勞工運動的請求，立刻就獲得公所長的批准，顯見關心的程度。

不過，我到香港、廣東，都介紹自己是「新人會」的人。即使我是以滿鐵職員的身分前往，我都用自己大學時是「新人會」的成員，現在是「社會思想社」同人的形象出現，因而被認為是同志，大家都願意與我見面。

戴：只要打出「新人會」名號，大多能博取信任。

伊藤：還有，1926年的五三〇事件後緊接著發生第二次香港聯合大罷工，那個時候鈴江言一待在北京，到處東奔西走。他在青島的日本紡織企業的罷工中，偶然結識從香港趕來聲援罷工的船員工會蘇兆徵先生，並結為好友。1926年我要出發到香港、廣東的時候，鈴江替我寫介紹函給蘇先生。蘇先生當時是香港罷工組織〔譯註：中華全國總工會執委會〕的委員長，劉少奇為書記長。鈴江寫給蘇先生的這封介紹函發揮了最大效用，我拿著它直闖總工會——同一處還有「省港（廣東、香港）罷工委員會」——受到熱烈的歡迎，數日後還邀我聚餐。

之後罷工委員會要召開罷工相關會議，劉少奇還問我要不要列席聆聽，可見我獲得絕大的信賴。

但是委員會會議卻在當天早上宣告中止。原因是那天正是中山艦事件發生的3月20日，總工會遭到蔣介石的搜捕。我毫不知情地出門，途中遇到劉少奇，才被告知流會。

那次旅行我原本也想見蔣介石，所以也帶著給他的介紹函，是由國民黨北京黨部發給的，能夠到手同樣多虧鈴江言一。我從廣東的旅館與楊匏安——共產黨推派的蔣介石祕書——取得聯繫，一度約好會面，結果此事也因為中山艦事件而告吹。總之，我能夠那樣自由地行動，背後全靠人家對社會思想社、新人會、鈴江信一的信賴。

戴：算是一種連帶意識吧？

伊藤：可以這樣說。

松本：結果伊藤先生就以北京為據點，在那裡待了四、五年？

伊藤：四年半。

松本：真的是個很好的基礎。

伊藤：而且充滿寬容的氣氛，所以非常愉快。

松本：那個當時的四、五年期間，實在是了不起的經驗。

伊藤：待了四年半之後，我被選中去外國留學。起初我拒絕了。北京、中國這麼精采，錯過這個時期而到外國去很沒有意思，所以我要求延期，結果董事之一的大藏公望先生恫嚇我說：「由不得你如此放肆！要是錯失這次機會，下次就不知何時才可以去了！」前輩中江（丑吉）先生也勸我應該選擇外遊，我才心不甘情不願地離開北京。

駐德國日本銀行員所見的滿蒙問題

戴：岡崎先生，您自大正11年進入日本銀行，到昭和4年下旬前往德國之間的始末，目前我們算是一無所知。您是位非常好學之人，對於當時的滿蒙問題、山東出兵，或是滿鐵經營，您在日銀如何看待？還是有什麼特別的問題認知？願聞其詳。

岡崎：我之前也說過，學生時期的我在和中國人交往之中，發覺日本和中國打架，對將來的日本而言是不利的——以歷史為鑑，日本不可能永久昌盛，即使現在自以為與列強為伍，但衰落之時不久就會來臨。到時候如果中國對日本有了復仇之意，那日本就連稍作抵抗的能力都沒有。

也是從那時開始，我稍微考慮到資源的問題。而且上回（第一章）我也說過，我進日本銀行，和一般志願進日本銀行的情況不同，是因為不想去官吏社會、營利部門，才跑到日本銀行的。我在分行間待過一段時間，昭和元年前後回到總行，開始接觸銀行內部。

昭和3年6月發生張作霖炸死事件的時候，我們也是非常地擔心，並馬上就知道是日本所為，還覺得這事不得了，昭和4年11月我被派駐德國，因此暫時和日本斷了關係，前往德國。到了柏林，覺得必須學好德語，就跑到柏林大學提供外國人學習德語的地方，當時日本人只有我一個，中國人倒有五、六位，他們會向我攀談要做朋友，而學校時常會率領大家去波茨坦等地方參觀，我也都趁此機會和他們聊天。

終於，昭和6年9月爆發滿洲事變，日本大使館方面叫我們不要太常和中國人交際。但因為也不是說發出正式的命令，所以我和中國人一起吃飯，當作道別，分手前互相握手說：「反正戰爭總會結束，我們到時再見吧！」往後一段時間沒有和中國人見面的機會……。

當時駐柏林武官府的次席鵜澤尚信少佐（後升中將）來找我說：「占領滿洲，將之納入我國勢力範圍的話，日本的物資供求狀態將大為改變，經濟情況也會不同，因此包含此事在內，駐歐洲的陸軍軍官們集合起來，想對祖國呈報意見。軍事及政治方面由我來負責，可是經濟方面我不懂，所以想請岡崎君你寫……。」我回答：「原本我就很反對用武力奪取滿洲、建立滿洲國。為什麼要做那種事？」他的解釋是說：「不，並不是要占領，而是如果先讓蘇聯拿下興安嶺的話，對我們非常不利。所以控制興安嶺是為了日本的安全才做的。」我向他說：「但是，照我的看法，總覺得陸軍好像有想要越過萬里長城的跡象。要是越過了萬里長城，將成為不可彌補的重大事件，所以如果你們要進行越過萬里長城的作戰計畫，我就什麼都不幫你們寫。」「你說什麼？我們不會做那種傻事。像我剛剛說的，只是為了要對抗蘇俄。」由於他再三保證，所以我幫他寫了一些東西，結果兩三年之間，日軍就已經入關，我感到非常懊惱。那時寫或不寫，其實影響都不大，但就是覺得特別懊惱。

另一方面，駐德國期間，我也目睹了納粹的勃興。我和德意志帝國銀行等銀行關係人員之間的交際很多，他們都看好阿根廷，派遣優秀的人員駐留阿根廷，直言阿根廷將是德國人大顯身手的舞台。他們也很重視日本，只是投注的心力不像對阿根廷的那麼多，但還是派了相當重量級的人物到神戶。

種種事情加在一起思量之後，我認為對日本最重要的應該就是中國，必須在中國設置駐在員，加強學習中文才行。帶著這樣的想法，不久我就回到日本，儘管還是個位置最低的書記，我大膽力陳金融界也應該派遣中國駐在員、認識中國，結果反而招致上司的微詞。又經過了幾年，等到結城豐太郎成為日銀總裁時，才立即實行。

從那時起，我因為在日銀內部提出中國問題，所以被指和政治有瓜葛。此外，我是在1933年離開德國，那時我已然確信納粹將在六年後，最遲也在七年後進行第一次世界大戰的復仇戰。如果此事真的發生，就不只是日本要否阻止的問題，而會變成世界大戰。到時候一定會採用戰時金融政策，所以我認為要事先做好研究。當時有本類似於「政府公報」的《世界戰爭中德國的金融政策》報告書，分量厚重，我就先拿來研讀，回國後根據那本書寫了一些東西呈交給上司，結果大受叱責。在我們入行當初的日本銀行行員手冊上，有一條明記「行員不得干預政治」。所以我被上司痛批：「都叫你不能干預政治，你還管到軍事去，真是豈有此理！」

阪谷：剛剛也有提到，您是在昭和4年11月前往德國，前一年則發生張作霖炸死事件。當時日本銀行的年輕行員之間，對此有沒有一番慷慨激昂之議論？還是不太……？

岡崎：我的同僚中規規矩矩的人很多，所以真的都不談政治。當時日本銀行的人實在都對總裁很忠實。不過現在可能就不是這樣了。不懂政治的金融業是不可能行得通的。總之，我算是很早就被日本銀行送出去。還是碰巧因為說了那些話的緣故，昭和12年中日戰爭一爆發，13年春天我就被派到華中。現在我的履歷書上寫著「中支那派遣軍特務部付」，這是因為不成為軍屬，軍隊就不讓人進入中國。當時大藏省和商工省、日本銀行，以及經濟聯盟——相當於現在的經濟團體聯合會——各派出一名調查員，囑咐調查華中經濟，於是我奉命前往上海調查金融外匯，從此和政治、軍事有了密切關係。

戴：所以是從岡崎先生提案以後，隔了很久很久才實現。

岡崎：可是為時已晚。我到上海的時候，松本君是同盟通信的華中華南總局長，所以我常去請教很多事，也受招待吃飯。

松本：我怎麼完全沒有印象？

岡崎：上海某家料亭的一室，不是有間您去的時候總會指定的房間？我常常去那裡聽你說話，也徵得同意，在那間房間和其他人會面。現在向你致謝。

伊藤：在你之前，日本銀行有兩位駐在員。你的前一任是鈴木亨一？

岡崎：宗像久敬。

伊藤：大正9年的畢業生之一。他是第一位日本銀行的駐在員。

岡崎：「駐在員」是從我之後。

伊藤：原來如此，所以鈴木是在你之後。

岡崎：對，我之後。因為說無論如何不過來不行，所以在北京和上海各安置一位，就是大正9年畢業的那位……。

伊藤：他是上杉慎吉先生的弟子。

岡崎：對、對。

戴：從您們現在所說，我發現一件雖然和鼎談會沒有直接關係，但是很有趣的事情。就是納粹和阿根廷的關係。在戰後納粹殘黨的追蹤上，總是會特別提到阿根廷。我一直不了解為什麼，現在聽到您們所言，才恍然大悟。

阪谷：對，我也是！

戴：總之那裡是德國人所謂的新開拓地，也就是移民處。而納粹想要更進一步強化。

岡崎：對、對。與其說是納粹，不如說是希特勒掌握政權之前全體德國的夢想。因為在歐洲已無法發展，所以將來的新天地是阿根廷！又聽說那裡沒有種族歧視的問題。日本也有同樣的想法，我敗戰後回到日本，有位親近的實業家邀我說：「岡崎！要不要舉家遷往阿根廷？」

日本對於最重要的中國，連外交官也派二級人選的作法，真是大錯特錯。像德國，就派最好的人才去阿根廷。

阪谷：被日本銀行派駐德國以前，您在哪一間分行？

岡崎：我從小樽分行回到總行的文書局，之後到營業局，處理金融恐慌後的善後工作。

戴：那位宗像先生後來是到台灣銀行？

阪谷：不是，是蒙疆銀行總裁。宗像先生和我父親是大學以及日銀的同期。

岡崎：在上海成立華興商業銀行也是宗像先生的構想。他的用意是由在中國擁有治外法權的國家共同出資成立銀行，盡量從各國招攬董事，藉此商討日中事變〔譯註：盧溝橋事變〕的解決對策。以銀行之名來號召人群，這個想法雖然很有趣，可是其他國家不可能來，所以最後合作的只有日本和中國。而宗像先生本來要做副總裁，結果臨陣婉拒，因此叫還留在上海的我立即走馬上任，說什麼現在才開始物色人選非常困難。

我本來不太想去那間銀行，可是到那邊直接和中國人交流之後，覺得非常不錯，也知道中國人對事情的看法和我的一樣。他們是到日方來的人，但還是對日本抱有不滿，應該怎麼做，他們也都會告訴我，所以我對自己一直以來的想法開始有了自信。雖然不管是對國民政府，還是對共產黨，這都對中國人不太好，但是我們能夠接觸外國人、聽到他們的真心話，我覺得非常好。沒有一個中國人會贊同日本人現在的所作所為。所以輸掉戰爭的時候，日本人都很悲觀，反而我並沒有那麼喪氣。只是沒想到中國的朋友跑來安慰我：「岡崎先生，從此以後日本和中國就能成為好友了！你千萬不要悲觀！」這和日本人的想法完全不同。知道這些事情是非常有助益的。當時和我交好的年輕人之中，有幾位現在仍保持來往。

滿洲問題和第三屆太平洋會議

阪谷：松本先生是大正12年自大學畢業，昭和2年8月自美國留學歸來，之後您參加了昭和4年10月於京都舉行的第三屆太平洋會議，這裡想請您談一下。我有一點不太清楚，就是這個太平洋會議，特別是在和中國、日本、美國的關聯上應該要如何評價？想好好請教您一番。

松本：我想伊藤先生或岡崎先生，大家都不太想去商業公司吧？我也不想去。我是懷抱著想成為國際級新聞工作者的信念留學歸國的。歸來之際，前輩的黑木三次先生——黑木（為楨）大將的長子——召集高木八尺（美國專家、東大教師）、鶴見祐輔、前田多門等人，就我將來該走的方向給予意見。地點我現在一時想不起來，是間日本料理店，相當簡單的地方。

戴：丸之內飯店的中央亭嗎？。

松本：正是。鶴見祐輔先生向我說：「松本君，其他的人早就進報社工作了，你和他們之間一差就差了四年，所以你就算現在進去，一時半載無法翻身，而且被其他人拉開四年距離，相信也不會愉快。所以倒不如效法岡義武君的父親岡實先生，他是從商工次官做起，後來成為《每日新聞》的副社長。你也考慮照這樣的方式走吧！暫時先到東大做些什麼，寫寫博士論文，然後再進報社如何？」於是高木八尺先生相當罕見地說：「那麼，美國學講座的椅子還空著，沒有一個副教授，也沒有助教，我幫你向校長小野塚（喜平次）先生拜託看看。」輕易地答應要幫忙。我對他說：「那就麻煩您了！」便回家了。那是昭和2年夏天的事，那年年底，我就收到翌年1月1日起的聘書，被任命為東京帝國大學的助教，要我到法學部上班。記得我是1月5日左右開始上班。其他的助教都是4月開始至翌年3月底，大概做滿兩年會離開。我之所以1月開始上班，是因為小野塚先生認為：「三個月都無所事事未免太浪費了，快點發出聘書吧！」非常好心地為我安排。

恰好在三、四年前東大法學部正式開設黑本講座。這位黑本（A. B. Hepburn），和設計日語羅馬字標音的黑本（J. C. Hepburn）有遠親關係，曾經是大通銀行副總裁。他從華盛頓海軍軍縮條約等情勢判斷，或是從更早之前開始，認為第一次世界大戰結束後的日美關係不能繼續惡化下去，於是想辦法要促進日美的文化交流，遂捐錢給東大設立講座。金額應該是5萬美元的樣子——當時一美元是對兩日圓。

戴：真了不起。

松本：然後計畫先聘請一名教授，讓他也到美國留學三年左右，回國後再請他開課。而他留學的期間就先請臨時的講師開始上課，於是規劃出以美國歷史、憲法、外交為重點的「美國講座」。初始的階段是臨時找新渡戶稻造老師來談美國建國的歷程，然後美濃部達吉老師講授美國憲法，吉野作造老師講授美國外交史之類的課程。如此總算是將課程銜接起來，等高木八尺老師終於從美國經由英國留學歸來之後，即刻請高木老師於大正13年在東大正式開授「美國講座」。我成為老師的助教，在老師底下整理書目卡片。剛好和伊藤先生在滿鐵的東亞經濟調查局所做的工作內容完全如出一轍。真有意思。我們三人都因為不想當生意人，所以到滿鐵或到日本銀行，只有我因為有父母的錢，也可能是私房錢——有沒有貸款就不知道了，總之學校一畢業就赴海外留學並歸來。差別只在我稍微早一點出國而已。我擔任高木老師的助教兩年三個月後期滿離職，可能也因為做為助教的成績並不太好。然而，小野塚老師卻很欣賞我，他打算為我在政治學的關係講座中新開設「比較政治制度論」做為第三講座——也就是「政治史與政治學史」、「政治學」講座之外，再加入「比較政治制度論」講座。結果因為濱口內閣的藏相井上準之助進行財政緊縮而告吹。小野塚老師非常遺憾地說：「你對語學多少有些興趣，所以一定非常適合從事比較制度論，真可惜！」可是沒有辦法，我就這樣被解雇了。之後我到目白的日本女子大、法政大學、中央大學擔任講師。

高木老師在我離職之後還是常常為我設想，讓我參加法學部研究室內部開設的「公法政治研究會」。這個研究會是由南原（繁）老師和美濃部（達吉）老師兩位主持，每月開一次報告會。我還記得南原老師自己也曾就納粹的問題進行講授，那時南原老師主張雖然納粹看起來充滿景氣，可是終究是惡魔的，是惡靈附體（dämonisch）……。於是美濃部老師問他：「這個惡靈附體，大概可以持續多少年？什麼時候才會變正常？」南原老師回答：「大概經過個三、五百年就會變正常吧！」美濃部老師就說：「那真是非常需要耐心啊！」總之，我有幸列席這個非常有趣的研究會，也針對美國勞工運動做了種種報告。其中記得好像有AFL〔譯註：美國勞工總聯盟，American Federation of Labor〕的問題，還有山謬・龔帕斯（Samuel Gompers）的傳記等。

在此期間，昭和4年10月底，太平洋會議（Institute of Pacific Relations, IPR）的第三屆會議於京都召開。那時高木老師和YMCA〔譯註：基督教青年會，Young Men's Christian Association〕的總主事齊藤惣一兩個人擔任幹事負責籌劃設計。日本是東道主國家，所以等於要在京都掌管一切事物，日本代表團來了相當多一流的人才。

新渡戶稻造老師是團長，鶴見祐輔、那須皓，記者方面有《朝日新聞》的前田多門、《每日新聞》的高石真五郎、聯合通信的岩永祐吉，全都是一時之選。社會事業方面，松田竹千代——昭和3年2月的第一屆普通選舉（普選）中當選為議員，從事社會福利救濟（settlement）——也出席了；國際法方面，立作太郎先生好像也有到場。總之是一流的陣容，更因為那時候日本稱得上具有國際性、學術性的會議還絕無僅有，所以為了加強日本和國外學問上的理解，大家都非常熱心。

經費的部分，當時非常輕鬆，三菱、三井、住友、滿鐵四家公司只需各出1萬日圓，就能負擔所有會議支出，還留下結餘足以支付到下次會議之間的經常費。只用4萬日圓，那海外來賓——大概有250至300人左右出席會議——的住宿費是怎麼算的？總之錢幾乎是全部剩下來了，還留到下一屆的杭州、上海會議。據說是住友的小倉正恆先生邀集三井、三菱的上層，只吃了一頓晚餐，就讓大家同意各出1萬圓。

伊藤：松岡洋右有出席京都會議嗎？

松本：出席了。

伊藤：京都會議的主題是滿洲問題吧？

松本：是美國提出的，因為滿洲問題變得有點危險，所以提出來。松岡先生好像那時剛成為滿鐵副總裁。會中有位北京大學的徐淑希老師與松岡先生相互爭辯，實際的情況雙方激烈到我們有點不知所措。

阪谷：滿洲籠罩的風雲頗為詭譎，應該大大影響了這個會議。

松本：這已經是第三屆，1927年的第二屆會議是在檀香山舉行，由美國財界的人出資，但是組織性的聯繫是透過YMCA的網絡。第三屆的京都會議的時候，也有位大衛・余——本名余日章，喜歡開玩笑地自我介紹說：「我是日本國旗」——是個厲害的政治家。他的祕書陳立廷同樣相當能幹，請大家寫〈治外法權論〉、〈租界返還論〉等論文，帶到京都會議上。會議的高潮是松岡洋右和徐淑希的特別演講，第二天松岡又進行反駁。中國代表團中，我耶魯大學時代的朋友何廉也來了，還有南京金陵女子大學的吳怡芳校長，也以女性身分參加，實在是了不起的人物。英國的海爾什勳爵（Lord Hailsham），不顧馬爾科姆·麥克唐納（Malcolm MacDonald）——麥克唐納（James Ramsay MacDonald）首相的兒子——落選，還是帶他來參加，很好玩。還有一位叫艾琳·鮑爾（Eileen Power）的女歷史家，以及當時48歲的湯恩比，那時首次到日本。問他要是日本在滿洲行使武力，英國會怎麼做，他即刻回答：「英國什麼也不會做。因為新加坡的要塞建設只做了一半就陷入停工，所以英國什麼也不會做。」湯恩比的應答實在是相當明確！我大概記得這些事。此外，自然在會議中我也結交了不少中國人的朋友。

特別是在正規議題之外，還設有「日中懇談會」。這是因為考慮到中國代表團和日本代表團的有志者，或許會想在晚餐之後的八至十點前後大概兩個小時的時間進行懇談而設置的。在進行方式上，為了對作客的中國人表示敬意，所以主席的位子由張伯苓（天津的南開大學校長）擔任。張伯苓便說：「當然祕書就拜託日方的松本來當。」我於是也和張伯苓結了因緣。

戴：當時美方提出滿洲問題的背景，我認為一個原因是張作霖被炸死，而他的兒子張學良在「滿洲」導入美國資本，企圖對抗日本；另一個則是晚一步投入太平洋的美國自身企圖打入中國的政策。您的看法如何？

松本：我對於滿洲事變並沒有真正著手研究過，就以籠統的印象來說，依《華盛頓條約》而簽訂了九國公約，於是張學良一派，包括他年輕的幫閒在內，似乎認為：「如此一來中國的主權和行政保全就受到保障，所以日本不會行使武力。」雖說也有了一些美國資本，但就我來看，張學良陣營認為因為有九國公約，所以在其傘下就可以無憂無慮，這想法未免太超過了。所以關東軍才會生氣，加上關東軍依舊在意對蘇關係，無論如何也不能放任滿洲讓張學良這樣為所欲為。

伊藤：美國的滿洲問題是在《樸資茅斯條約》以降。太平洋問題調查會的經費是不是因為這個關係還是問題，但總之美國對滿洲的關心，普遍來說相當強烈。

松本：從哈里曼（E. H. Harriman）的滿洲鐵路收購問題就開始了。

伊藤：是，一直都有。

戴：並不是說那裡直接變成贊助者出錢，而且說真的，張學良憑一己之力很難與日本對抗。張作霖某種程度上也是順勢藉著日本的力量伸展勢力範圍。但是後來變成無利用價值，成為麻煩人物的時候，就被關東軍炸死。事後，張學良在面臨如何確保自身的基盤和在東北的獨立王國的課題時，選擇與蔣介石結下拜把兄弟的血盟關係。而蔣介石忙於多次的「剿匪」事業，實際上蔣介石的國民政府對抗日本的武力也還很弱，所以想要仰賴美國。當時可以看到事實上美國對於投資中國充滿熱忱，所以我認為中國方面是有意要導入美國資本來將日本一軍。所以張學良對滿鐵也用同樣的方式，一邊和美國商量，一邊展開譏諷藐視的對日政策，結果招來惹急、惹惱關東軍的下場。

伊藤：張學良不是有位顧問端納（W. H. Donald）？

戴：對。

伊藤：這種關係說曾經有也是有的。

松本：但是端納是澳洲人。

伊藤：不過，美國和他所發揮的角色是如何關聯？我覺得這是個問題。

松本：此外還有張學良想要鋪設的、和滿鐵競爭的並行線問題。

戴：對，端納是英國籍的澳洲人。我實在很想知道更多當時具體的狀況。太平洋會議原本的贊助者是YMCA這般教會味道相當濃厚的組織。但是後來積極消去教會色彩，並在較大的框架來思索東亞的和平，在這種構思下聚集起來。而像是剛剛松本先生提到的湯恩比的發言，之後變成是他的一種典型思考。所以饒富趣味，至於新渡戶稻造和國際聯盟的關係也是意味深長。

第三章　滿洲事變到西安事變

從滿鐵內部所見的昭和初期滿蒙問題

阪谷：今天的重點話題是「西安事變」，將聚焦於此就教各位先進。

不過在進入正題之前，上回（第二章）有些因為時間關係而無法談到的部分，想先請伊藤先生簡單講一下「從滿鐵內部所見的昭和初期滿蒙問題」，然後再請松本先生就第三屆太平洋會議，特別是與您的獨家報導有關，也就是今日焦點的西安事變做補充說明。之後如果還有時間，就將話題進展到盧溝橋事變擴大為中日戰爭期間的事情。

伊藤：我是大正15年下半年離開北京，到美國、歐洲留學，昭和4年春天歸國，所以要我講所指定期間內的滿鐵內部所見之滿蒙問題，其實我正好都不在場。

因此，雖然不知道能否回答這個問題，我還是挑出一些關於滿鐵經營的數字來做說明。由於對日俄戰爭後設立的滿鐵能否好好經營感到非常擔心，日本的大財閥投資家遲遲不肯出手購買滿鐵股票（第一回公開招募是明治39年9月10日，2,000萬日圓【20

萬股】，股票在大正3年5月第五回的公開招募時認購完畢），本願寺的布教師只好勞心勞力地行腳日本全國各地，拜託信徒認購滿鐵股票，看起來就是一副急需資金的樣子。然而實際上開始經營之後，卻是非常賺錢，持續呈現黑字。舉數字來說，如果將明治40年度的貨物收入——旅客收入占總收入的兩成，幾乎不是問題。大致上貨物收入的主要來源是撫順的煤和土產的大豆、高粱的輸送——算作100的話，中間隔了大正時期大概15年，到昭和2年的貨物輸送量在比率上增為五倍半。

依照這種速度，滿鐵理應持續發展，然而到了昭和5至6年，也就是滿洲事變前夕，發展的速度卻停止下來。而且不只停止，在昭和5、6年期間，收入及輸送量都比前年度略微減少。這肇因於所謂的滿鐵包圍線，原本廣大的土地上只有一條鐵路貫通南北，後來粗網狀的培養線逐漸有化為競爭線的傾向，使得土產貨物不再流向滿鐵。這樣的轉變是事實，然而真正打擊滿鐵和日本商人的還是匯兌。日幣偏高、銀兩偏低的匯率，重創滿鐵運費和日本的商業資本，造成滿鐵的減收和滿鐵附屬地的日本商人在競爭上輸給中國商店的現實情況。我想這些就是從滿鐵自身所見的昭和初期滿蒙問題。

我在北京呼吸到國民革命、以中國共產黨為中心的社會革命風潮的空氣之後，前往歐洲、美國，所以只接觸到那方面的人。昭和4年3月我回到滿鐵大連總公司之後，3至4月間往返東京，到處移動，那時我寫的第一篇隨筆刊登在《新天地》雜誌上，那是一本以滿鐵的年輕社員為主——也有在滿知識分子加入的綜合雜誌。

松本：主編是誰？

伊藤：實質上屬於同人雜誌，中村芳法君是主編，上村哲彌君是監修的身分。我給那本雜誌寫了一篇名為「凱薩之物當歸給凱薩」〔「カイゼルのはカイゼルへ」〕的文章。我並沒有使用本名，而是將「北京」拆成兩邊，以「北川京二」的筆名發表。可能因為不知道是我，所以在滿鐵內部並沒有引起太大的問題。總之，凱薩的東西就應該還給凱薩，我把在歐洲四年所得出的結論寫下來。這在朋友之間頗成話題，不過公司並沒有因此對我怎麼樣。

昭和4年的5或6月，我成為南京駐在員。在那之前，當我甫自歐洲歸來，原本打算辭掉滿鐵，於是和在東京的嘉治隆一商量，說：「我已經學到很多了，所以想辭掉滿鐵，從事別的工作。我會照這樣的想法去做，請幫我介紹工作。」嘉治卻說：「留在滿鐵比較好！」剛好那時需要南京駐在員，又說什麼除了伊藤之外，能夠承續北京的實地研究，就近觀察所謂以「國民革命」而成立的蔣介石政權的就沒有其他人了！我受此慫恿，覺得與其待在東京工作，不如先到中國去，也可以知道許多動向，所以就妥協去了南京。

松本：「凱薩之物當歸給凱薩」的想法，與當時好比說副總裁松岡洋右的「滿蒙是日本的生命線」的想法不符。

伊藤：完全相反。

松本：這個地方很有趣。

伊藤：不過我寫完那篇文章之後，再也沒翻閱。

松本：中村芳法這位主編，是位不簡單的武士。

伊藤：是啊！

松本：為人爽朗，真正是個男子漢。

阪谷：我看了目前所提及期間內的伊藤先生的履歷表，上面顯示您是昭和4年3月回日本，同年5月即擔任南京駐在員。

之後伊藤先生於昭和7年1月成為滿鐵總公司的調查課長而回到大連，剛好第三屆太平洋會議就在此間的昭和4年秋天於京都舉行。這裡我想請松本先生再談一下。或許也跟松本先生的上海赴任和之後的活躍有關。

松本：伊藤先生好像曾擔任滿鐵的觀察員來過京都。我記得我曾在飯店大廳與伊藤先生有過一番交談。

伊藤：昭和4年3月歸國後，我在轉赴南京前先來到東京，也與社會思想社的諸君見過面。那時，同人共同編輯的《社會科學大辭典》〔《社会科学大辞典》〕的出版事業尚未完成。好像在京都辦過編輯會議，佐佐弘雄是主編。我人在國外，完全幫不上忙。出發前，我將我分配到的工作交代給鈴江言一，他大部分是承接中國問題項目的編纂，不過佐佐君對我說：「伊藤君要是不寫個其中一項，就無法證明是同伴，寫吧！」於是我僅負責「在中國的帝國主義」這一項，撰寫大概三頁左右，從而執筆群中也有了我的名字。《社會科學大辭典》大受好評，還出版縮印版，記憶中我在南京收到過。

松本：表面上是佐佐，但實際上嘉治隆一擔任《改造》的顧問任務。

阪谷：同樣是以京都為中心？

伊藤：不，不是，關西以西有石濱知行、佐佐弘雄、住谷悅治，同志社有波多野鼎、林要，還有數名新人會成員。我總記得有在京都舉行過編輯會議。我從外國歸來時的歡迎會好像也是在那邊（京都）舉行的。你和我就是在那個時候認識的……。

滿洲事變和太平洋會議＝上海・杭州會議

松本：對，我聽過您剛從國外回來時說的話。聽你提到墨西哥的印加等。至於你外遊的全體情節，我就不太記得了。

太平洋會議中，除了三井、三菱、住友之外，滿鐵確實也出了一些錢。再加上滿洲問題是議題的中心之一，所以滿鐵也提供資料，派了不知道是哪一位來參加，我一直以為那個人就是伊藤先生。

伊藤：是伊藤沒錯，不過是伊藤太郎。伊藤太郎是鐵道部的涉外課長，擔任滿鐵對外鐵路聯絡的職位。他是公司內屈指可數的英語高手。我那時與京都會議毫無關係，我有涉及到的是上海・杭州會議。

松本：原來如此。京都的太平洋會議中對於滿蒙問題的議論，與伊藤先生對於滿蒙問題的見解大相逕庭。如松岡洋右堅持的「滿蒙是日本的生命線」的說法非常有力，松岡洋右自己也做了一生一次的大演說，講了三、四遍。不過太平洋會議的日本代表團中，受到新渡戶稻造先生影響的人原本就很多，大家都是自由主義者，和「滿蒙是日本的生命線」這種所謂鷹派的思想持不同意見。而從北京大學或燕京大學來了一位徐淑希，與松岡進行對抗演說。我記得是松岡先講，然後徐淑希再一一提出反駁，最後松岡站起來發表聲明：「明天我將針對徐淑希先生的議論，一點一點地予以反駁。」從而召開特別演講會。那時我和松方三郎、浦松佐美太郎三人擔任祕書，正在談：「變成一件大事啦！」然而話題人物的徐淑希和松岡兩人卻已一起在飯店裡吃中餐。才剛有過那番幾乎要打起來的演說，馬上可以笑瞇瞇地和對方聊天，國際會議原來是這麼一回事啊！我不知道這是因為松岡先生的處事圓滑老練，還是徐淑希先生亦是如此？抑或是事先安排好的？總之，我直接感受到所謂的國際會議，其表面和背面藏有玄機。

到了翌日，原本以為松岡會照他所預告一般來場大演說，結果不知道為什麼，這次松岡只是非常簡單、沉穩地，稍微批判了徐淑希先生的意見而已，並沒有演變成想像中的大爭辯。

會議進行中，日本和美國方面不約而同地認為，如果有滿蒙問題是生命線的意見，其背後恐怕也有關東軍，所以大家希望能以協商方式解決滿蒙問題——所謂的大家，即為日方代表團的有力人士。以前田多門為首，岩永祐吉、金井清、那須皓、高石真五郎等人，當然也包括松岡洋右。中國代表團的團長是YMCA的大將余日章，但是實際上代表團中的南開大學校長張伯苓先生最具有實力。

上回也提過，會期中有人提議：「除了正規的議題之外，日本代表團和中國代表團之間的有志人士也來舉辦個懇談會如何？」於是在都飯店晚餐之後大約八到十點之間，舉辦了大概三天的懇談會。那時為了會議的進行，必須選出一位議長，就決議由張伯苓擔任。張伯苓說：「我會接下議長的工作，不過祕書就應該由日方推派。」日方表示：「請張伯苓先生提名。」結果他不知道為什麼會指名我，我便因此成為張伯苓先生的祕書。這就是我和張伯苓先生最初的結識。

如同各位所知，他是一位非凡的教育家，更是在政治、經濟上都有獨到見解的傑出人物。總而言之日方除了松岡以外，大家的意見都是反對以武力解決，因為滿蒙問題如果行使武力，就不曉得要搞到何種地步才能收拾。所以會談的結論傾向無論如何都不要行使武力，和平地解決，雙方也想辦法成立類似民間常設委員會的組織，懇談會便在此告一段落。我記得是第三天結束的。這期間松岡依然主張「生命線論」，但是對於中國來說，這種想法等於是「自家的領土被主張為日本的生命線，彷彿要我們把自己的東西當作是敵人的東西一樣，簡直荒謬！」因此反對的聲浪分外強烈。不過就方法論而言，結論還是落在希望雙方盡量能溝通行事。可是，在會談的過程中，總讓人不禁感覺到這實非易事，不僅牽涉到剛剛提到的滿鐵並行線問題，此外也有滿鐵附屬地的行政權問題等，繁瑣的問題相當多。

伊藤：真的很多。滿鐵向「太平洋問題調查會」提出的資料，全是日本人想從滿鐵附屬地向外發展，或是借用土地開發牧場等，結果都被對方的抗日思想、國權回收所阻止。那些衝突的案例全部變成妨害日本的發展，被資料化後，送交「太平洋問題調查會」。三井的，還有像是瀋陽榊原農場事件（為榊原政雄所有，位於瀋陽郊外北陵的廣大農場中，張學良政權在此鋪設鐵道，針對拆除問題引發訴訟事件）等，都是對方為了擁護國權，而我方則當作是妨礙。因此持續做成紀錄。

松本：1929年的京都太平洋會議，就在兩年後於杭州舉行的決議下散會。原本的預定是1931年11月於杭州召開，結果就在那兩個月之前爆發了滿洲事變。日方的新渡戶先生等人認為：「滿洲正在打仗，此時就算召開太平洋會議，也無法有什麼冷靜的議論，只能無限延期了！」

反觀中國方面，則認為太平洋會議在杭州舉行，可以藉此做為對外宣傳的好機會，所以無論如何都想要召開。

另一方面，美方的代表團長是傑爾姆・格林（J. D. Greene），這位在日本出生、日語非常好、擔任過哈佛大學校長特別助理的人物，滿洲事變一發生，在1931年的10月初左右就即刻飛到上海，與余日章等太平洋會議、「太平洋問題調查會」的中國團體——名為「太平洋學會」〔譯註：在中國一般稱為「中國太平洋國際學會」〕——成員會面，商議想要做些什麼。格林先生熱切表示，即使戰爭已經開始，還是要有個協商的場域比較好。他的意見是乾脆取消「太平洋會議」，只進行日中兩國，或者再加上美國的「理事會」。中國方面也認為，儘管很想舉辦會議，但如果日方沒有意願的話，就先召開格林先生所提議的理事會也好。於是，新渡戶先生當時雖然腳痛，還是拖著病體赴會，他就是在這種時刻可以拿出相當勇氣之人。

此外，前田多門、鶴見祐輔、金井清等人也都前往參加。當時中國代表團長是浙江興業銀行的徐新六，胡適也從北京前來，因此中國代表的陣容和京都會議時大為不同，來的都是有力人士。理事會終於召開之後，格林先生又提出一個想法，認為美方也有自己和其他兩三人參加，難得能集合到如此陣容，如果只開理事會未免太可惜了。這個地方算是格林先生的一種智慧。因此雖然實質上是總會，但他不說總會，而是說乾脆來舉辦「變更會議（modified conference）」——比理事會再稍微擴大的會議。中日雙方儘管牢騷連連，結局還是順水推舟覺得來開「變更會議」也好。

於是，實質上的總會雖然召開了，但是該如何決定議題成了問題。如同諸位所知，太平洋會議原本的性質是從事有關太平洋諸問題的政治、經濟、社會、文化的學術性基礎研究，認為不該涉及太多現實的政治論。

此外，當時鶴見先生發言表示，太平洋會議本來的宗旨就是確實調查研究之後再做議論，但是京都會議時的滿洲問題，並非現在正發生中的滿洲事變問題，因此他堅持無論如何都該將滿洲事變從議題中去除。

中國方面則認為，若是不將日本擅自想憑武力解決的滿洲事變問題列入議題，就沒有開會的意義。而鶴見先生覺得要是提起這個問題，將會非常不利於日本，所以反對到底。

僵持之中，這次居中提出協調方案的是來自英國的知名政治學者萊昂內爾・卡帝斯（L. G. Curtis）。他說：「誠如鶴見君所言，原則上不討論實際的政治問題，但是對於滿蒙問題的諸種基本條件，做學術性的研究，就沒什麼好反對的吧？」於是大家決定照這個協調方案進行。不過，雖然是在這種理解的基礎上進行，實際上雙方偶爾還是會有情緒性的發言。這種時候就會覺得萊昂內爾・卡帝斯真是個了不起的男子，我看了很欽佩。如同諸位所知，不管是印度的憲法或是南非的憲法等，都是由這位知名政治學者所起草，是位不簡單的人物。

所以這場太平洋會議中，有美國的格林和英國的萊昂內爾・卡帝斯，這兩人優秀出眾。日本方面有新渡戶先生，而中國方面有徐新六和胡適。如此大人物齊聚一堂，得以實現陣容堅強的會談，我想應是很有內容。

在上海的這一次，我莫名地升級，成為代表團的一員前往參加。原本理應在杭州舉辦會議，但是格林先生認為要是在杭州開會，日本代表恐有性命之虞，這樣就開不成會了，所以提議在上海的租界內舉行一天或兩天。這也是頗具機靈性的意見。但是由於兩年前就已經決定在杭州開會，中國基於面子問題，還是要求至少有半天到杭州，所以日本代表也就去了。那是10月25日。前田多門說：「新渡戶先生去的話很危險，所以由我去吧！其他還有誰有意願？」我也只好跟著說：「我和前田先生一起去吧！」幾個人便啟程赴杭州。到了那裡，從車站到旅館之間，全都站滿了荷槍實彈的憲兵。結果在杭州，像是中國表達歡迎的市長致詞等反而相當和諧，平安地結束一天的會議。由是，那次的會議就被稱為「杭州・上海會議」。

伊藤：我記得那時發生錦州轟炸（1931年10月8日）。中國原以為鎮壓住北滿各地，事情算是告一段落了，沒料到鄰近關內的遼寧省境內錦州遭日本飛機空襲。關東軍認為已完成致命一擊，宣稱已將張學良的軍隊全數殲滅。

松本：當時伊藤先生是在上海吧？

伊藤：對。

松本：沒錯，就是在那次會議正在進行之中發動錦州轟炸。

結果日方代表全部噤聲。因為根本無法辯白。

戴：松本先生在太平洋會議中所建立的人脈，和後來西安事變的獨家快報有關聯嗎？

松本：沒有，因為距離西安事變還有五年之久。

戴：伊藤先生的情況如何？

伊藤：我從歐洲歸來，在南京待了一年，其間曾將南京的情報業務交給囑託的里見甫，跑去四川旅行。我在北京設立「北京研究室」，又將其搬到上海，請宮本通治承接，我則寫了〈使中國研究朝向科學的綜合發展〉〔〈支那研究を科学的綜合へ〉〕改題之辭，從南京給予監護的協助。我對南京政府沒有興趣，所以想趁這個時候到中國內地至今尚未去過的地方旅行，於是向公司提出四川旅行的申請。我將滿洲的諸般緊張情事拋諸腦後，到四川旅行了兩個月。當時四川非常平穩，我深受禮遇。那裡有唐錫侯、劉湘、劉文輝三位將軍各據一方。重慶之北、嘉陵江流域的合川由唐錫侯將軍管轄。我選擇的路線是從重慶乘船到合川，在合川上陸改搭轎子進成都。途中有一部分利用新營業的公車，花了一星期到達成都。沿途受到軍閥將軍的設宴款待（我攜帶的是保證外國旅行者安全的護照簽證），獲得奇蹟般的優遇。

松本：大概是幾年幾月的事？

伊藤：應該是1930年的3到6月期間。翌年即發生滿洲事變，之後局勢變得非常險惡。但是前一年還十分平穩，我備受禮遇，在四川兩個月，遊遍成都、灌縣、峨眉山、嘉定（樂山縣境內若水、沫水交匯處，郭沫若的故鄉）、五通橋、自流井的製鹽地、瀘州、重慶等養育6,000萬人口的「天府」之國。

戴：也算是恣意遊歷而歸了。

伊藤：我去都江堰、登上峨眉山，從重慶來回通過三峽的急流，盡情享受這兩個月的時光。

結果一回到南京，就接到調任總公司的命令，認為我這樣玩下去可不行。因此我在昭和5年的7或8月回到大連。原本我在總公司工作的機會不多，只有剛進公司時待過一年大連，其餘時間全在總公司之外，服務過天津、北京、上海、南京等地，1930年的8月，進公司十年後我首度回到總公司上班。翌年即碰到滿洲事變。

戴：您聽到西安事變的第一報時如何？

伊藤：我在天津聽到。我並不知道中共長征之後的事情，只聽過1935年1月召開遵義會議的新聞。雖然這場確立毛澤東指揮權的遵義會議內容，至今在日本都還成為問題，但總之當時就是先有遵義會議，後來有中共軍終於抵達延安的消息，年底就傳來西安事變發生的新聞。天津軍（支那駐屯軍）認為此事才真是奇貨可居，判斷西安事變中蔣介石當然會被殺，國民黨也將垮台，有馬上商議轉換對中政策的跡象，卻不把中國共產黨的興起當作問題。日本軍方對於情勢迴轉真的非常欣喜。

松本：軍隊很開心。

伊藤：池田純久時任天津軍的中佐參謀，似乎考慮過要即刻重新訂立對中政策。

戴：對於西安事變，岡崎先生當時的想法為何？怎樣看待此事？

岡崎：西安事變發生時我還在日本銀行，有位董事（後為副總裁）問我：「你常常談論中國問題，覺得蔣介石會怎樣？」我回答：「這次會被殺。」結果不久後蔣介石就被釋放了，我跑去見那位董事賠罪：「之前判斷錯誤，很抱歉。」那位董事說：「中國的事情不是那麼簡單的！」這使我得到很好的教訓。之後我讀到中方描述西安事變的日文翻譯，當時感覺中國共產黨很了不起。關於西安事變，我直接了當的感想就只有這樣。

戴：關於岡崎先生所言，像是蔣介石可能被處死，還有中國共產黨擁有非常厲害的戰略戰術構想等，將這些總結起來，希望能在今天的座談會結束前，包括松本先生的發言在內，重新反思西安事變在世界史上占有的意義，或是其之於東亞的意義。在此先稍作休息，之後再繼續請教松本先生有關取得西安事變獨家新聞的過程。

西安事變大獨家報導的背景

松本：說實在的，沒有什麼過程。獨家新聞半數以上是偶然產生的。新聞記者不管怎麼努力，如果沒有可以成為獨家的材料，就沒辦法作成獨家新聞。不過，也有可能是就算發生了可以成為獨家新聞的事件，但是因為沒人發覺，結果成不了獨家，變成眾人一般，同時收到訊息。所以當某個事件發生，又只有一人掌握到，這完全屬於偶然。我覺得這是命運所致。

1936年（昭和11年）10月，蔣介石下令實施第六次剿共包圍作戰。當時蔣介石軍的主力，當然是心腹胡宗南率領的最精銳的第一師，不過蔣介石卻以第一師為督戰隊，而將西北軍和東北軍用作前線，並循此方向任命張學良為西北剿匪副總司令，使之代行總司令的職務。總司令即為蔣介石本人。蔣介石以為，在大長征最後，跑到陝西以北的毛澤東——以及周恩來、朱德等其他人——率領的共產軍（紅軍）勢必不會剩下太多力量，所以計畫在一個月或三個月內完成此項第六次剿共作戰的事業。一邊督戰張學良，同時12月5日，蔣介石和張學良兩人從洛陽搭火車前往西安。

擔任《大公報》編輯長的張季鸞先生早個幾天，已經到西安待了將近一週，先行探查情勢，結果發現到處都是「停止內戰」、「一致抗日」的標語。他深切體認到在如此情況之下，蔣介石企圖來此一舉進行剿共的作戰並不可行，因為「停止內戰」的聲浪會如此強烈，一定是受到中共的影響，而且說不定西北軍與東北軍也早已改變想法。由於張季鸞先生最得蔣介石信任，所以無論如何基於責任，蔣介石一到就即刻向蔣傳達：「這次不慎重行事不行，我感覺情勢已經完全改觀了。」

於是，蔣介石逐一向相關人員的軍師或師長詢問驗證，表面上什麼事都沒有，但實際上果然有些可疑的地方。張學良也因為數度勸說蔣介石，與其搞內戰，不如停止內戰，大家一致抗日，而遭到蔣的多番痛斥。蔣依然認為要按照現況進行「安內攘外」——先平定內部，再擊退外侮。

然而，被張季鸞這麼一說之後，蔣介石也開始感到懷疑，再說總是言聽計從的張學良，現在卻反過來要求蔣這次無論如何都得聽他的勸告，這並不太尋常。於是蔣原本預定以東北軍和西北軍作前線部隊，胡宗南的第一師為督戰部隊，一舉消滅中共軍的戰略，如此一來恐怕已不可行，他應是在11日達成這樣的結論。

之後，蔣介石不再發出任何指令，宣布將於12日離開西安前往他處，甚至還發表他會去洛陽或回南京。11日晚間，東北軍張學良及西北軍楊虎城的幕僚將校等全體集合議論，想要趁機捉拿蔣介石，發動「兵諫」。由於情勢傾向以武力諫言，迫蔣「停止內戰」、「一致抗日」，張學良只好同意在12日早上進行。當天，張學良的部下孫銘九等人襲擊蔣在華清池的宿舍，捉住逃往驪山的蔣介石，用車子載送到西安。

簡單來說，問題就出在大約八個月前，張學良和周恩來在延安的基督教會見過面。我一直不知道確切的會見日期，直到前年（1979）我去北京，歷史博物館正好舉辦周恩來生涯事業回顧的特別展覽會，我仔細看了周的簡歷，上面記載了他和張學良在延安教會的會晤，確實像是4月9日吧，我有記錄在某個地方。會面時張學良對周恩來說：「我大大地贊成停止內戰、一致抗日，但是你卻還在從事反蔣抗日，這點我不能苟同。」周恩來回答：「不，我已經不從事反蔣抗日，為了一致抗日，要我援蔣抗日也行。」張學良認為既是如此，那麼他也要和蔣介石商討看看，如果周恩來都能援蔣抗日，自己一定也可以以蔣介石為首並從事「一致抗日」。好幾次他都想提出此事，可是苦無機會，終於等到12月初時蔣介石來西安，便苦勸蔣介石好幾遍，卻不被採納。逼不得已只好發動兵諫，因此當然沒有立刻殺掉蔣介石的打算。就是因為周恩來的想法並非反蔣抗日，而願意援蔣抗日，所以張學良認為可以和共產黨合作，才會出此策。

極為有趣的是，岡崎先生聽到西安事變的新聞，也認為蔣介石會被殺。潼關的蔣介石護衛是在12日下午與南京的軍政部失去聯絡，我在上海聽到這個消息，之後和張季鸞先生在一家名為「新月」的飯館中享用鶉鍋的時候，我問起：「這樣的事件大概需要多久時間解決？」張季鸞先生回答：「或許要一個星期吧！」這句回答的大前提，就已經是認為蔣介石並不會馬上被殺了。我那時深深感受到中國人的觀感，果真不是身為中國人就無法理解。而實際上事件的解決大概花了兩個星期。

阪谷：我有一些疑問想要請教，早先我用筆名翻譯了詹姆斯・貝特蘭（J. M. Bertram）描述西安事變的*Crisis in China*（谷良平譯，《中國革命的轉機：西安事變的紀錄》〔《中国革命の転機：西安事変の記録》〕，東京：未來社，1966年），裡頭稍微提到蘇聯認為西安事變是日本的陰謀，蘇聯究竟根據什麼而有如此的觀測？這點我一直不太明白。事實上真的有這回事嗎？

松本：關於這件事，蘇聯的《消息報》〔《Izvestiya》〕和《真理報》〔《Pravda》〕好像有過報導。沒有什麼根據，只是因為同盟取得了獨家消息，所以依此反推、聯想而已。

戴：事前就知情了？

松本：我不可能會事前知情。

伊藤：張學良和周恩來是在延安會面的？

松本：延安的教會。

伊藤：所以張學良去了延安？

松本：去了。

伊藤：這和遵義會議不是會有點混亂嗎？

松本：不，會這樣嗎？

阪谷：西安事變之時，周恩來和另外兩人——葉劍英及博古（秦邦憲）從保安來到西安。埃德加・斯諾的書中寫過當時中共的中心還不是延安，而在保安，這點和現在松本先生所說的張學良前去延安之事好像有點不同。

松本：延安的會面現在幾乎可以肯定是確實有過。好像在4月9日。

戴：那時延安已經像是前線基地一般。

伊藤：保安比較北邊，延安稍微南邊一點。我記得籌備會議的地點在膚施，那是延安的別稱，所以倒是可能有事先商量的機會。不過我不知道張學良參與籌備的消息。

松本：總之張學良真的到了延安。

戴：您說張學良和周恩來在西安事變發生的八個月前在延安會面，確實是延安這個地名沒錯嗎？

松本：沒錯。

戴：這裡我想須要進一步確認。

阪谷：張學良所持有的飛機不知道是波音幾號？好像是航程相當長的飛機，因此去迎接周恩來一行人的也是張學良的飛機，張學良要是想去的話也是可以去。

戴：問題是，這個消息是不是真的可以做到滴水不漏。也可能正因為是延安所以得以保密。

松本：我是這樣認為。

戴：到西安對周恩來而言十分不方便的假設也是可行。

松本：在西安就沒辦法有祕密會議了。那時延安還算是個中立地帶。

註：座談會後，為尋找更確實的史料以佐證松本先生的發言，所以著手展開文獻涉獵。偶然尋得李云峰著《西安事變史實》（陝西人民出版社，1981年5月）的第一版，書中頁108～113提到周、張祕密會談的地點在延安城內一處天主教教會，參與會談者有周恩來、李克農（中共中央聯絡部長，會談之際以紅軍代表身分列席。後為人民解放軍上將、中共第八屆中央委員會委員）、張學良、王以哲（張的東北軍六十七軍軍長）、劉鼎（本名闞俊民，留學德國的中共黨員。透過上海中共地下組織的介紹，三月下旬時進入西安，後來與張學良共赴洛川，於六十七軍司令部同起居。祕密會談後，劉就任紅軍駐東北軍的聯絡代表，不過表面上是以東北抗日義勇軍的身分在東北軍活動）五人。會談從4月9日晚間開始，進行了整整一夜。（戴國煇）

戴：我想請教松本先生。岡崎先生剛剛提過，西安事變時他認為蔣介石死定了，其實不只岡崎先生這樣想，當時大部分的中國人也都這樣以為。有趣的是，當時南京內部的兩種動向，一種是親日派的動向，當中又分為兩個集團：比較突出的是蔣介石集團內部的親日派，即何應欽一派；另一邊正好就是去官下野後前往歐洲的反蔣親日集團汪精衛一派。至於松本先生剛剛提到的張季鸞先生，某種意義上是親美英派的媒體大老。

親日派之外還有一種是親美英派，政界當以宋子文、宋美齡集團為中樞，張季鸞可能也是其一。他們不僅親近美英路線，同時也具有身為蔣介石親屬的另一側面。

西安事變發生時，何應欽主張出兵包圍西安，徹底討伐。媒體上力倡此說的是《中央日報》，程滄波為老闆兼總編輯。與此相反的則是張季鸞，他在《大公報》上寫了一連串的社論，認為不能逕行討伐，務須更加謹慎，其中一篇呼籲張學良、楊虎城要以大局為重。因此宋美齡買了幾萬份的《大公報》，空投散發至整個西安。所以現在聽到您說，我才知道張季鸞之前早就到過西安，掌握了一定程度的狀況。

松本：對，所以才會那樣提醒蔣介石。

戴：最終是由宋子文和宋美齡的主張取得勝利，可以想見在方針決定上有過棘手的內部抗爭。結局是蔣介石獲釋回到南京。那段期間中，譬如松本先生所提的張季鸞的動作等，將來應該會有更多事情獲得釐清。張季鸞後來派遣一位名叫長江〔譯註：范長江，本名希天〕的自家報社記者到延安，繼續從事埃德加・斯諾之後的延安報導。這位長江寫的《西北訪問記》〔譯註：由前後文看來，可能指的是《中國的西北角》，大公報出版部，1936年〕一書，非常暢銷。日本方面，不曉得滿鐵有沒有翻譯？

伊藤：不知道是滿鐵還是哪一家，我有看過那本書。

松本：蔣介石在西安遭到軟禁的消息一傳到南京，對於國民政府自身算是很大的衝擊。

就政府或國民黨幹部來說，維持國民政府的權威是眼前最大要點，也是當務之急。我記得中政會的臨時議長是孔祥熙，議論最為慷慨激昂的則為戴天仇。具體措施的第一步，是對亂源禍首張學良、楊虎城，以及其軍隊發出討伐令。總司令當然由軍政部長何應欽出任。這項對策受到絕大多數人的支持。然而，宋美齡、宋子文、孔祥熙等近親集團強力表明意見，認為討伐叛亂部隊固然重要，但是想辦法救出蔣介石當更為緊急。至於該用何種方法救出蔣介石，宋子文身先士卒飛抵西安。而兩三天後宋美齡也飛西安。在此期間，西安的轟炸行動因而延期，政府、黨幹部對於宋子文、宋美齡的行動也未加反對。出現相當多擔心何應欽過於獨大的批判，討伐之事也暫時處於待機狀態。不過整體而言，南京的國民政府雖然抱有危機感，但是在戴天仇及居正等人的領導之下，大致上都還算處於穩定的狀態。

因此，蔣介石被軟禁造成知日派興起，或是歐美派獲勝的說法，都是過分穿鑿的臆測。而且將張季鸞歸為親歐美派的說法也是錯的，他才真的是知日派最頂尖的新聞工作者，故能成為蔣介石最信賴的人。

戴：《西北訪問記》獲得極高的評價。因為此為首度在國民黨當政地連載的中共邊區報導。

正是張季鸞事先預測到西安事變情勢，由上海召回長江，拔擢他為《大公報》採訪課的主任、負責人。另外還有一件有名的逸事，聽說《中央日報》的程滄波和《大公報》的張季鸞同時期去南京見蔣介石，兩人同為具有代表性的報社老闆，可是寒暄時張季鸞獲得蔣介石的禮遇，程滄波卻遭受冷淡對待，更被蔣介石反駁：「人人都以為我會死，但是我回來了。」程滄波只好倉皇離開。其前後的動向真的非常複雜。

蔣介石那時候的基本立場，從當時的情勢看來，是接近親日派。不過其具體內容為「安內攘外」，先想辦法將中國共產黨逼往絕路，再對抗日本，或是借用日本的力量，完成自己構想中的中國統一。而汪精衛集團、何應欽集團又在稍微不同的立場，各自思考與日本的關係。據我個人推測，在這般矛盾之中，其實他們分別面臨到如何利用西安事變的局面。

松本：一切相當複雜，不過詹姆斯・貝特蘭認為何應欽等人的知日派、日本派就是要徹底討伐的想法，我覺得是誤解。

原因在於西安事變發生的一年半前，梅津美治郎和何應欽之間有過《何梅協定》（昭和10年6月10日）。何應欽說他一輩子沒有受過這樣的侮辱，從此變成真正的反日者。所以貝特蘭所言的政學會派或是何應欽主張的討伐論都已決定等，我覺得全是誤會。

再補充一點，就連戴天仇、曹汝霖這般了解日本的人物，也在二二六事件之後轉為反日。還有，蔣介石不是會聽從部下建言的人，倒是會聽譬如浙江財團南京代表的吳震修等外界傑出人士——張季鸞就是其中一人——的意見。程滄波是蔣的部下，接待從簡是理所當然。首先在身分上他就與張季鸞全然不同。

張學良生存的理由

戴：陳公博對於西安事變的描述（收入《苦笑錄》，香港大學亞洲研究中心，1979年），松本先生讀過覺得如何？同書的講談社翻譯版為《中國國民黨祕史》。

松本：我記得我讀過，還寫了日譯版的序文，可是有關西安事變那部分我現在卻不太記得了。

戴：陳公博這部分的記述，我覺得非常公允。而且他同樣也提到何應欽的問題。我讀的不是日文譯本，而是中文原文，文字生動躍然，讀來很有臨場感。陳公博將當時的狀況描寫得非常精采，很想請各位先生都讀一遍，然後向我們說說意見。

此外，我還想提供一些資料。其實張季鸞門下有位新聞人叫徐鑄成，他經歷《大公報》後成為《文匯報》的創辦人，後來因為反右派鬥爭而遭逢不遇，文革後，直到最近才終於平反重獲名譽。寫了很多回憶錄性質的隨筆，也提供有關西安事變的新情報。1979年的中秋，張學良曾應蔣經國的邀請共度中秋賞月會。台北《自立晚報》（1979年10月9日）上刊載了與此報導相關的張學良的親筆墨書，寫的是李商隱的〈無題詩〉，特別是末尾詩句「劉郎已恨蓬山遠，更隔蓬山一萬重」中張學良的寄寓究竟為何，更是成為話題。徐鑄成也加入討論，他打破長久以來的沉默，公開發表張學良未被處死的理由。而且他表示這是由張季鸞那邊聽來的。張季鸞和松本先生交情相當親密，松本先生的《上海時代》（昭和52年，中央公論社）中，也寫過不少此人的想法及立場、人品。總之他與國民黨高層的私交甚篤，熟知許多內幕，又深諳政界表裡，所以可以確定他所說的話應該不會只是傳言，而是可靠的消息。眾所周知，張學良從西安親自護送蔣介石回到南京。這是因為他自認為沒有做出任何可恥的行為，而是為了全體中國人、整個中國大局著想才會起事，以諫諍「義兄」，所以堂堂正正的自己送蔣返抵南京。張學良的心事，在《上海時代》中也有詳盡的描述。據說宋子文、宋美齡，以及擔任張學良顧問長達六年的澳籍人士端納居間磋商，與張、楊達成默契，研討先讓蔣保住面子後，張學良再回西安或是根據地等的「對策」。

松本：我也這樣認為。

戴：但是，蔣介石度量狹小，背棄了約定，將張學良交付審判軟禁起來。軟禁期間能與張學良見面的僅有少數幾人，其中著名人士就只有張的同鄉莫德惠。莫德惠前往會面時，其實張學良的口袋裡還放著蔣介石在西安寫下的「六項協議」備忘錄真蹟。可見蔣介石歸返後過度忙於事件的善後處理，以致無暇要回備忘錄。於是張拜託莫德惠將那份備忘錄轉交給他的元配夫人于鳳至。于接過之後，知道事關重大，帶著孩子從上海的租界乘船前往美國，託美國一家權威銀行代為保管。後來，備忘錄暗地裡落在于手上的消息，若無其事地傳入蔣介石耳中，從此以後，于鳳至再也沒有回到中國。她知道要保住自己丈夫的性命，那張備忘錄是可以用來「威脅」的唯一武器，暗示著如果自己的丈夫可能被殺，就要將備忘錄的照片公諸於世。而備忘錄的真蹟要是公開，蔣介石方面有關西安事件的一切說法就會露出破綻。因此張的夫人于鳳至留住這份備忘錄，使張學良免於遭逢如楊虎城一族般的悲慘命運。（參照徐鑄成，〈蓬山雖遠一葦可通〉，《炸彈與水果》，三聯書店香港分店，1981年）

松本：是怎樣的協議內容？

戴：就是接受停止內戰、聯合抗日等六個項目。

松本：我想也是。一定是停止內戰和一致抗日。

戴：對，就是一連串相關事項。然而話僅止於此，由蔣介石親手簽名、親筆所寫的事情並沒有被當作證據公開。那份備忘錄若遭曝光，將使蔣介石的形象受損，因此張學良才沒有被殺。徐鑄成很想寫下這段往事，可是擔心會造成張學良一族的困擾，所以沒有提筆。然而蔣介石死後，蔣經國展現寬大心胸，公開招待張學良出席宴會，再加上這段40年前的事情已成歷史，就算現在寫出來，應該也不至於對張學良將軍造成負面影響，遂寫下這段祕辛。

松本：真有意思。

阪谷：我想請教一下岡崎先生，當時發生這樣重大的政治事件，對於日本方面，譬如股票市場，或是廣義上的金融界有沒有造成怎樣的衝擊？

岡崎：所謂的衝擊，追溯張作霖炸死事件的時候，正好也是類似現今行政改革問題發生之時，我們對這方面比較有興趣，所以不太去注意股票的漲跌。

滿洲事變爆發時我人在柏林，已有此事將演變為重大事件的觀察，那時我就預感關東軍總有一天會越過長城，所以曾與派駐柏林的陸軍武官府那群人有過議論。這個我上回已經提過。因此，昭和6年當時，我並不清楚日本內地的情形。我想不至於會沒有影響，但是就我此刻的推測，一般似乎認為日本可以因此而發展。因為非但沒有太多不良影響，當時又正值物價滑落、不景氣的時候，所以大家反倒是鬆了一口氣吧？過不了多久，鮎川（義介）先生就搶在三井、三菱之前，到滿洲大興重工業。當時的感覺毋寧是良好的，並沒有考慮到以後的事情。

阪谷：到了西安事變的時候，情況如何？

岡崎：我認為就算西安事變之時也沒有太大變化。不如說，一般人都還不清楚中國共產黨的力量，只覺得蔣介石非常強大。

不過，我在昭和8年自歐洲歸來的船中，曾有一次與之後成為義大利大使的天羽英二先生躺在甲板椅上的時候，他給我一本小手冊，問我：「岡崎君，你讀過這個嗎？」我回答：「不，沒看過，這是什麼？」他說：「這是中國的共產黨，你要留意，他們必然壯大。」那陣子我開始對中國共產黨產生興趣，只要報紙、雜誌上有出現，我就一定會讀，因此才有我剛剛那段話。

松本：大概是哪一年的手冊？

岡崎：不算很舊。我是1933年5月回國，好像是紅軍開始長征的時候吧？因此至少在一年以內。

伊藤：你記得作者嗎？

岡崎：不記得，我想我哪裡會有，一直在找。

阪谷：天羽英二先生也是從哪裡要回國的嗎？

岡崎：天羽先生是由蘇聯大使館一等書記官轉任為外務省本部的情報部長，因而正要返國。

伊藤：手冊是英文的？

岡崎：是英文。

伊藤：這有可能。

岡崎：是短短三、四頁的手冊。在印度洋上，天羽先生讓我開了眼界。

伊藤：日本人都以為長征大抵會消滅中國共產黨。

戴：同時也形成西安事變中若是連蔣介石也被處死，那麼日本就天下太平的想法。這裡的落差，更牽連到對於西安事變的評價以及其後展開的預判失誤。日本傳媒界中，如松本先生等看穿此事大為不妙的人反倒是少數，大多數人都抱持日本絕對能取得節節勝利的想法。

松本：事變之後，外務大臣有田（八郎）召見駐日大使許世英，威脅許世英說，蔣介石雖然歷劫歸來，但一定是和中共做了妥協才獲釋，這樣的話，蔣介石今後似乎已無法信賴，不過你們依舊維持反共的態度，所以沒關係，可是倘若蔣介石和共產黨成為一夥，那我們這邊就必須重新考量對策了。許世英保證：「不！絕不會有這種事。」然而，蔣介石是在12月26日回到南京，而根據《解放日報》的消息，張、楊兩人在監禁蔣介石兩天後的14日，即廢止「西北剿匪總司令部」，並於翌年1月2或3日正式撤銷，代之成立「抗日聯軍臨時西北軍事委員會」，改組為「抗日援綏軍第一軍團」。然後蔣介石自己也辭去軍事委員長一職，宣布放棄向來的「安內攘外」政策。所以大體而言，從大綱上看來，確實是達成了某種默契。

我三年前去北京的時候，廖承志先生說：「你熟悉西安事變，所以請你見見王炳南。」因此我與王炳南見面，談了約兩個小時。王炳南說得一副他通曉全貌的樣子，而且還說得好像和周恩來和蔣介石曾經談判好幾個小時。但是當我問他：「我聽說過這件事，結果周恩來和蔣介石只見了一次面而已，對吧？」他說：「對。」又問他：「而且也不超過30分鐘？」他又說：「對。」。

戴：王炳南由於長期生病，可能記憶變得有些奇怪。

松本：所以我知道再講下去就不好了，也就沒有說。實際上，張學良認為接下來的13日之間，疑懼楊虎城會來殺掉蔣介石，因此非常保護蔣介石。將蔣從綏靖公署移往學良部下一位叫高培五的師團長公館，安置在憑學良的武力得以保護的地方。基於這一點，蔣介石事後回想起來，對於張學良還是有所感恩。但是，國民黨在名義上向來主張的「安內攘外」被他徹底粉碎，實在又教他憤怒不已，所以才會持續那種軟禁狀態達三、四十年。不過，張學良真的很偉大，45年來都處於軟禁狀態，不知道是怎樣的人生？

伊藤：確實不簡單，不但沒有犯神經衰弱，也沒有自暴自棄，好好地過他的人生。

岡崎：再說，他如將正確無誤的事變真相記錄*3留存下來，其價值更勝《十八史略》。

---

*3 相關的記敘，可參見張學良口述，唐德剛著，《張學良口述歷史》，遠流出版公司，2009年3月1日。

第四章　以第二次國共合作爲中心

關於所謂的《田中奏摺》

戴：今天的第四回鼎談，由於阪谷先生臨時赴海外出差，不克出席，出發前交代要請迄今承擔此企畫一切事務安排，而且每回必定出席的「みすず書房」編輯部高橋正衛先生擔任代理，扛起另一邊主持人的工作。

至於本日的主題，我和阪谷先生事先商討過幾項，不過由於高橋先生提出願望，務必想要請教松本先生有關《田中奏摺》之事，所以先從這個話題開始談起。

高橋正衛（以下簡稱高橋）：這次話題可能會變成對前回主題之一，即有關昭和4年的京都第三屆太平洋會議的補充說明，所以在此先行致歉。我想請教松本先生的是，在那場會議中，《田中奏摺》難道沒有成為議題嗎？

松本：好像稍微有提到。

高橋：我讀了田崎末松分為上下兩冊的大作《田中義一評傳》〔《評伝田中義一》〕，作者一開頭即寫道：「關於《奏摺》，當屬稻生典太郎先生的論述（〈圍繞《田中奏摺》的兩三個問題〉〔〈《田中上奏文》をめぐる二三の問題〉〕，《日本外交史的諸問題》Ⅰ，昭和39年7月）最為細緻、最有系統。以下將借用此論來記述。」依據此書，昭和5年1月18日，吉林的石射猪太郎總領事向南京的上村伸一領事發出電報，內容如下：

> 近日於貴地發行之雜誌《時事月報》12月號上，揭載一篇題爲田中義一奏摺之長篇排日報導，因明打「奏摺」名號，疑造成當地部分人士衝擊，據聞亦有人策劃將此做成小冊。關於此報導，貴官對中國方面是否已採取某些措施？請做爲向當地官憲提出取締該誌配送要求之參考並請回電。

田崎先生表示，這封電報應該就是日本外務省和駐外機關首度將公開的《奏摺》視為問題的紀錄。

然而，在此我並非要以《田中奏摺》本身當作問題，而是田崎先生的書中有以下記述引起我的關心。也就是由於料想到昭和4年秋天的京都第三屆太平洋會議中，滿洲問題將成為日方和中方之間的議論焦點，因此預定出席太平洋會議的幾位中國代表，趁訪日前夕至滿洲各地旅行、蒐集資料。9月9日當天，奉天總領事林久治郎從滿鐵奉天公所長鎌田彌助那邊得到消息，指出中國方面最近在東京以5萬日圓收購到「日本應於太平洋會議上提出之議題」，並已寄送副本一份至張學良處。之後，根據林的確認，研判此份所謂的「議題」，係委託太平洋會議中國代表之一的余日章的友人所取得。但是因為這份「議題」已經一而再地被刊登在當時奉天的報紙上，所以5萬日圓的要價顯得十分異常。

乃懷疑此份「議題」就是《田中奏摺》，因而發出以下的電報。亦即彷彿呼應鎌田的情報一般，9月16日，駐北京代理公使堀內干城向本部拍送電報如下：

> 據高爾曼16日與須磨（彌太郎）談話，由今秋京都太平洋問題調查會出席者花旗銀行班尼特之處聽取一極爲可靠情報，即有關現已於14日離開當地赴上海之上海基督教青年會書記長陳立廷日前出席該會議，並朗讀號稱爲田中前首相上奏陛下之國策案譯文以圖大肆喚起世界注意之計畫中，所謂國策案以三點爲主旨：
>
> （一）日本終將獲取滿洲
>
> （二）遂行對中國全面之壓迫政策
>
> （三）爲達成前述事項與美國間之開戰終不能免，故需即刻開始準備
>
> 此爲須磨請求高爾曼取得前述所謂翻譯書副本之大意（堀內致幣原【喜重郎】電報。9月16日發送）

當時駐北京一位姓金井的鐵道省派遣官吏與中方委員鮑明鈐進行晤談，提及《田中備忘錄》的小冊子，就是堀內電報的消息來源。簡單而言，這封電報中所記載的5萬日圓的高價誠屬不可輕信之言，加上世上流傳版本皆為漢文及英文，日文的原本卻不知所蹤，因此或許根本就是捏造之物，但是由於中國方面買下此份備忘錄，而出席太平洋會議的中國代表又將此拿出來當作議題，所以堀內干城及林久治郎才擔心地發電報給幣原外相。我想

知道的是，京都會議中，當中國代表與松岡洋右等互相角力之際，中國方面到底有沒有人主張：「話說回來，看！你們不是有這種東西嗎？」

松本：我覺得那份文件是陳立廷收購的。陳立廷是余日章最得力的祕書、心腹，也是中國代表團中最精明的人物。他一直在蒐集反日資料，發現了這份文件，就以偏高的價錢買下。但是中國代表團中的學者也相當多，所以並非所有中國代表都為其背書。

高橋：沒錯，就是這樣。

松本：據說由於日方表示：「這東西是偽造的，首先第一點就是只出現中文、英文譯本，怎麼就沒有日文版本？」所以才緊急改成日文。而最認真思考此問題的是殖田俊吉君，他指出《田中備忘錄》的文章中與事實不符處多達百餘點，偽造得如此離譜。此文件後來在極東軍事審判時也被提出討論，然而在京都太平洋會議上卻完全沒有被當一回事。

高橋：《田中義一評傳》中，也列舉出奏摺中諸家指陳過的誤謬的具體例子，還有以下記述：根據有田八郎、森島守人兩位先生的回憶，太平洋會議開幕之後，中國代表果然針對此份《奏摺》的公開方式與日方接洽，而有田亞洲局長的看法是不如讓中國方面向大會提出，再於公開場合駁斥此為造假文件較為妥當，於是日方的大會委員和中國代表進行交涉，要中國方面取消將此文件當成會議的發放資料，結果中國反而向新聞記者公布此事。

會議席上，中日雙方的代表之間一如預想交戰著激烈的爭辯，不過有關《奏摺》之事卻是：「彼此都沒有提起一個字。」

從而在昭和4年的京都會議中，此事可以說是未爆而終，轉而潛入暗潮之中，變成二年後滿洲事變的計畫突擊行動。

松本：不，並非如此，而是滿洲事變發生至簽訂塘沽停戰協定，將長城線劃為非武裝地帶等，也就是其後五、六年間的演變，才與此份《田中備忘錄》如出一轍。《田中備忘錄》對於執筆前的事實描述有多處誤謬，卻準確預料了大致的趨勢。

高橋：堀內領事致幣原外相的電報中有三項要點：一、日本終將獲取滿洲；二、對中國全面遂行壓迫政策；三、為完成前述事項，與美國間之開戰終不能免，故需即刻開始準備等。這些全都講中了。

松本：完全料中。

高橋：我在山浦貫一《森恪》中，曾讀過東方會議（昭和2年6月27日～7月4日）決議的《對中政策綱領》，以及戰後有關《田中備忘錄》的論文，現在又接上這些電報，再次感覺怎麼會有這麼了不得的文章。究竟是誰寫的，也是眾說紛紜。

松本：執筆者應該是在滿人士沒有錯。

高橋：中國人嗎？

松本：對，中國人，當然，撰寫時一定諮詢過某位日本人。也就是這份文件並非由日本人執筆，而是從日本人那邊取得資料之類、打聽到消息，自己再利用這些情報擅自寫成的。如果是這樣的話，就可以理解。而引起日本和美國之間的衝突，也是吹捧張學良一派慣有的想法，即日本如果採取反對九國公約的行動，美方一定也不會善罷甘休。所以才有如此結論。

高橋：這樣就非常清楚了。

松本：不過以預測這點來說，真的很精準。

戴：在此我想請岡崎先生回想一下，您一高時的友人龔德柏先生，曾經特別掀起《田中備忘錄》的話題，擺出猛烈的議論陣勢。有關於此，您有何高見？

岡崎：不，我沒聽說過此事。我是在他回國之後，才得知他是抗日派的大將。那時另有親日派，也常常來拜訪我們。以我們日本學生當時的狀況來看，學生時代會那樣從事政治運動的，大概以新人會為開端吧！所以我還不曉得那些事。不過，上大學之後，就開始思考這些事。

松本：龔德柏先生是岡崎先生的同學？

岡崎：同班同學。

戴：他以《田中奏摺》為話題，在中國擺起了議論的大陣仗，是激發起抗日輿論的一大將領。

松本：原來如此。

戴：不管怎樣，如同今日所言，這份《田中備忘錄》經某人之手作成，而且吻合日後的動向，顯得意味深長，也非常有意思。

高橋：就像松本先生說的，儘管既往（過去的事實）並不正確，但是對於後來趨勢的預測之準確，總讓人以為日本就是照著那份備忘錄的進程行事。

松本：就洞察力而言，真是厲害。

戴：所以，作者如果是中國人的話，稱得上是位不得了的日本研究家。

松本：誠如所言，應該是中國人的日本研究家。因為日本人可沒有那般的洞察。

高橋：但是有解決滿蒙問題的籠統想法。

松本：但其影響擴及中國本土，從而興起對日本的反抗，日本人卻不知情，還在隨己意發言。然而，從中國方面看來，滿洲問題變成日本本國的問題、再變成太平洋的問題，是九國公約無用論逐漸發展下的必然趨勢。因此像是太平洋戰爭開始時的《赫爾備忘錄》（Hull Note），也完全是從九國公約出發，要求日本將現況回復到滿洲事變發生前的樣子。《田中備忘錄》亦是如此。

戴：這算是某種現代史之謎。照松本先生現在的解說，《田中備忘錄》是中國人寫的，而且應該是在滿洲並獲得日本人協助的中國人，那麼我想請教伊藤先生，有沒有想到可能的人選？

伊藤：我那個時候在外國，以致不知這件甚囂塵上的事件而茫然度日。不過我知道有位《泰東日報》社長金子雪齋，是自由思想家，和阿部真五及風見章是盟友，還有一位中國朋友叫傅立魚，是大連基督教徒圈的指導者。我們稱之為「文化」團體，實際上是抗日人士。傅立魚後來被日本當局逐出大連。

松本：該不會是龔德柏寫的吧？

戴：不，我不是這個意思。但也有說法認為資料是他取得的，因此我還想再更深入的研究。

以西安事變為契機的國共合作·一致抗日

戴：今天阪谷先生因為臨時的海外出差而缺席，不過截至二月的階段，我與阪谷先生商定的主題有：⑴西安事變相關補充；⑵國共合作至日華事變；⑶三位先生在上海的碰頭；⑷以華中為中心的通貨問題；⑸中日間的和平活動等。這樣的順序，今天看來不太可能全部都談到，所以我和高橋先生兩人就是實際以此為準，請各位作種種的回想，並希望能夠順利連結到下一個主題。

其中主題⑷應該是阪谷先生和岡崎先生之間的對話最能激起有趣的發展，可是由於阪谷先生今天缺席，所以暫且先不談。而剛剛是高橋先生就最近讀過的資料，請教松本先生許多有關《田中奏摺》的事，現在開始則進入主題⑴的對談。

西安事變的相關補充，上回也是由我自己先講出來，提供了若干新的細部資料，同時也談到陳公博《苦笑錄》中描述西安事變的部分相當有趣。松本先生給過我《苦笑錄》的譯本，結果我沒有看，而是讀了原文。首先我想請教岡崎先生，您讀了陳公博的書之後，從今日此時再次回顧西安事變，覺得如何？

岡崎：我沒讀過那本書。

戴：沒讀過也沒關係，您認為從現在的時點如何定位西安事變？請就此發表一些意見。

岡崎：西安事變時我在日本銀行，由於工作上必須經常與董事見面的緣故，那位董事知道我關注中國問題，所以西安事變發生時，我被那位董事問到：「你覺得蔣介石能活著回來嗎？」我說：「這次會被殺。」結果最後蔣介石活著回來。所以之後我便探討「為何讓他活著回來？」因而這次的失敗，讓我在了解中國，尤其是中國共產黨上面非常有助益。儘管於今而言，結果已經是眾所皆知。當時要是殺掉蔣介石，將會陷入極大的內亂，以致無能抗日，讓日本為所欲為，所以延安方面才考慮讓蔣介石生還。這是我從中國那邊聽來的消息。不管這個消息能不能就此相信，如果真是如此，毛澤東果然是位有遠大想法的人物。

相較之下，我們日本人在滿洲事變以後的舉動，就顯得思想狹隘——我要強調，這並不是從日後定局來看的結果論。回顧滿洲事變之始，日本算是小小地蠶食，好像只知道像蠶一般慢慢啃食桑葉，不若以毛澤東為中心的延安那般想法遠大。而蔣介石好像也非常有遠見，只是日本流傳的日文資料上所看到的蔣介石形象，在當時顯得畏畏縮縮的。不過終戰之際，上海有位叫王大楨的男子做我們的工作，我們問他日本發動滿洲事變時的事情，他提及蔣介石常掛在嘴邊的話。他說，本來蔣介石也認為有日本在亞洲就會安全，結果日本卻為什麼要攻擊我們？攻擊國民政府？這樣不是會讓亞洲情勢逐漸惡化嗎？

我感覺中國人的想法，真的比我們還要遠大個一兩位數，這對我而言是極大的經驗。

戴：感覺有點過於評價中國人，不過很感謝您的意見。伊藤先生如何呢？對於西安事變有何看法？

伊藤：你讀過我這次刊登在《日中經濟協會會報》上的雜文了嗎？

戴：讀了。

伊藤：我在那篇文章提到，有關李大釗，日本實在應該要試著再深入挖掘才行。李大釗、周恩來的第一次合作，或者說共同戰線的想法，一直沒有斷過，我是從這條線上來看西安事變。果然因為其中有周恩來，所以對蔣介石也對張學良進行說服，說西安事變後的對日統一戰線將能夠順利展開，因此我才會寫那篇隨筆。那就是西安事變的前提。

戴：松本先生是獨家報導了西安事變的人，而這場鼎談的紀錄也希望盡可能多讓年輕一輩的看到，所以今天我就代表較年輕的一代來請教您。現在岡崎先生、伊藤先生的發言，可以說主要都是以日本人的立場，或是與中國有關人員的立場來掌握西安事變。同樣的涵義上，松本先生以國際性的新聞工作者立場出發，如何看待這個事變？現時點上，關於西安事變微觀的部分，我想今後還會出現許多資料。張學良仍在世，相關人士也還健在，所以應該尚有被隱瞞的部分。而從宏觀的角度來看則已不會改變。亦即世界史層次的問題，或者說中國革命中的西安事變、中日關係中的西安事變、日華事變中或是中日戰爭中的西安事變等的架構都已經不會改變。因此，松本先生現在回過頭來看，覺得這次事變在世界史的範疇中該如何定位？麻煩您再次分析，並為年輕一代做深入淺出的說明。

松本：如同戴先生現在所言，一般的看法認為西安事變是劃分世界史上一次轉換期的事件，我覺得某種程度上是對的，但是稍顯不足。所謂不足的地方，我認為就是西安事變發生時，不殺蔣介石而放他活著回去的這一點上，有1936年5月5日紅軍發表〈回師宣言〉[2]後不久，周恩來、潘漢年和陳果夫在蔣介石的許可下召開的祕密會談，以及事變發生的半年多前，周恩來和張學

2 中共紅軍向「南京的軍事委員會、陸海空軍、全國各黨派、各團體（特別是就國會）、各新聞社，以及不想成為亡國奴隸的同胞們」發出的「停戰議和、一致抗日」通電。（松本重治，《上海時代》，中央公論社，昭和52年，頁522）

良商談過等國共抗日統一戰線的伏筆。西安事變時毛澤東身在何處呢？

戴：保安嗎？

松本：對。剛抓到蔣介石的時候，聽說毛澤東喝大酒，大大地乾杯一番。但是過不久就好像重做了考慮。周恩來也接到張學良的邀請，在12月16日的晚間左右到達西安。而且是張學良派飛機去把周恩來接過來的。當時學良處理得相當高明，他很了解周恩來，知道要是馬上讓周恩來跟蔣介石碰面的話，一定又會吵架，所以沒有立刻讓他們見面，而是安排周恩來先會見宋美齡。宋美齡見過素未謀面的周恩來之後，曾經寫道：「共產黨員之中，原來也有這樣通情達理的人啊！」於是，透過宋美齡、宋子文，把張學良及共產黨的意向大致傳達給蔣介石知道，最後為了加一層保險，周恩來離開西安前，張學良還讓他在12月24日晚上與蔣介石會面約三十分鐘，兩人握手道別。就說了一句：「再見，從今以後一致抗日！」到此全部結束。

再說，最重要的是不管西北軍或東北軍，全都被洗腦了，已經無法與紅軍作戰。蔣介石在西安事變前也早已認清這個事實。他領悟到雖然早晚都要「一致抗日」，但是如今唯有立即「停止內戰」，別無他法，乃決定要停止和共產黨・紅軍間的戰爭，打道回府，然而就在這個當頭被抓。所以，蔣介石其實已有一半考慮要「停止內戰」。然後，接著「一致抗日」是最後的事情，蔣回到南京後，翌年一月隨即解散西北剿匪司令部，也就是停止內戰。不過，僅僅如此的話很難停止內戰，於是2月15至21日的第五屆三中全會上，為了解決滿洲事變以來大約七年間的種種問題，提出一百多件的法案，進行長時間的秘密會議，結果自法國歸來的汪兆銘寫下三中全會的「宣言書」，蔣介石寫下「根絕赤禍案」，兩案皆獲通過。

這份《根絕赤禍案》是含糊其辭、模稜兩可的東西，但是毛澤東照單全收——全盤接受了蔣介石對中共和紅軍開出的條件。我認為正是因為中共方面全盤接受此案，內戰才得以全面停止。

戴：內戰的理由消失了。

松本：對。還有一個因素就是盧溝橋事變。西安事變、三中全會和盧溝橋事變，我認為這三者構成世界史的轉捩點。因為真正引發中日戰爭的是盧溝橋事變，而非西安事變發生後，就馬上變成中日戰爭。

當然有田外務大臣等人認為，蔣介石能夠生還歸來，一定是與中共做過妥協，所以愈想愈覺得蔣介石本來就可疑，如今顯得更不可靠，會不會也是赤色分子？果真如此的話，就勢必要對蔣介石採取比目前更強硬的態度。可是有田也只有考慮到這種程度，根本沒想到會發生盧溝橋事變，之後開始中日戰爭。

戴：這樣的假設或許也成立：扼要來說，西安事變促使國共合作，而有三中全會，在此期間，日本則自己一步步陷入泥淖，除了中日戰爭以外已經沒有其他出口。這樣的假設可行嗎？

松本：不，我不這樣認為。日本和三中全會沒有關係。

戴：但是日本一直處於滿洲事變以後如何展開對中國政策的進退兩難中，而西安事變已然發生，三中全會以那種形式召開，算是達成共識，因為無能洞察這些中國內部的動向，日本的少壯軍人派就會正式侵入關內，亦即越過長城。說起來，這就好比是自己性急地朝陷阱走去。

日本陸軍、海軍反應的不同

高橋：我也認為西安事變以後的經過應該如同松本先生所言。至於陷入圈套的說法，雖然結果上是這樣沒錯。西安事變之後，翌年二月有三中全會報告，對於這些最為熱心的應該是在上海的日本海軍。像是上海海軍武官有向軍令部報告三中全會做出的決議為何，可是陸軍卻沒有動作——當然外務省人員另當別論。從現存資料看來，蔣介石從西安歷劫歸來，翌年召開三中全會時，海軍武官府積極進行議題的偵查，全力將消息傳回本部，反觀陸軍依舊只埋首於前年11月發生的綏遠事件之善後處理，以及萬里長城內非武裝地區問題等的華北、蒙疆問題當中。

之所以如此，其中一個原因是張學良已經被趕出滿洲，所以對日本人完全不是問題了，是在那個時點。因此，我感覺日軍將馮玉祥、張學良、韓復榘粗淺地視同為軍閥，忽略他們各自擁有不同的固有立場、價值、實力等，以為一腳就可以全部踢開，簡直將之當成雜牌軍看待。對於共產軍、八路軍也甚為輕覷，所以結果才會變得如此淒慘。總之，當時日本陸軍完全視中國軍隊如無物。雖然在現地軍人當中，應該多少也有人明白這並非易事。

所以，如果說日本軍部將西安事變和三中全會、盧溝橋事變放在一條線上，一一對應行事的舉動就是陷入泥沼，我並不贊同。

戴：不是，我現在說的並不是這樣，而是西安事變、三中全會、盧溝橋事變以結果來看成為一組，與日本的關東軍為中心的勢力對伺。日本方面，從一般看來也非團結堅若磐石。好比軍部當中，陸軍——尤其是關東軍、海軍就各行其道。此外還要再加上政黨的動向。如此狀況下，對於陸軍，特別是關東軍的行動，到此階段已經無法踩煞車。所以我的假設是說日本方面處於煞車機制不管用的狀況。我只是用日本自己闖進陷阱這種方式來表現。

高橋：關東軍的存在會那樣強大無比，固然有以槍砲制敵來防備蘇聯＝北方的完善兵力，在內政上，亦即關東軍對於滿洲國的政治統治，或者對於華北的強烈影響力也非常厲害。伊藤先生，那時您在當地覺得怎樣？

伊藤：發動滿洲事變，暫先取得征戰功績的軍隊，與來交替駐屯的部隊軍人，在參謀以下的論功行賞上分一杯羹的動機，在要不要越過那座長城的議論上起了作用。好不容易來到滿洲，卻一直無法參加輝煌的戰役，所以無論如何都想放手一搏，如此一來就必須要越過長城才行，因此當時提出的就是「二正面作戰」論。日本陸軍認為可以對蘇聯，當然也對中國雙方同時進行對抗。反對侵略華北的石原莞爾當時又不在關東軍。於是越過長城，這一情況發展成盧溝橋事變。加上還有企圖挽回綏遠事件失敗的焦躁感。

剛剛說的海軍和陸軍的不同，譬如在對國民黨的認識方面，海軍顯得非常進步。陸軍認為國民黨和張作霖軍閥大致相同，但是照海軍的看法，國民黨具有近代意識，南方的氣氛與北方不同。這是津田靜枝在海軍內部非常強力的說詞。津田靜枝被稱為海軍步兵中校或上校，對於關內大陸的中國情勢有相當的研究。

高橋：因此才有軍令部作成的〈西安事變重要日誌〉、〈中國國民黨第五屆三中全會〉等紀錄留存下來，上海武官府也拍了許多電報。

伊藤：沒錯。

松本：而我由於偶然取得西安事變的獨家報導，日本海軍的司令部立刻派遣三名將校到我這裡詢問：「你是如何搶到獨家的？」陸軍卻是一點動作也沒有。海軍可硬是追根究柢地詰問我如何取得這個獨家。我是從與孔祥熙祕書喬輔三的通電話中，得知事件的大要，不過對於海軍人士卻聲明：「消息來源是不能說的，雖然我知道了，但不能說。」只跟他們說：「經由長年的友誼而交心，有了信賴關係，自然就會有那類消息！」這樣抽象的話。甚至還反過來告誡他們：「海軍要是也確實好好地結交許多中國朋友，自會得有各種有趣的情報！」海軍真的非常熱心。

再補充一點我剛剛說過的話，看到所謂《根絕赤禍案》（昭和12年2月21日三中全會第六會議的決議），日本三大報中的其中一家，還以為蔣介石已經徹底消滅中共，就因為標題叫「根絕赤禍案」。

戴：只讀到文章的表面。

松本：沒錯。不過在文章最後，舉出四項要妥協的這些最低限度的條件，這才是蔣介石的本意。毛澤東發表兩次大演說，認為就照單吞下全部條件吧！照三民主義走吧！我們也來想想孫文，所以三民主義也不錯吧！於是全盤吞下《根絕赤禍案》。我覺得這樣反倒是蔣介石那方感到困擾。而那樣只算停止內戰，還沒發展到一致抗日。實際上一致抗日的形成，是因為發生盧溝橋事變，日本的天津駐屯軍就在那裡。

伊藤：正式名稱是「支那駐屯軍」。

盧溝橋事變

松本：駐屯軍中有位了不起的參謀長叫橋本群，奮力不讓事件擴大，可是還在進行協定中，一到夜間馬上就槍聲四起，終究無法遏止事件擴大。

伊藤：我和橋本群先生曾經一同在天津，他真的是位頭腦清楚的軍人。盧溝橋事變後，他極力不使事態擴大，7月11日達成現地停戰協定。天津駐屯軍於8月26日，華北方面軍編成之後成為第一軍，橋本先生也順勢成為參謀長。但是第一軍受到大本營及方面軍的欺負，兵力接二連三被轉用拔除，司令官香月清司中將也遭逢不尋常的處境，昭和13年5月於黃河河畔的司令部被革職。昭和13年1至2月期間，因為陸軍終於正式展開中國侵略，華中方面軍的創設等軍隊編制大改動之際，橋本先生也成為參謀本部作戰部長，榮調回東京（昭和13年1月12日）。其實那次調職可能也是中國侵略派動的手腳，覺得讓橋本留在當地很難辦事，所以想辦法把他拉回來這邊的一種策略。

松本：盧溝橋事變後不久，從關東軍和東京馬上就來了鷹派人馬到天津，參謀本部那批人……，結果使得橋本君動彈不得。

伊藤：從中國接收各種事物時，橋本都會寫上「暫定」的字眼，這就是證明。表示不是永遠占有，只是暫時保管。橋本先生離開天津的時候，設下餞別宴招待我一人。席間他宣布要來場餘興表演，說了一段柳家小三先生（前代）流的落語，講得實在精采。我佩服地獻上讚美，他爽朗地說：「其實，之前我被某位皇室成員笑說什麼技藝都沒有，所以我就到小三先生門下學習了一年。」就是這樣一個率真的軍人！後來他卻因為諾門罕（Nomonhan）戰役失利而遭到究責，被編入預備役，真的很坎坷。

高橋：我當然沒有見過橋本群這號人物，不過常常在字裡行間讀到。那時有位軍司令官田代皖一郎中將因病無法活動，所以實質上是天津軍的參謀長橋本少將在掌管駐屯軍。而駐北京武官室中有位今井武夫先生，是武官輔佐官。

伊藤：天津軍的幕僚有池田純久、和知鷹二等人。

高橋：北京則有今井少佐，池田純久中佐那個時候還比較偏向鴿派，所以據說橋本、今井、池田三人曾致力於事態的收拾。不過，如同剛剛說的，中國那邊好像也做了什麼，而日本這邊又來了很多莫名其妙的，像是關東軍那邊有辻政信等參謀級人物也過來搧風點火，徹底破壞了收拾行動，這點今井曾在書中寫過。（《中國事變的回想》〔《支那事変の回想》〕，昭和39年，みすず書房）

伊藤：和知（鷹二）相當的……。

松本：和知那個時候在做什麼？

伊藤：參謀，是池田的同事。但是不久後就出任在上海作戰的步兵第四十四聯隊長。

戴：關於西安事變的補充，就到這裡先告一段落，接下來把話題移到國共合作至日華事變間的時期。雖然我們已經進入這個話題，談到陸軍和海軍在立場上，或是對應方式上的不同，接著想請教岡崎先生，當時日本的財界或金融界如何看待盧溝橋事變？

岡崎：如同前面所說，昭和5至8年的期間，我正好在柏林，常常和陸軍武官補佐官等喝酒聊天，於是昭和6年滿洲事變發生之後不久，就有武官來找我，說在歐洲的武官們集結起來要對本國呈報意見，但是因為不太了解經濟的事，想請我來寫。我那時說：「為什麼要攻擊滿洲？這樣一來亞洲不是更不可能變好嗎？你們接下來大概就是想越過長城進入中國本土吧，要是這樣日本會走向毀滅，所以我不幫你們寫。」對方說：「不用擔心。我們是為了從事對蘇作戰，必須控制興安嶺才會這樣做，一點都沒考慮要越過萬里長城。」結果我記得我好像寫了什麼給他。

還有一點，在柏林期間，因為我是日本銀行，和軍事沒有關係，不過我感覺納粹會取得那邊的政權，為了學習納粹的經濟政策，我在和納粹人會面當中，發現納粹人並不把經濟問題當問題，總是只想著戰略。

松本：大概是幾年的時候？岡崎先生。

岡崎：1930到1933年之間。納粹是因為1931年的選舉成為相對多數，所以到1933年我歸國為止，早已知道納粹將於六年後、最遲第七年會發動戰爭，而且到那個時候，他們會最先攻打波蘭、不經由瑞士等。所以我反對在中國的日軍越過萬里長城，認為日本如果在納粹發動戰爭前引起事端，就世界戰略而論，不是很愚蠢嗎？我甚至還讓步說，如果一定非要不可的話，至少先看納粹做了之後怎樣再行動吧！

回到日本之後，我還是經常和駐柏林的年輕軍人（後成為少將），去年剛去逝的高島（辰彥）少佐通信，跟他說日本不能再在亞洲擴大戰事。但是年輕軍人聽不進我的話，所以拜託某位退役的明治時期軍人介紹我認識當時任陸軍次官的梅津（美治郎）先生，和他見面兩、三次，提起這件事。梅津先生不會跟少壯軍人說一樣的話，但是當然也沒有立即採納我的意見。因此我非常擔心，覺得必須設法避免戰爭，當時《朝日新聞》的常務董事，同時擔任編輯局長的美土路（昌一）先生是我同鄉的前輩，所以我跑去跟他商量。他說：「岡崎君，你說的事情我也很擔心。我們要不要聚集同志來進行研究？」於是有陸軍海軍各兩位中佐級人士、內務省、大藏省、記者，還有我加入，每月召開一次左右的研究會——取名為「無名會」。

那陣子發生盧溝橋事變，無名會會員中一位陸軍軍人，為了傳達不擴大方針而將赴當地。他是代替患急病的軍人前往，可是根據他歸來後的報告談，到了現場，發現當地的氣氛要推行不擴大方針非常困難。因此，我已經知道將會變成大戰爭。

戴：也就是說，現場的氣氛是全然不同的。

岡崎：所以過了兩天，我就先退出高爾夫俱樂部，開始做準備。結果被日銀的同事們嘲笑我太過緊張。我跟他們說：「總有一天，你們會承認就如我所言。」事實也證明如此。雖然我做的研究就像是以管窺天，可是我自行追蹤的結果就是這樣。盧溝橋事變發生時，我覺得將會形成大戰爭，也非常正確。雖然我自己沒有判斷錯誤，可是日本整體卻不認為這會發展成大事件。所以，最近我也常常告誡年輕的一輩，情報必須由自己發掘，光靠從他處得知的情報是不行的，一定要訓練自己去觀察事情，並且下正確的判斷。

而實際上日本發動了盧溝橋事變這種惡事。有位和我同鄉的軍人叫花谷正，滿洲事變時隸屬關東軍（奉天特務機關），當時曾拔出軍刀威脅奉天領事森島守人。滿洲事變後他回到日本，跑去見同鄉出身的第一銀行總經理明石照男——好像是阪谷君的大叔父對吧？——就像威脅森島領事一樣地威脅明石先生。聽說花谷被明石先生訓斥：「做出這種傻事真是令人頭痛！」所以激動怒罵明石先生：「賣國賊！」明石先生則反吼回去說：「我也是愛國者！」到頭來，盧溝橋事變也是由花谷這種軍人來主導局面。盧溝橋事變可以說一舉決定了日本的命運。

戴：伊藤先生當時在滿鐵，所以等於跟著越過長城，進入關內。那時您的心境如何？

伊藤：如同現在所說的，這是肇因於陸軍中有了非常低級的動機，卻將之合理化，進而逐步壓制民間。

我當時是滿鐵天津事務所的所長兼天津軍顧問。那是因為池田純久在昭和10年12月成為天津軍的高級參謀時，向滿鐵經濟調查會徵求人選做為經濟建設的顧問，而由我和奧村慎次前往赴任。另外還有一位持有畜產學學位的吉田新七郎先生。此人與吉田茂有遠親關係，山東出兵時以軍屬身分被帶到青島，因而學習中國問題，並以接收自德軍的資料中有關黃牛的論文為基礎提出學位論文，獲得農學博士的學位，於是被軍隊奉為學者，備受尊重。此人深好謀略，到天津之前任職關東軍的特務部，協助軍隊的特務工作。因為他向軍隊提出各種建言，軍方也滿意他。所以大致上我跟奧村只是形式上的顧問，由吉田總攬所有研商，直到演變成盧溝橋事變。

停戰遭到破壞，形成全面戰爭態勢，日本進入總動員體制，採取國策會社「北支那開發」（北支那開發株式會社，昭和13年3月15日設立）的壟斷型態，企圖從日本導入財閥資本。吸收在此之前，是以比較柔軟的合辦形式由十河信二社長推動事業的「興中公司」（全股份滿鐵所有），十河先生雖然被推為「北支那開發」的總裁，卻沒有接受。滿鐵將最有力的交通輸送部門打進華北，靠著「華北交通會社」來掌握華北動脈。原有的北京、天津機構則被縮小為「北支經濟調查所」，後來成為大調查部之一翼。而我在盧溝橋事變的隔月，即奉命調任上海。

戴：松本先生當時是同盟通信社上海支社長吧！今天話題的主幹雖然是日華事變，但是實際上滿洲事變和西安事變之間還有一個大問題，即上海事變（1932年1月）。還有建立福建人民政府的動向（1933年秋）。對於其間的糾結牽扯，希望能夠稍微做個釐清。

松本：福建事變是1933年還是1934年？

戴：上海事變中大為活躍的蔡廷楷所率領的十九路軍被遠調至福建省，結果於1933年11月成立福建人民政府。我之所以提問，是因為……

松本：原來如此，是因為台灣？

戴：不，雖然也有關係，但是同時不是還有潘漢年的問題嗎？潘漢年和福建人民政府有過關係，結果後來變成新中國之後，就一直被關在牢裡。我是猜測這其中必定有些什麼。正好潘的名譽恢復是當前的熱門話題。潘新年、潘漢年兄弟的事蹟好像非常有趣。

松本：潘漢年是共產黨員吧？

戴：是的，但是後來受某些問題牽連，新中國成立之後就在上海遭到逮捕。直到最近才在討論要恢復他的名譽，但是目前情況還不明朗。剛剛您在張學良的相關話題中提到潘漢年，所以我才想起來。

松本：我對於福建事變完全不知情，是胡鄂公告訴我的。介紹胡鄂公給我認識的人，就是鈴江言一，而鈴江言一又是伊藤武雄先生介紹給我的，我記得是在1933年的夏天。我會知道福建事變，是伊藤先生介紹的鈴江言一說：「向你介紹一個不錯的人」，那個人就是胡鄂公。鈴江說：「這個人現在無事可做，想向同盟通訊提供一些情報，所以如果有情報費的資金，麻煩時常周轉給他。」胡鄂公也真是個了不得的人物，而且一看就知道是對國民黨政府的大批判家。不過，雖說是批判家，福建事變發生時卻又是風暴的中心人物。那時他預告說：「明天要發表宣言文。」結果就真的發表了！他就是這樣一個與福建事變相關人士以及與上海有密切聯繫的人物。

還有一點很有趣的是，這位胡鄂公在辛亥革命時，為了阻止想要前去討伐的黎元洪，發動一個中隊對黎元洪進行兵諫。據說只是中隊長的胡鄂公跟黎元洪說：「情勢已經改變了。你也應該追隨革命軍才對。」於是黎元洪在威嚇之下改變心意，回答：「好吧！」

高橋：原來如此！所以黎元洪的軍隊本來都已經到達漢口附近，才會又突然折回北方。

松本：沒錯。劉大年兩年前來東京時，我曾向他說起這件事，他卻似乎不知情，真是奇怪。劉大年不是歷史的大師嗎？

戴：他是黨的正統史學家，所以不把那種「稗史」之類的東西放在眼裡。黨內培育的歷史學家在這方面可能還是弱了一點。

松本：真是奇怪。我聽胡鄂公的話，總是覺得有趣的不得了。鈴江言一是在夏天赴上海介紹我們認識，之後到了10月，胡鄂公又突然來訪。跟我一一預告說福建大概三、四天內可能會成立第三政府。不過當時多少有些不實的情報，譬如他甚至說李石曾或胡漢民（國民黨中央監察委員）可能會來福建等，但是這與事實有些出入，結果最後到底是誰發動的？

高橋：陳儀嗎？日本陸大出身，擔任過南京政府的軍政部次長，然後盧溝橋事變時是福建省主席的那位。

松本：不，不是陳儀。陳儀屬於南京的政學系，福建是……

戴：陳銘樞。陳儀是福建人民政府之後，才被任命為福建省主席。

松本：對，就是在蔣介石命令下被逐出廣東省主席的陳銘樞。

伊藤：關於胡鄂公，我想再稍作補充。他曾於辛亥革命期間受到黃興的影響。而他在武漢最出名的行動，就是拉回黎元洪的插曲——這在他的著作《桐城日記》中有詳細描述。他與袁世凱帝制期的策士楊度（經由周恩來成為中共黨員）也有交情。而他另一個著名的事蹟，就是在北京組織1920年代的反帝同盟及其運動。還從蘇聯外交官加拉罕（L. M. Karakhan）得到一只金錶紀念品。此外，他批判蔣介石，屬於廣西派的李宗仁派。松本先生剛剛說胡鄂公很了不得，哪裡了不得呢？就是他一直不以貧困為苦的風範。他有八個孩子，卻只以提供情報賺取微薄的報酬來維持生活，並沒有參加賺大錢的工作，不過也因此才能充滿批判精神，使得情報都集中到他的身邊，才能向松本先生提供情報。所以做為一個情報員，他算是很厲害。

就我的關係而言，他在中日的和平方面主動擔起一役。他討厭日本陸軍，想和海軍的津田靜枝聯手合作，而做為在野人士的津田也為了提供海軍情報，與胡鄂公展開對重慶工作。只是津田就任興亞院華中聯絡部長官時突然停止與胡鄂公的會談，直到辭官下野後才又恢復。可以想見津田是以獲取情報為目標。也可以說兩方都是如此，胡鄂公是為了取得日本的情報。至於胡鄂公的重慶聯絡人是孔祥熙。好像和陳布雷也有聯繫。

戴：陳布雷身為蔣介石的祕書，是他的文膽。

伊藤：對。孔祥熙和陳布雷是胡鄂公的情報來源。

松本：胡鄂公和陳布雷交情很好嗎？

伊藤：感覺比較像是孔祥熙為老闆，但聯絡人是陳布雷。

戴：方才松本先生提到潘漢年，旋即浮現西安事變發生前的另一個側面。我們通常會提到東北軍、西北軍的部分，但是中國民族主義的另一個顯現，也可以從第一次上海事變中十九路軍激烈的抗日戰，以及民眾對此的支持上看出。因此蔣介石認為有必要破壞陳銘樞與十九路軍因為上海事變而在全國升高的名望。原本蔣跟陳銘樞的關係就不好，而上海事變又是在陳開始糾集以

「神州國光社」為中心的非中共派反蔣文化人、政客時發生的，所以蔣才將陳和十九路軍轉調至福建。再者，如果放任抗日民族主義運動更加高昂的話，蔣介石自己策定的「攘外必先安內」的剿共計畫就會瓦解，因此切除了陳銘樞和十九路軍。這些人流落至福建，結合國民黨左派、舊武漢政府的左派，以及與共產黨保持距離但又與國民黨互不相容的一干人等，成立「福建人民政府」。這種可以說是抗日統一戰線前史的部分，相當值得注意。而且有趣的是此動向實際上與潘漢年有關。我覺得此部分可以嘗試重新研究。

松本：當時在瑞金的毛澤東如果能夠多支持福建政府的話，情勢應該變得更有趣。這對毛澤東來說算是個大失敗。福建人民政府……。

戴：誠如松本先生所言。在最近出版的回憶錄《彭德懷自述》（人民出版社，1981年1月）當中，彭德懷即批評當時的中共中央，認為他們自行切斷對「第五次圍剿」（第五次剿共作戰）的前期反擊的有利「援軍」或是牽制角色，也就是說他們折斷在軍事面，甚至政治面上朝向抗日民族統一戰線的「橋樑」般的存在（前引書，頁184～185）。所以，以這些經緯為背景，發展成中共的盧溝橋事變。松本先生認為如何？中共與盧溝橋的關聯？

松本：我認為毛澤東在西北獲得勝利後，接下來是瞄準東北，所以才任劉少奇為北方局的書記。而劉少奇應該是透過學生進行二十九路軍的洗腦。至於盧溝橋事變的起因，總之，如果沒有這樣做的話，就算「停止內戰」還是缺乏「一致抗日」的積極性。所以無論如何也要開槍攻擊，等看日軍什麼時候猛然殺出。

戴：與此結合的是以北京大學為中心所展開的大學生抗日運動。

高橋：現在聽到松本先生這樣說，我才終於了解。不管是那時在現場的今井武夫、進入宛平縣城而被埃德加・斯諾拍到照片的寺平忠輔大尉，或是茂川秀和少佐等，這些當時身在北京，盧溝橋事變發生後立即從事一種謀略性和平工作的軍人們，我閱讀他們所寫的東西，都說天津軍並未發射實彈，也非張治中的第三十六師或馮治安的第三十八師的軍隊所發射的。如此說來好像變成是發給日本軍閥免罪符，所以不能大聲嚷嚷，但是追溯盧溝橋事變發生的7月7、8日，只要停戰快要談攏，就會發生零星砲火。這些事情我覺得都是劉少奇……

松本：正是如此。我也沒有明白指出劉少奇的名字。原本想在《上海時代》中寫的。

高橋：說是劉少奇……大家都知道的有名的石友三曾經警告今井少佐說：「七夕之日（7月7日）將會起事。」而當時在現地的寺平大尉似乎也想說出劉少奇之名。寺平先生寫過一本由讀賣新聞社出版的《盧溝橋事件》，我曾於他執筆此書之際，造訪他鄰近靜岡市城址的家，拜讀了成為事件發端的中隊隊長清水節郎的信件等資料，也和他聊了很多事，但是依舊找不到確證來證明劉少奇的最高戰略說。

松本：的確沒有確證。

高橋：不過寺平先生也說過，要講共產黨做了什麼壞事，以我們的立場似乎不太合適。

松本：我認為是學生。

高橋：根據伊藤先生剛剛的談話，滿鐵大舉派出華北鐵路經營團隊，開始一種經濟活動，而那時在北京早已有從事此任務的陸軍機構，就是松井太久郎大佐的……

松本：這也是和今井武夫是一起的。

高橋：那裡湧入了如音樂家小澤征爾的父親小澤開作等滿洲青年聯盟派的浪人，他們負責規劃華北的治安工作、經濟政策或人事、機構的方案。這是因為日本方面企圖對香煙、鴉片，還有鹽稅等進行實質的接收。這批人當中，之後有些成為王克敏底下的顧問等，群聚在松井大佐處。

松本：對於福建人民政府，蔣介石知道毛澤東不會從背後襲擊，所以立即出動好幾個師團，二、三十萬的空軍進行空襲，一舉殲滅。

戴：之後派去進行善後處理的即剛剛提到的陳儀。他利用治理福建的經驗，於大戰結束後前往接收台灣，有此歷史的脈絡。

高橋：十九路軍之後流向廣東那邊去吧？

戴：原本十九路軍就是廣東出身。順便提一件趣事，陳銘樞現今仍健在，在北京受到禮遇，已經九十好幾了吧？（1891年出生於廣東省合浦縣）

伊藤：十九路軍和張發奎無關嗎？

戴：和張發奎軍不一樣。十九路軍是以陳銘樞、蔡廷楷、蔣光鼎為中心。

高橋：曾經有人拿著距今二十年前左右在香港出版的《十九路軍祕史》來到みすず書房，詢問要不要出版此書的翻譯。

松本：因為話題已經進入盧溝橋，我想說一件有趣的事實。日本國際問題研究所中國部會編《中國共產黨史資料集8・資料75》〔《中国共産党史資料集8・資料75》〕第438頁，是日軍進攻盧溝橋之際，中共中央以中國共產黨中央委員會名義發出的通電（1937年7月8日發）。上面記載「7月7日晚間10點，日本對駐守盧溝橋的中國軍馮治安部隊展開攻擊」云云。然而，所謂7月7日晚間10點卻是子虛烏有，完全沒有這回事。雖然有夜間演習，但是在10點半左右已經停止。兩軍真正發生衝突是在7月8日上午五點半[3]，因為時間違背事實，所以可以想見此份通電為預定稿。廬山有許多會議，胡適等眾人發表大演說，認為此事件中的日軍實在太沒天理，據此而議論，大家指責的都是7月8日早晨的衝突太沒天理。寺平等人說的也是7月8日的上午4點左右。所以

3 兩軍的衝突——有關中日戰爭爆發的時間，根據當時支那駐屯步兵第一聯隊（牟田口聯隊）作成的盧溝橋附近戰鬥詳報（收錄在現代史資料12《日中戰爭（四）》小林龍夫等編，みすず書房，1965年），日期是昭和12年7月8日。摘文如下：

「第三　戰鬥經過之一、聯隊長的決心」：聯隊長於上午4點過後不久，接到第三大隊長來電，通知以下報告：「上午3點25分，龍王廟方向聽見三聲槍響，支那軍二度發砲，可以認定完全是敵對行為。我方該如何對應？」聯隊長幾經熟慮，認定支那軍兩次射擊為純然之敵對行為，遂命令斷然開始作戰。其時正是上午4點20分。

「二、第三大隊長的攻擊」：第三大隊長堅定攻擊支那軍之決心，朝一文字山行軍途中，與第二十九軍顧問櫻井（德太郎）少佐於西五里店（盧溝橋東方約千八百米）西方幹道東側田地會面，得知下列情事：（一）櫻井少佐與馮治安會面，詢問盧溝橋非法射擊一事。馮回答：「馮的部下絕不會在盧溝橋城外配兵，故非支那軍所為。」（二）如果有在城外配兵，攻擊為隨意，恐非馮之部下。即使是馮之部下在城外，也不可斷然攻擊。馮附帶曰：「如在城外那必是賊。」上述悉為馮治安之詭辯，係支那要人迴避責任之常用手法，動機鄙劣誠當唾棄。第三大隊長與櫻井少佐會面後，決定對城外配兵部隊進行攻擊，正展布所要兵力打算進攻之際，當時到達現場的森田中佐依據北平出發時所受的聯隊長指示，企圖部署兵力進行交涉，乃中止大隊之攻擊，停

這份記載7月7日晚間10點的通電，我認為是預先擬好的原稿。

戴：果真這樣的話，就變成是一齣安排好的大戲了。

松本：我認為正是如此。又由於是中共中央發出的通電，所以我覺得此事和劉少奇有關。劉少奇因此才會被遠調。盧溝橋事變結束之後，馬上又被調回延安，照理說本該因為此次成功而獲得勳章才對。

戴：結果時間有點出入。因此失了顏面。

松本：我是這樣認為。

岡崎：當時也曾經傳說是中共的陰謀。

松本：正是如此。

戴：所以，這部分的腳本進展稍微走亂，劉少奇因而被追究責任。這樣解釋的話比較有趣？

松本：我覺得很有趣。而且我認為被洗腦的還是北京大學和燕京大學的學生。依我的看法，學生們與宋哲元的第二十九軍的年輕將校交情很好，因而一同進行。所以就算立了協定，一到晚間還是砰砰槍響，我想是學生和將校做的。

高橋：寺平先生曾出示地圖，身為在現場的目擊者，他以一文字山為中心，連實彈飛出的方向都清楚地標示出來。

松本：所以我認為寺平的報告是最正確的。我在《上海時代》中，也是以寺平的報告為主來寫。

止正在瞄準的步兵砲射擊。大隊長憂慮如此交涉徒然浪費時間，於是維持展開兵力中止前進，令全軍用早餐此際看到我軍停止前進，被誤認為怯懦的龍王廟附近的支那軍又開始射擊，大隊認為已無商量餘地，立即命令第一線的前進攻擊，以行膺懲，森田中佐亦認清此狀況唯有攻擊一途，遂認可大隊長之處置。其時正是上午5點半。

戴：現在松本先生這樣一說，部分人士也可能有這樣的說法——也就是雖然腳本有可能是以劉少奇為中心而寫沒錯，其和結果有點出入也沒錯，但是追根究柢，日軍為什麼會在別人國土上的盧溝橋附近才是問題所在的說法。這很有趣。

高橋：沒錯，與其說是誰發起的，不如說就算條約許可，日軍駐屯在中國固有的土地上，而且還違反條約增強駐屯軍為兩個旅團——一個旅團為河邊旅團——將近四千人的駐屯兵，因為宿舍不夠，就說豐台的英軍使用過的兵營遺址應該還空著，要別人提供等。這些事本身就不容見諒，但是以歷史事件來說，確實……。

戴：微觀面上的腳本。這個腳本中還有另外一個……。

松本：結果，進行衝突的是一木大隊的突進。一木大隊長在事件發生數日前曾表示，現在手中掌握的部下是從東北來的最強士兵，要大幹一場的話就是現在了。所以一木大隊一定早就躍躍欲試。各方面仔細想想，就會發現很多細微事項。我和橋本群參謀長在事件一週前談話時，他也說：「該擔心的是日本這方」、「宋哲元的二十九軍沒有問題」、「我和幹部會面頻繁，該擔心的是日本方」等。

戴：今天就以歷史是由一連串的偶然以及在晚上時所創造出來的結論做為尾聲。次回想請教的是三位先生在上海的會面，以及以華中為中心的通貨問題。

第五章　中日戰爭期間的華中

華中的幣制和華興商業銀行

阪谷：上一回我因臨時的海外出差而不得不缺席，真是對不起。那次是請戴先生和高橋先生擔任主持人，後來我接到聯絡，說由於我不在，所以華中的幣制問題就順延到今天的一開始來談。因此，首先就來請教岡崎先生的意見。

其實，從前當我任職日本銀行特別調查室，在大內兵衛先生的指導下撰寫財政金融史的時候，負責的部分就是華中幣制。當時我還不太了解，直到現在也仍有許多不清楚的地方。

昭和12年12月，華北成立中華民國臨時政府，翌年13年3月華中成立維新政府。不知道為什麼，自日軍（柳川兵團）由杭州灣登陸首度攜來軍票以降，華中一直使用軍票當作通貨，而維新政府也未設立中央銀行。至一年後的昭和14年5月，突然有華興商業銀行出現，由岡崎先生擔任理事，開始發行銀行券。可是，我看到很多書中都記載華興商業銀行券是貿易貨幣，該華興商業銀行券又不像是用來取代軍票、由維新政府中央銀行所發行的通貨，而是與軍票同時流通，待汪兆銘政權成立之後，設立中央儲備銀行，華興商業銀行發券功能被停止，成為商業銀行。對此前後我一直不太明白。究竟日本對於華中的幣制有什麼構想？打算怎麼進行？這些問題至今仍在我腦中模糊不清。

還有一點，書中記載最初擬定華興商業銀行構想的人物，就是與我父親同期任職日銀，且是好友的宗像久敬先生。宗像先生為何會有那樣的想法？或者像有一本書中提到原本預定由宗像先生出任副總裁，可是他堅決辭退，這又是為什麼？這方面的事情，希望能一並請教岡崎先生。

岡崎：這個非常簡單明瞭，宗像先生雖然是那種性格剛烈的人，可是不愧是位金融家，他一開始就想到軍票是行不通的。中國人本來就不喜歡紙幣，不用說軍票，更何況又是日本軍票，一定會被民眾排斥，所以他主張一定要趕緊停用軍票，對此我們也都表示贊同。不過宗像先生之後的動向非常有意思。

松本：宗像先生是什麼時候來上海的？

岡崎：擔任日本銀行調查局長的時候。他成為軍隊的顧問，很早就到了中國。

松本：是昭和11年底來的嗎？

岡崎：大概是昭和12年春天到華中，而一回國就發生戰爭。盧溝橋事件爆發前他視察了華中。其後因機緣，中日開戰後他以軍隊顧問身分前往上海。

他認為必須盡快停止戰爭，也有現在提到的銀行論，還構想要趁軍票改換為銀行券的機會，召集在中國享有治外法權的各國人士出資建立合辦銀行，發行有利貿易的通貨，而和平問題就在席間以董事會的形式進行。因此，首先必須收集外幣，形式上是請日方各銀行出資，但因海關持有的外幣主要是英鎊，所以請各銀行購買英鎊，以此做為出資方式。

然而，儘管做了各種交涉，最後卻沒有外資肯參加。沒辦法，只好改成中國維新政府與日本的合辦銀行。但是我認為最初的構想是相當不錯的。只不過就當時的情勢而言，英、美或其他國家不可能會參加，雖然這個構想本身是非常了不起的。

伊藤：李滋羅斯（Frederick Leith-Ross）好像是在此之前來到中國。

松本：昭和10年的11月。

伊藤：對、對。他也有提出方案。剛剛說的計畫與他的方案是否契合？還是毫無關係？

岡崎：表面上雖然沒有呈現出來，可是宗像先生一直將此事放在腦中。

松本：李滋羅斯進行幣制改革，將原本五家發券銀行改為三家，結果最後好像變成只有中央銀行一家。

阪谷：最後變成中央銀行一家沒錯，不過在那之前有四家：中央銀行、中國銀行、交通銀行及中國農民銀行。

岡崎：幣制改革造成了白銀外流。正好當時日本持有八百萬兩左右的白銀，於是蔣介石要求只要在下令的期限內提交出這些白銀，就提供2%或3%的酬金。

對此，日本也有一番議論。剛好我在日本銀行負責外匯，所以董事就徵詢我的意見，問我覺得該不該交出去？我寫下建議交出去的結論，於12月呈報。可是那時日本已經決定不要交出。我認為如果不去協助對方國家的內政問題，就根本不可能友好，所以感到非常憤慨，卻已於事無補。不過，4月時我方又讓步，最後是正金銀行總經理大久保利賢先生（大久保利通的孫子），不，應該是兒玉謙次先生擔任總經理吧！由兒玉先生前往執行交付工作。

當時有一段著名的逸聞，據說在南京為此舉辦的宴會席間，蔣介石引述《論語》中的「己所不欲，勿施於人」來暗地裡責備日本的作法。兒玉先生回國後曾表示這句話真是刺到痛處。要而言之，宗像先生的想法就是趁著廢止軍票的機會，想辦法聚集各國以製造對話的場所，從而討論和平問題。而軍方這次也比較聽話的採納了。

松本：我一次都沒看過軍票。

岡崎：有可能。軍票不太流通，因中國人不肯收。

高橋：這張是當初發行的軍票的照片，只在日本的十圓鈔票上印上軍票兩字。

岡崎：這是一開始使用時的版本。

高橋：對，然後在中國還出現以龍做為圖案的。

岡崎：日本人的東西，中國人是不用的。

阪谷：方才岡崎先生提到的維新政府的折半出資，維新政府也是以外幣繳納的嗎？

岡崎：原本進海關的稅金就是中國的，所以當然是用外幣，我不知道是以怎樣的方式、從哪裡交款的，不過確實是這樣。是用英鎊支付。

戴：請問岡崎先生，您現在說到宗像先生以上海的租界為中心成立外匯銀行，繼而想進行和平工作的構思，簡單來說，是否就是利用上海的特殊性，盡可能取得國際力量，一方面牽制日本軍方，一方面尋求解決問題的出口的想法？

岡崎：沒錯。宗像先生原本被預定為副總裁或副董事長人選，為何卻在4月突然說不去了？對此有許多內幕傳聞，有說宗像先生想成為日本銀行的理事之後再前往，也有說他嘗試過各種交涉，但是英、美、荷蘭、比利時甚至德國等其他國家都不贊成，規模因而縮小，並不是他理想的所在，因而驟然放棄。這是個賢明的抉擇也說不一定。但是既然有那樣的構想，我認為還是應該要進入其中從事和平工作，或是緩和與中國的關係才好。

不過，明明5月就要開始實行，卻在4月10日前後才說不要，所以沒有繼任人選。由於之前有要求大藏省、商工省，現在的經團連（日本經濟團體聯盟會）和日本銀行各派出一個人到當地進行為期一年的調查，所以對已經受日銀的派遣駐在當地的我說：「你在，就你去吧！」那時我才40或41歲，所以提出反對理由，自認為我無法這麼年輕就去擔任董事，然而，新木榮吉先生說：「不要這樣說，軍方已經每天都來催逼了，拜託你去吧！」便叫我先回日本一趟商量看看。我回日本經過商量，最後迫不得已地接下。我本來就不反對去中國，只是介意自己還太年輕，才會猶豫不定。而宗像先生其實也是被害者，因為他之後擔任蒙疆銀行的總裁。我常覺得宗像先生如果能到上海就好了。

戴：岡崎先生，蒙疆銀行的「蒙」的意思很清楚，可是所謂的「疆」，當時具體的是意指哪裡？

岡崎：不是邊境的意思嗎？

伊藤：指蒙古地域。

戴：應該是指以蒙古為中心的邊疆。我最初以為是新疆的疆，可是相隔太遠，當時又在日軍權益之外，又或者可以說到手的時機還不成熟，所以我想了很久，覺得應該還是指邊疆的疆。

岡崎：我聽到的也是這樣的解釋。

阪谷：我學生時期到蒙疆旅行的時候，我們一高的三位學生訪問了綏遠的一位特務機關長橫山（順）大佐，當時招待我們吃午餐，一邊聆聽他極為宏大的談話。他的演說內容是現在正是日軍壓制五原，將前進帕米爾高原的時候，還說要經由新疆省到蘇聯的某地，不管怎樣，最後的目的地不要說是新疆省，甚至是帕米爾高原！

戴：這個究竟還是邊疆問題吧！要說是新疆的具體意象還是……。

阪谷：何況德王的政府都不說蒙疆而叫作蒙古聯合自治政府。所以究竟為何使用蒙疆這兩個字？至今仍然……。

戴：應該還是邊疆的疆。

阪谷：這部分有點變成題外話，回到剛剛的話題上，軍票和華興商業銀行券是並行流通？還是各有功用？

岡崎：軍票的新印行是在昭和18年4月1日廢止，之後開始回收流通中的軍票，以軍票交換儲備券，在廢止軍票新印行後的六個月之間，至昭和18年3月底時已經回收約三分之二在市面上流通的軍票，市內漸漸看不到軍票的蹤影。據說剩下的不是流傳到內陸地區，就是留在中國人的投資家手上。在此之前，中國人要是持有軍票，就會發給他們華興券，如果他們能接受就好了，可是他們兩種都不喜歡，而軍票是被硬塞過來的，所以姑且拿著，但是若說換成華興券他們就會歡喜接受，好像也不是這麼一回事。不過某種程度算是迫不得已。因為是軍方支付，華興券……

阪谷：軍方也使用華興券嗎？

岡崎：對，已經全面停止使用軍票。為了要讓華興券流通。

阪谷：這樣啊！我昨晚稍微調查一下，紀錄上是寫著日本至昭和18年的3月才首度停止軍票的新發行，以做為對華新政策的一環，所以我還以為在此之前都是使用軍票。

岡崎：軍方仍然可以使用軍票。因此如果憑實力使用軍票的話，可能也是無可奈何，但是華興券就是用來取代軍票的。

阪谷：原本的目的就是取代嗎？

岡崎：對。

戴：軍票所具有的意義有經濟、軍事兩方面的意義。在此為了一般讀者的理解，想請岡崎先生簡單解說一下。

岡崎：軍票是只要印刷就可以使用。但是一般的銀行鈔票不一樣，華興券就不能這樣了。雖然也有接受不接受的問題，尤其是華興商業銀行的狀況，還附帶有取代外幣的條件，因為要用它來買英鎊或買美元，華興商業銀行就必須交付外幣，所以信用度是很高的。實際上華興商業銀行也持有外幣。最後美國方面甚至還開出信用證，所以軍票能夠無保障籌措物資，可是華興券就不行了。在此意義上還是有一些價值的。

戴：軍部會想使用軍票，當然是希望能夠無保障調度物資，另一點也是希望堅持軍方的威信，期望達到某些政治上或軍事上的效果，可以這樣設想嗎？

岡崎：所謂政治上的效果。應該是為了中國的國民情感吧！

宗像先生主張的就是如此。宗像先生的想法是要從事中國的和平工作，這是非常好的構想，但是卻無法實現，變成只發行華興券。如此一來就會有拒絕領取的地方出現。對軍方而言當然用軍票比較方便，若要提出華興券，不給等值的東西是不會交出來的。

伊藤：有發券額的紀錄嗎？軍票的發券額多少、華興商業銀行券的發券額多少。

阪谷：這個有統計。為了維持華中的軍票價值，軍方也努力想辦法抑制發行量，還設置了不少用來維持價值的軍票物資交換所等場所，可是其本質仍是徵用證券，所以會變成岡崎先生剛才所說的情形。話題回到華興券上頭，當汪精衛政權成立，設置相當於其中央銀行的中央儲備銀行時，華興銀行的發券功能已經被停止了吧？

岡崎：對、對。

阪谷：這樣一來，之後是變成什麼情況？

岡崎：之後就發行儲備券。當然與此並行，除了發券事務之外，華興商業銀行仍繼續運作。這是因為變成汪精衛政權之後，為了顧及其顏面必須成立別的銀行來承接華興商業銀行，繼續華興商業等於繼續維新政府。這些都非常順利地進行，但是華興商業銀行也提供儲備銀行相當多的資金（5,000萬圓的外幣）。

對於中國人的性格，我在當時看到一個很有趣的例子。周佛海變成儲備銀行的總裁。後來終於設立完成，於是華興商業銀行要將所持一定數量的外幣以借貸方式交付給儲備銀行。結果華興商業銀行的總裁，也就是擔任過維新政府主席的梁鴻志說：「沒有出借人拿去給承借人的道理，叫周佛海過來！」日軍的領導人物影佐（禎昭）少將認為這樣不妥當，希望由這邊過去。但是梁鴻志堅持不過去，我自己夾在中間也很為難，就這樣一直對立到交接當天早上。最後周佛海說：「我自己過去。」可是梁鴻志還是表明他到契約簽訂之前都不會出席，不想見面，所以請自行進行，他只有最後舉杯慶祝時才會現身。正當眾人感到困擾之際，聽到周佛海來了，梁鴻志卻又親自到門口迎接，而且雙方滿臉微笑友善相待，彷彿什麼事都沒有。我認為這就是中國人好的地方，兩邊我都很尊敬。

戴：岡崎先生，您歷經在德國的中國研究，以及回國後在日銀的中國研究，可是做為現實的問題，您是到上海之後首次接觸當地，一邊實踐一邊思考中國。對此，您最初是否有感覺到落差？

岡崎：我得到松本先生許多指導。我時常會使用松本先生預約的六三亭房間，到那裡招待客人。如此一來就可以用最便宜的費用，和各種人士交際。不過，一開始的時候中國人都不會前來。

我有一件印象很深的事，就是剛去不久就接獲中國方面通知：「希望會面，請至某飯店。」還預先跟我說有人會來帶路，派了車來接我。到現在我仍舊記不得是在哪間飯店，不過推測大概是賽馬場附近的公園飯店（Park Hotel）。

到了之後，現場有五、六位中國人，其中有的會說日語，也有口譯者在場，但就是不報名字。問他們是哪個單位的人，也只回答是蔣介石的侍從室。我正想要說些什麼，對方冷不防就說：

「岡崎先生，請回日本去。」我問：「為什麼？」他們回答：「有像您這樣的人物在，使我們很困擾。」之後我跟他們談了許多，才稍微理解。雖然我也不覺得那場戰爭是好的，但是他們的說法是認為日本人要來的話，都來壞蛋就算了，可是好人來的話反而困擾。

戴：就是很難行事的意思。

岡崎：對。之後結束談話要回去之前，我對他們說：「今天是你們招待我來，下次就輪到我招待你們。我會設席，請你們務必前來。」他們回答：「到時候再說吧！」最後終究沒有出現。

當中有一位是汪兆銘政權成立時擔任過商工部次長等級的人物。我後來才知道他是一橋的畢業生。之後有幾次往來。總之，對我來說真是驚悚的一晚。被一大群不具名的人士包圍講了一個小時——加上翻譯的時間大概將近一個半小時——的話。但是也因此能夠充分了解中國方面的想法，很好。

戴：對方是透過何種管道邀請岡崎先生的？

岡崎：就是來了這樣一個使者，完全不報名字，所以一無所知。

伊藤：你真是很有勇氣下這個決心！你在哪裡取得保障？

岡崎：那種時刻我反而比較大膽，想說要我去我就去。車子一來接，我就上車赴約，結束了就被送回來，所以我連到了哪裡都不知道。這種地方在戰爭結束時的事，講起來真的很有意思。反正我一直就是抱持著只要積極進行，就能解決問題的想法做下去。我深切體認到，逃避或是辯解都是行不通的。

三人在上海的會面

阪谷：現在話題正好進入到三位先生都在上海的時期，簡單來說，伊藤先生是從昭和12年10月開始擔任上海事務所長。

伊藤：派令發布是在6或7月，也就是盧溝橋事變發生前後。

阪谷：而岡崎先生是13年的3月，中日戰爭爆發後的翌年3月，隸屬華中派遣軍特務部，然後如同方才所言，從14年的5月起擔任華興商業銀行理事，至17年的10月都在華興商業銀行上班，之後也在上海。松本先生則是更早之前的昭和7年12月赴上海擔任聯合通信社支局長，中途改組成為同盟通信社上海支社長，中日戰爭爆發後的翌年（昭和13年）1月起擔任華中華南總局長，直到同年年底都待在上海。

因此，正好從中日戰爭爆發的那年年底至翌年13年的年底這段期間，三位先生都一起在上海，所以今天想請各位以雜談的方式回想當時是在什麼地方怎樣結識的？又有什麼交流等。

伊藤：松本君介紹我認識的有約翰・凱瑟克（John Keswick）。

松本：這樣嗎？約翰・凱瑟克現在依然每年會來日本一次。

伊藤：不是他的兒子嗎？

松本：不、不，是他本人。

戴：是怡和洋行（Jardine Matheson）那位嗎？

伊藤：對！還有德國籍、賣輕便鐵路火車頭的經紀人伯恩先生，叫伯恩先生還是伯恩斯坦的，也是你介紹給我的。

松本：兩人都是我非常好的朋友。

伊藤：那你見過沙遜（Sir E. V. Sassoon）嗎？

松本：在「虹口」酒吧見過，但是沒有交談。

伊藤：沙遜曾經請我到華懋飯店〔譯註：Cathay Hotel，今和平飯店〕吃過飯。

松本：我在《上海時代》一書中也稍微寫到，約翰・凱瑟克算是第三代，第二代是相當的富有，有三個兒子——大衛、東尼和約翰。身為第二代的父親認為如果留太多錢給孩子，對孩子並不好，所以買下英國的老軍艦，改裝成客輪，用這艘船周遊地中海，遊遍摩納哥、博奕場所等地方，招待王宮貴族到船上，舉行大宴會或舞會，盡可能地花錢。

戴：也就是花錢的同時，要讓孩子們多方面去體驗。

松本：就是花錢。而且是非常揮霍的花錢方式。兒子們因此不得不好好工作，因為父親也不會給錢。

於是不管是東尼・凱瑟克（Tony Keswick）還是約翰・凱瑟克，都從怡和洋行最基層職員幹起，待過漢口、香港及上海。經過七、八年之後，才升任董事。最年長的大衛是投資金條金塊買賣的男子，不知道現在還是否在世？總之有盈有虧。而約翰和東尼兩人大概都在中國待了將近二十年。尤其是約翰，因為父親過世之後，次男東尼必須經營倫敦總公司，所以提早回英國，留約翰在中國，負責香港、上海、漢口等全體業務的經營管理。可是約翰的想法是非常東方式的，或者應該說非常中國式的，所以到約翰自己要返回母國的時候，在香港最後的送別會上，約翰的中文已經好到可以用中國語演講，成為中國通。

也因此約翰也非常了解日本人。怡和洋行的幹部群都是徹底的生意人，所以當中日關係因為華北問題而極度動盪之際，怡和洋行還賣軍機給南京政府，如此一來勢必觸怒日本政府，於是就趁日本政府生氣之前，與須磨（彌吉郎）總領事在南京頻繁會面，必先獲得諒解怡和洋行才賣軍機。另外還有望遠鏡──飛機和望遠鏡。此外，德國也另外派來蔣介石的軍事顧問團，顧問團長一開始是馮・賽克特（Hans von Seeckt），之後是福根浩森（Alexander von Falkenhausen），上海的碉堡全是福根浩森蓋的，然後帶許多砲兵的軍官來此訓練。結果松井上海派遣軍去的時候，這些德國人建造指揮的碉堡，讓日軍吃足苦頭。所以那時我投稿《改造》說現在進行的是日德戰爭，結果沒被採用。當時是不能寫出事實的。

在彼非常時刻，約翰・凱瑟克特別喜歡中國人，也與日本人交好，我和他非常要好，即使是現在，只要他來東京，我們一定會見上一面。中共政權成立之後，也只有約翰・凱瑟克一人到北京，和周恩來會談了四、五個小時。這已經是文化大革命更早以前的事了。現在我還是會想，他明年差不多要來了吧？不過他今年沒有來。

阪谷：約翰和周恩來的關係是在革命前就開始的嗎？

松本：不，我不認為是從革命前。那時應該是與南京政府合作。革命後馬上與周恩來合作，而且他幾乎不需要通譯就可以對話，所以可以講四、五個小時。

戴：不過，雖然表面上並未顯現出來，可是背後搞不好保持著某種關係也說不定。看雙方的作法，好像都是表面上支持南京政府，事實上卻埋有瞄準下一個目標的伏線。會不會有這樣的感覺？

松本：這種事他不在乎。約翰・凱瑟克是個非常有趣的男子，我把時間稍微快轉一下，麥克阿瑟（Douglas MacArthur）在韓戰時曾經提案要越過鴨綠江轟炸東北。對此，約翰・凱瑟克極力向當時的英國首相艾德禮（C. R. Attlee）建言，說絕對不能與中國打戰——亦即不可以越過鴨綠江。於是艾德禮就飛往華盛頓，阻止這個行動，因此停止。但是麥克阿瑟仍舊不聽從，結果就被杜魯門（H. S. Truman）撤銷職位。因此阻止轟炸東北的，就是約翰・凱瑟克。他到紐約的時候，由於記者多少有所風聞，所以詰問他：「麥克阿瑟遭到免職就是因為你吧？」他不僅沒有否認，還清楚表明：「正是如此，我不想說明詳情，但是確實也與我有關。」他認為日軍和中國軍已經打了十幾年的戰爭，如果之後美軍和中國軍又繼續戰爭的話，更不知道要打多少年，所以如此一來為了中國，擔心會發生悲慘的事情，約翰非常關心中國國民的民生問題。我想他除了多少有這樣的俠義之心之外，應該也考慮到如果有戰爭就無法貿易，為了貿易盡量不希望有戰爭，總之，是個有趣的人物。

戴：聽您現在這樣說，可以確定，他一是為了自己公司的利益，一是為了對中國人的親近感，或是對中國民生的關懷。不過我推測實際上另外還有一個因素。當時將華僑界普遍預測要是美國因為韓戰而進軍東北地區＝滿洲，蘇聯會坐收漁翁之利。他們也認為，史達林領導的蘇聯試圖讓中國、讓不聽話的毛澤東捲入韓戰之中，試圖以此獲取漁翁之利。

當時的聯合國視新中國為侵略者而進行彈劾。原本蘇聯對這次彈劾可以行使否決權，但是蘇聯沒有行使而選擇退席，結果使得中華人民共和國被打上侵略者的烙印。這個舉動很明顯的和表面上主張不同，事實上是讓美國留在台灣海峽進行牽制，藉以阻礙中國的統一。當時華僑界有識之士均認為另一方面可能牽扯到史達林，也就是蘇聯的利害關係。現在聽到松本先生這席話，我想要請教的是，約翰・凱瑟克是否也是在這樣的構圖之下進行考量的？亦即他是否結合歐洲對蘇聯的關係與東亞的情勢，考察過大局？我們是否可以想定他是從世界戰略中看出中美要是直接開打起來就大事不妙了，覺得這樣不行因而採取行動的？

松本：或許就像你說的一樣。

戴：我不認識約翰・凱瑟克這號人物，不過對於當時這種國際關係的構圖，華僑界有識之士間一直就如同我所說的那般去看待。我是抱持著懷疑的那一方，因為那時還年輕，認為中蘇關係堅如磐石，社會主義是緊密一體，所以那種說法是荒唐無稽的中傷，這是我學生時代所抱持的想法。現在回過頭來看，又感覺那種想法在毛澤東、周恩來與蘇聯之間爭論不休之中也有吧！而松本先生直接和約翰親近，因此想請教他是否是擁有如此見識之人？

松本：所謂見識，他確實是有的。只是解放後，他很乾脆的放棄台灣，整個倒向北京。因為這樣更可以貿易。

戴：也對，市場規模不同。

松本：另一點有關世界戰略，約翰・凱瑟克曾經好幾次對我提過，歐洲所謂的EC（歐洲共同體）不就是聚集在一起做嗎？而EC在某種程度上也足以與美國對抗，所以問我要不要以日本為主組成亞洲的EC……。

戴：亞洲的EC？

松本：對的。

戴：只是因為亞洲的力量一直以來都過於參差不齊，不太容易。

松本：沒錯。因此我也向約翰說過，EC各國不管在文化教養程度或實力上都有很多相似之處，容易整合，可是日本和東南亞就很難像EC那樣。

不過日本現在非常親近東南亞國協，所以有一半的情勢逐漸如同約翰・凱瑟克所言。

伊藤：遺憾的是現今的日本沒有如約翰牛（John Bull）那樣的政治家。

松本：正是如此。我還介紹另外一個人給伊藤先生，就是漢斯・伯恩斯坦（音譯，ハンス・ベルンシュタイン），他是在山西省販售輕便鐵路火車頭和客車的商人，屬德國的輕便鐵路公司、車輛公司，一直都賣給閻錫山。漢斯・伯恩斯坦常常說，雖然都叫火車，可是其實不是火車，而是輕便鐵路，是真正的輕便鐵路，與滿洲的亞洲號那種火車不一樣。

戴：意思就是沒有那麼氣派……。

松本：對。但是這位漢斯・伯恩斯坦過去也賣了不少日本的輕便鐵路，非常有商業頭腦。他和郭沫若很熟。出門旅行時總是帶著年輕的司機和廚師，讓人有時會懷疑他是不是同性戀。曾到中國內地許多地方遊歷一個星期左右，日本好像也去了不少地方。解放後長住日本，但是在此之前一直是在上海，談生意時會去山西省，到太原找閻錫山商量。

伊藤：戰爭結束後我在日本見過他。那時他從事的是將外國電影輸入到日本的生意。

松本：那是因為他和川喜多長政是好友的緣故，他的葬禮就是由川喜多君一手包辦的。

伊藤：總之是個生意人。而且雖說英、德對立，他跟凱瑟克卻不知為什麼成了朋友，交情非常好。

松本：凱瑟克兄弟、路透社的克里斯多佛・錢塞勒（Christopher Chancellor），以及漢斯・伯恩斯坦等五人是交情非常好的一群。我馬上就被介紹了。

戴：一起打麻將嗎？

松本：不打麻將。

戴：您說伯恩斯坦和郭沫若很親近，請問是怎樣的關係？可以追溯到何處？

松本：郭沫若不是待在某處嗎？

戴：最初是武漢，在他逃出日本之後。然後是重慶。

阪谷：武漢之後他寫下〈北伐記〉一文，之後，到重慶之前也待過上海一帶。

戴：不，他逃離日本之後就到重慶。而亡命日本之前，他最初在廣東，然後到武漢，於北伐期間成為共產黨員。所以武漢政府瓦解後，國民黨祭出懸賞金要捉拿他，他就亡命日本。在日本又被日本特高追捕，他不得已，提出退黨申請，獲得中共承認，算是非常特殊的案例，而其中就是有如此原委。

請問松本先生，伯恩斯坦的朋友會不會不是郭沫若，而是蔣方震？

松本：不對。

戴：真的是郭沫若？

松本：對。郭沫若的中文怎麼發音？

戴：Kuo Mo-jo。

松本：沒錯，就是Kuo Mo-jo。照我的記憶，我和伯恩斯坦第一次見面時，聽他說到Kuo Mo-jo先生隱匿在上海稍微往南邊的地方。

戴：應該是武漢政府之後的事。武漢政府瓦解之後，他躲在上海附近，然後逃到日本。

松本：就是那個時候。

阪谷：伊藤先生，您身為滿鐵的上海事務所長，如何和這些人物相處？和凱瑟克先生等人？

伊藤：外國人都是松本先生介紹給我的。而我和沙遜成為好友是因為上海國際跑馬場。隨著上海的戰況愈來愈激烈，蒙古馬逐漸不易取得。但是無論如何那裡都是蒙古馬的賽馬場，所以需要蒙古馬。於是沙遜透過人跑來跟我說：「廢馬也好，我想從蒙疆買進馬匹，你可以幫我去拜託軍隊嗎？」軍方也回應：「廢馬的話應該可以。」就從蒙疆輸入200頭到上海跑馬場。我因而搖身變成有頭有臉的人物，被推薦成為那個知名跑馬總會的會員，受到全體委員的款待。

戴：但是廢馬不是不太能跑嗎？

伊藤：儘管如此大家還是很滿足。

松本：蒙古馬是不是比較小？

伊藤：與阿拉伯馬比起來算是非常小。總之，和沙遜要好，被他請吃飯、請喝茶的就只有我而已。成為跑馬場的會員，在以前是非常賺錢的，因可分到馬券的佣金。日本人中成為會員的有曾任上海總領事的船津辰一郎先生，之後大概就是我了。然而，遺憾的是，不久之後日本就宣布對英、對美開戰，跑馬場因而關閉。

阪谷：請問岡崎先生，華興商業銀行在進口信用狀的開辦等方面，有沒有牽涉到凱瑟克等人和怡和行？

岡崎：那方面要是做得太過的話，外國人就不來了。不過有一件有趣的事，就是克萊斯勒汽車公司（Chrysler LLC）的亞洲總經理克雷斯（音譯，クレス）曾經來訪。克萊斯勒在上海的進口代理商由日本人經營，這位男士帶著這位總經理到我們這裡，我們請他收取華興商業銀行的信用狀，他卻說他不接受來路不明銀行的信用狀。因此我跟他說我們擁有充足的外幣，如果需要的話，我樂意介紹他到倫敦和紐約的正金銀行調查，這樣就能知道我們確實有外幣。可是他還是不願意，於是我就說，如果我們開立的信用狀無效的話，那就來上海砍下我的頭帶走好了！他嚇了一跳，總算同意了。然而非常好的是，之後經過一陣子，我們開立信用狀讓那位日本代理商進口約三十萬美元的汽車，而且不收取佣金就開出，因此克雷斯本人非常在意。他雖然收下信用狀，可是馬上來電報說只要底特律出貨之前隨時都可以取消。上海日本人代理商本人很吃驚，跑來問我：「這是怎麼回事？」我心中有個想法，就請他不要取消。過了不久，又來了電報說底特律已經出貨，但是在洛杉磯裝船之前隨時可以取消。我認為終於來真的了，不過還是叫他不要取消。那時我想到的是美國凍結日本資金的日子一定不遠了。因為大藏省一直想要我們所持有的外幣，所以我馬上出差到日本，雖然覺得有點不好，但打算全部賣給他們，大藏省的當事者非常高興。不過代價是要他們開空白支票，保留這邊有需要時可以用相同金額買回美金的權利後全部賣出。結果半年之後日本就嘗到資金凍結。我們當然完全沒有受到資金凍結的影響，避免掉一場大損失。與其說賺錢，不如說是我們成功掌握到情報。

這位克雷斯戰後到了日本，從事冷凍機製造，也是由上海的代理商輸入日本。總之外國人來與我有業務交涉的，只有他一人。所以想到克萊斯勒現在快要倒閉，就覺得很可憐。

青幫—杜月笙—鴉片—里見甫

戴：方才從各位先生在上海的結識，談到僑居上海的外國人種種事情，非常有趣。這裡我想請教祕密結社青幫的事情。依岡崎先生的說法，在戰爭善後處理的問題上，應該也會談到杜月笙相關人士和湯恩伯。就算不太喜歡祕密結社，但現實中在工作上勢必會有各種牽連吧？透過祕密結社所看到的中國人社會，或是上海租界與青幫、中國近代化的關係，綜合起來各位先生是如何看待青幫的？

伊藤：松本先生從事資料蒐集，一定非常深入。

松本：我從沒與杜月笙說過話。但是最讓我學習到中國學的老師之一，就是蔣方震。每次被招待到蔣方震處吃晚餐，一定都會有大約八至十人。很相似的群體，是一個團體。於是我曾詢問為什麼每次到那裡都是同樣一群人？後來得知這是一個結社，會互相交換情報，好像有在危險時互助脫逃的密約。如此一來彼此為了自我保身，就成立那個團體，有各種職業的人在其中，其中一人是藏前（舊高等工業，今東京工大）畢業的人，說他十幾年都沒有講日語了，但是還說得一口流暢的日語。他說：「我現在在佛寺當和尚。」是法國租界裡一間佛寺的住持。他請我去佛寺吃飯，是素食——正殿裡有善男信女將近100或150人，各自誦著佛經——就只有請我和內人吃午餐，他身上果真披著和尚的袈裟。

吃完飯之後，他說來喝咖啡，就請我們到他的房間去，結果門一打開，裡面全是最新式的西式桌椅，他馬上脫下袈裟，換上襯衫和褲子，拿來哈瓦那的雪茄，問我們：「如何？」又說：「我去泡咖啡。」然後也端出白蘭地。我問他晚上做什麼呢？他說晚上擔任夜間工業學校的校長。

阪谷：這個人是蔣方震集團中的一人嗎？

松本：對。

伊藤：你有獲得青幫的什麼位階嗎？

松本：沒有這回事。只是我聽到很多相關的事，知道青幫一手進錢，另一手就全部撒光，一直沒存錢。也被介紹說杜月笙雖有極大的動員力，但馬上全部揮撒，這就是杜月笙的強處。

伊藤：不到某種待遇、位階的話，是不會跟你講這種事的。

松本：是嗎？

伊藤：所以你應該有獲得地位，才能受到那樣的待遇，又能夠聽到那些話。

松本：是嗎？向我說青幫內情的，確實是蔣方震，或是夏奇峰。但是我不記得我有獲得那樣的地位。

戴：如果有的話真是非常了不起。聽松本先生所言，我覺得很有意思的就是杜月笙算是青幫，也就是封建性祕密結社的老大。另一方面蔣方震也算是近代中國人中相當優秀的軍事戰略家。他進入那樣的組織內，對方也接納，蔣方震自己也有某種打算在來往。這點真是很有意思。同時杜月笙實際上也和國共兩黨都有接觸。雖然中國共產黨並沒有寫，但是我讀過各種資料後，發現當時黨的地下組織似乎留下很多跡象顯示他們是在杜月笙一定的了解庇護之中，或是巧妙利用青幫以從事在上海的活動。

松本：這有可能。

戴：我覺得非常有意思。

松本：是相當有趣的地方。

高橋：杜月笙有很多頭銜，譬如重慶國民政府的陸軍少將等。

松本：杜月笙的頭銜大概有十個左右！銀行的董事之類的，相當多。

高橋：我和伊達順之助的兒子伊達宗嗣談話時，他表示要是不知道杜月笙這號人物，就不會知道昭和7、8年前後開始的動向。他有「我曾經加入杜月笙核心內」的自負。宇垣大將擔任外務大臣（昭和13年5至9月）與孔祥熙進行和平交涉時，我看過居間的仲裁人名字寫的就是杜月笙，卻不知道他是這樣一種特異人士。

松本：我覺得杜月笙也不是那麼特異。我見過他。不過我還沒和他說過話，他和錢永銘最親近。浙江財閥之中就是錢永銘。

高橋：這樣啊！伊達先生和我說，不管怎麼說最重要的就是鴉片。杜月笙掌握鴉片的動向，所以極端說來，他是個桌上隨時堆滿以當時日幣算來兩三億現金的男子，事實上，私生活卻是樸素、簡單。

松本：然而鴉片不能來上海，因為貿易被阻絕所以過不來。於是里見君就從熱河帶過來，用陸軍的飛機。里見甫是個有趣的男子。

伊藤：這位里見和伊達宗嗣在戰後一起寫了兩三本書。書中揚子江水庫建設的計畫是伊達提供的。里見大概寫了序文之類的。

高橋：我和伊達先生見面時，他拿給我一張北京的地圖，說道：「除此之外我沒什麼東西可以給你。」。我問：「這有那麼珍貴嗎？」他說那是城牆等都市計畫遭毀壞前的北京舊地圖，要我收下，就送給我了。

松本：里見甫這個人，伊藤先生應該也很熟，是個很有趣的男子。我非常喜歡他。

阪谷：熱河的鴉片是用陸軍軍機運送的？

松本：對。里見君是當關東軍麾下滿洲國通信社的主幹，在一起的還有大矢信彥、佐佐木健兒等人。

伊藤：這三人一起成立滿洲國通信社，里見是主將。

松本：然後里見君雖然成立了滿洲國通信社，可是一直沒辦法做到像聯合通信或同盟通信那樣的規模，於是想和外國的通信社締結契約。首先想和路透社，所以里見君就寫信給我，請我務必要幫忙。而我在上海，和路透社的經理錢塞勒非常要好，就說：「喂！路透社的消息要不要給滿洲國通信社？然後偶爾也讓滿洲國通信的新聞透過路透社向世界播送？如此一來取得平衡的話，新聞的分量將會完全不同。路透社提供世界性的新聞，可是滿洲國通信社只能提供滿洲國的。不過可以要求支付服務費差額，有錢可賺。你要不要去看看？」錢塞勒說：「走吧！」就和我一起搭船前往，里見君來大連迎接。只要我去，里見君一定會到大連來接我。之後我們一起坐臥車到新京。關於契約，里見大致做出一份如同同盟通信做過的、類似通信契約一部分的原案，由我譯成英文，詢問錢塞勒這樣的契約如何，他隨即指出需要修改的地方，我問里見君這些地方是否可以修改，他說：「松本君，就由你全權負責。」於是我們在搭火車大約兩小時時間內就製好契約。

那時因為無法在火車上簽字，就在新京完成。契約的簽字儀式中，阪谷君的父親擔任滿洲國政府代表，前來見證。我是那時第一次見到阪谷希一先生。

岡崎：里見一直到戰爭結束之際都還在中國，依舊在上海賣鴉片。

松本：因為他和關東軍的關係，使他和軍方友好相處，所以得以經營鴉片。

高橋：一直待到戰爭結束嗎？

岡崎：到戰爭結束。有位擔任大藏省的事務官兼陸軍特務機關特約顧問，以及興亞院華中聯絡部、陸軍事務特約顧問而待在中國。戰後，成為大藏副相的長沼弘毅和我考慮是不是要讓里見停止賣鴉片，結果在上海的鹽澤清宣大佐——之後成為中將、師團長——寫信來說他們需要使用里見，請不要介入。但是最終還是停止了，因為變得危險起來。（鹽澤清宣大佐於昭和13年2月起至12月止擔任華中方面軍特務部員）

松本：里見君曾自誇說，他是女色百人斬或百五十人斬〔譯註：意即與100或150位女性有性關係〕。但事實上他卻是無欲恬淡之人。就連食物都只吃火腿蛋。不管早晚，全都是火腿蛋。然後菸草是抽最高級的美國或英國製品。其他什麼享受都沒有。

戴：照您現在這麼說，他運送鴉片賺錢也並非是為了私欲，而是為了別的……？

松本：要是為了私欲還好，他是自己一到晚上就到鴉片聚集處，說他有這麼多錢，要就全拿去，只要把鴉片分給他就好，所以錢都付出去了，自己其實沒辦法賺很多錢。而且批價非常便宜，因此所謂的里見先生是赫赫有名的暗夜之王。

阪谷：是從滿洲國通信社時代就開始的嗎？

松本：離開之後。

阪谷：他是以什麼資格留在上海？

松本：沒有資格。

阪谷：方才岡崎先生提到的鹽澤清宣中將，在少將時期也擔任過興亞院華北聯絡部長官及北京駐在特命全權公使。我父親有時會說他今天和鹽澤坐同一班飛機。所以是受鹽澤先生等人使用的？

伊藤：對。應該是上海特務機關吧！最初是在原田熊吉（當時為少將，華中派遣軍特務部長）的監督之下。

高橋：我問過岡田芳政參謀，得知軍方全然信賴里見這個人。經過各種調查，發現他果真沒有私利私欲。就算經營鴉片賺了錢，有大筆的現金進帳，他還是讓那些錢都能用在日軍的需求之上。總之，他受到絕大的信賴，岡田芳政先生也知道軍方不可以經手鴉片，所以突然發生問題的時候，壞事就全由里見來扛，整個軍方完全放手讓他做。我問：「為何需要那麼多錢？」岡田先生回答：「當地駐軍需要支付提供給特務機關使用的機密費等，無法由正規預算報支的費用；另一方面也需要法幣。」接下來杜月笙登場，里見便開始和杜月笙交易。岡田先生甚至還畫地圖向我說明鴉片經由陸路運往中國關內的熱河、古北口路線等。

松本：白洲次郎君來過一次上海，是受三井委託的工作。結果要回日本時飛機沒有空位，因為是陸軍的飛機，所以很難有座位。於是白洲次郎君打電話給我，問我能不能想辦法，我說：「還不知道，不過我有個點子。」就去問里見君，他認識某位陸軍航空部隊的部隊長，是常往來的一夥人中的老大，問他：「可不可以給我朋友一個位子？」「好啊！給你。」馬上就給了。我打電話給白洲君，告訴他：「喂！有位子了。」他感激地說：「啊！小重你比三井財閥還要強！」。

戴：里見和青幫私底下的關係如何？

松本：這個我就不清楚了，不過總之他是暗夜的帝王。

戴：青幫在某種程度上接納里見，因為要是雙方沒有共通的利益接點，里見早就被幹掉了。里見和青幫之間有共通的接點，所以他才能成為暗夜的帝王。

松本：或許是這樣。當時我並沒有想到這個層面。

戴：關於這部分，里見在戰後有沒有寫什麼？還是不能寫？

松本：他沒有寫。

伊藤：最了解的人是德岡照和伊達宗嗣，採訪他們就知道了。里見雖被以戰犯審判，但結果是無罪釋放。

戴：在台灣有出版《杜月笙傳》一書，屬於傳記。可是杜月笙一族之中還有人仍留在上海。我大學的研討性授課會有位日本人學生現在正在上海復旦大學留學，從事杜月笙的調查，據說她剛去的時候都不給她看資料，但是最近開始願意讓她看。所以我想大概中國那邊也漸漸要去釐清杜月笙的周邊。

岡崎：我在上海並沒有當面碰過青幫。另外還有一個黃幫。我之所以知道，是因為我在大使館時，有位中國人跑來說：「大爺我是黃幫的！」主張他擁有上海廁所的水肥汲取權。

戴：原來如此，汲水肥也是一種特權。

岡崎：那不是我們的管轄範圍，所以叫他去問政府單位。儘管當時只要大使館講一聲，政府就會聽也說不一定。我是在敗戰之後才見到青幫，那時上海的在華紡織會社發生中國工人的退職金糾紛，算是非常大的問題，因此難以處理，便向湯恩伯求助。湯恩伯某日下了召集令，日本這邊依序司令官、參謀長、公使、總領事，然後就是我排成一列，另一邊則是湯恩伯，接著青幫的大哥，其餘的就敬陪末座。感覺他很了不起，當場就為我們解決問題。果然青幫不出面就無法解決那樣的問題。如果日本也有青幫就輕鬆多了。

戴：不過，日本有性質接近的鼎鼎大名的山口組。稱霸關東的話，就成為日本的青幫了，不是嗎？此外，在某意義上，兒玉譽士夫的存在是不是也和接近杜月笙某種側面的東西有關係？

伊藤：講到兒玉譽士夫，海軍方面究竟有多少物資是由他調集的？以前他就在我們辦公室的樓上，在正金銀行上海分行的大樓中。

岡崎：依我所見，就算日本內部有爭論，也和中國無關。那是國家進行物資交換，把東西拿到內陸地區，然後看與內陸地區的人交換什麼。

伊藤：不是那麼困難的生意。

岡崎：是的。

松本：可是像杜月笙之類青幫的俠客型人物，在心境上其實和日本的俠客很像。幡隨院長兵衛就與杜月笙非常相似。

戴：算是《水滸傳》的世界吧？

松本：嗯，沒錯。我就很喜歡清水次郎長那類人物，雖然我只在電視上看過。

岡崎：我還碰到一件震驚的事件。中國勞工的善後大致花了八個月的時間，在我們接納並進行處置的求助者當中有中國籍的東芝。在此之前我都沒見過其社長，後來才知道是和我同鄉的男子。某天他跑來說他那裡的勞工現在有問題，很困擾，問我可不可以放入我手頭處理的其他問題一併解決。既然被拜託了就必須處理，我問他怎麼做比較好，他說勞工們的老大經常待在豫園池中的涼亭，勞工會聚集在那邊，要我去和他們商談。豫園位於南市，沒有日本人去過，而且那時還謠傳去了可能會被殺掉，搞不好還會被踩爛，像狗崽子被踏扁一樣。我有點畏縮，可是既然答應了就不能不去，只好帶著一名通譯前往。

該處有幾千名的勞工聚集，令人不是很舒服，不過當我說要求見老大時，大家便讓出一條路來。見到老大後我說：「我是因東芝的問題而前來相求的日本大使館岡崎參事官。」他問：「你真的是那位參事官岡崎？」我回答：「是的。」他就說：「真是岡崎本人來的話，就幫你解決吧！」然後當場就這麼解決了！

戴：總之，是看在岡崎先生親自前來的面子上。

岡崎：對內容一句話也沒問，只說：「真的是岡崎的話就可以。」

戴：也就是給面子的意思。

岡崎：嗯，或許如此，雖然我這張臉也沒什麼了不起的。

阪谷：你現在說的地方是在哪裡？

岡崎：位於南市之中的豫園。據說以前是大官的庭園。

伊藤：現在是上海的觀光勝地。原本是明朝嘉靖年間大官的宅邸，後來變成公園。

岡崎：是個大庭園，好像是一位在四川擔任布政使的男子賺了錢，為母親而建造的。戰後我到豫園去看，卻找不到記憶中的場所，還以為自己記錯了，原來是因為修繕而用牆壁圍起來。之後我再去，果然就找到了。

那時我很欽佩那位老大的態度，要是日本的話，不追根究柢盤問的話是不會說好或不好的。那位老大只說一句：「真是本人的話就可以。」就幫我解決了。

戴：真是有氣魄。

岡崎：好像就是有這樣的事，若是講究一些小技巧可能反而會弄巧成拙。這一點我在敗戰的善後處理期間體驗過好幾次。有一些無關緊要的小事輕易就解決。

伊藤：太平天國時，小刀會在上海起事，抗戰了一年多。有一間保留他們遺物的小博物館。

戴：留園、豫園，或是新加坡那個胡文虎的虎豹別墅（Tiger Balm Garden），那種為了孝順父母而造園的想法是很中國式的。曾經貧窮，後來終於成為有錢人，於是為了孝敬父母，或為追思其遺德而興建氣派的庭園。而且將庭園開放給大眾，做為自己孝行的證明，多少帶有這樣的想法。這些庭園的營造方式又很有趣。到新加坡看到胡文虎風格怪異的虎豹別墅，覺得太誇張的人也不少。只看那裡是無法理解的，但是剛剛提到的豫園也好，或是盛宣懷的留園也好，要是接連看過這一系列的庭園，就會發現還是有中國式的思考貫穿其間。日本好像很少這種形式的庭園，似乎更公開，譬如六義園等形式，最後成為公共空間。

松本：我記得我向伊藤先生引介約翰・凱瑟克和漢斯・伯恩斯坦，另外也受到岡崎先生很多照顧，可是我自己卻好像什麼都沒有幫到忙，完全想不出來。

岡崎：不，與其說我照顧您，不如說我受您照顧才多。不過我當時採取的態度是如果中國方面的說法正確的話，當然就要聽從，所以頗為日軍所憎恨。我從昭和20年的5月前後開始，就認為日本會輸。我並不慌張，不過有某位日本人告訴我，到了7月初，當地駐軍推測美軍終會從杭州灣上陸，到時軍方要帶著中國要人往北逃，同時也做出一份和中國人友好的親中派名單準備血祭，那份名單上的第一個就寫著我的名字。因此我沒想過自己能夠活著回來，幸好得救於天皇的玉音放送。

戴：蔣介石有句名言，也就是與下一回話題有關的「以德報怨」。但是這句話的日語翻譯，好比岡崎先生書中的「以德報仇」，這個「仇」是指敵人吧？我不明白為什麼要將中文的「怨」翻成「仇」。仇和怨在中文和日文的語感中是否不同？我從很久以前就一直在思考。岡崎先生認為如何？，

岡崎：當時我並不知道布告之事，是偶然有人告訴我的。因此我是從人家那邊聽到：「以德報仇。」所以一開始才會那樣寫。可是我讀《論語》發現應該是「報怨」。

戴：中文就是「以德報怨」。這一直是中文的固定用法，蔣介石說的也是這個。但是日語向來都翻成「以德報仇」，不只您的書，一般書籍也大概都是相同翻譯。使我一直在思索這個敵、仇和怨的語感問題……。

岡崎：大致相同。仇是指對人物本身，譬如仇人。怨就是精神層面的問題吧？

戴：這個部分，果然中國人的歷史意識和日本人的歷史意識還是有某些分歧之處。

岡崎：完全沒有別的意思。我聽說蔣介石發表了「以德報仇」的布告，然後就像我書中寫的一樣，因為傳說是由龔德柏撰寫原稿，所以我才會記住當時的說法。後來我試著唸唸看，覺得不是仇而是怨（yen），仇是念kyuu。只是我當時聽聲音就認為是那樣而已。

戴：岡崎先生的過程我明白了。但是我比較想知道的是，日本一般媒體也使用「仇」，我很想查明這個意思。

岡崎：確實很多。

戴：我一直在思考為什麼。就中國人的感覺來講，仇和怨還是有點語感不同。

伊藤：日本人的感覺是認為如果遭到報復就吃不消了，所以應該是由此顯露出真心吧！

岡崎：「仇」感覺就是和人連在一起的。

與重慶間的和平工作

阪谷：請問伊藤先生，我將時代拉回戰爭結束稍前，那時鈴江先生還活著，您有沒有透過鈴江先生這條線進行與延安方面的聯絡？您在上海，對於這類事情有沒有直接、間接耳聞目睹？

伊藤：最近也有某人問我：「鈴江言一真的曾經到過延安進行和平工作嗎？」這個問題讓我有點傷腦筋。鈴江君做過比較像和平工作的，就是居於津田靜枝海軍中將和胡鄂公之間進行協調吧！那時鈴江認為這可能成為和平工作，只要能將兩方的情報結合起來即可。但因兩者之間沒有通譯者，所以他就說：「由我來譯吧！」津田先生這個人非常紳士，對於公私之別很有潔癖。在當時的軍人之中，他算是擁有古代武士精神的人物！

松本：真是如此。我和他喝過好幾次酒，他是個值得欽佩的人。

伊藤：現在提到津田、胡鄂公的會談中，鈴江言一扮演的是中介者角色，他自己原未打算從事和平工作。只是在那期間他認為自己既然要做，就說要去延安一趟。因此一時之間還取得突破戰線的身分證件或護照，只是對身體狀況沒有自信，最後放棄去延安，一直都在上海。來龍去脈大概就是這樣。

此外，我們在進行抗戰力調查研究時不是參照重慶，而是援用延安的文獻、毛先生的《論持久戰》，可是這與其說是有接觸的線，不如說是因為日軍所攻破、占領的城市中有中國軍隊遺留下來的文獻，軍人看不懂，所以帶至上海事務所請我們解讀。那就是《論持久戰》的一部分。然後雖然不知道有沒有向軍人報告，我們利用其做為抗戰力調查的理論架構。那樣的邏輯做出的結論是：我們會徹底輸掉。

阪谷：像是中西功等抗戰力調查會的成員，大家都是任職於滿鐵的事務所嗎？

伊藤：對。中西功在東京參加「無產階級」（proletariat）科研，進滿鐵之後，成為雇員分發到天津事務所。後來在上海升為職員。

戴：是因為期待中西功的中文和邏輯構成能力嗎？

伊藤：總之，他以「無產階級科研」的精神頂撞上司。結果被認為沒有那種程度的覺悟，就無法從事重慶抗戰力調查，因此擔任中國抗戰力調查委員會總務的三輪武君認為，無論如何不叫中西來就做不了，於是召中西過來，然後增設總務委員助理。

並且，還在飯店之類的地方提供給他一間研究室。他和許多人見面、採集資料，由此完成抗戰力調查的主要理論架構。結果，他得出結論說日本最終會輸，可是也不能任憑其一敗塗地，所以要朝南方去。然後又下結論說，總之是到不了重慶。這份綜合調查種下日後所謂「滿鐵事件」中，多人遭到憲兵逮捕的一個因子。

岡崎：和現在的談話相關，汪政權時期，有位姓熊的人請我去他家玩，我去了。結果他問我：「日本到底在想什麼？」他說：「其實我每天都用無線電和重慶聯絡。我家屋頂上就藏有天線。你們要是真以為汪政權和重慶沒有瓜葛，就太糟糕了！為何日本不快一點解決？」由此可知日軍的鬆散。

松本：這位用無線電的姓熊的人物，我想可能不是真正直屬於汪先生，而是蔣介石的直屬。

岡崎：我也是這樣推測。還有一位出身東大、在學期間是橄欖球選手的中國人張操進入汪政權。他最後也是跟我說：「我們經常與重慶聯絡。」戰後他逃到香港。我每次過境香港時，他都會來和我談個二、三個小時。遺憾的是他已經因病過世。當時日本的所為就是有那樣的漏洞，一切情報都流向對方，所以贏不了戰爭。

戴：伊藤先生，你認識東亞同文書院一位來自台灣的助教授彭阿木嗎？這個人很得陳璧君（汪精衛夫人）的疼愛，表面上是汪政府的人，實際上卻是重慶的情報員，所以後來遭到日軍下毒暗殺。因此戰後蔣介石將彭阿木的遺屬視同革命志士的遺屬。彭阿木用日語寫過〈客家研究〉等各類文章，大多刊登在《支那研究》雜誌上。因為是台灣出身，日語當然很好，他的夫人也兼任陳璧君的通譯一同來到日本。然而不知何以事跡敗露，在紀元節或某個宴會上被下毒，遭日軍殺害。而且包括日軍在內，他好像做過三面間諜。

岡崎：軍方在上海經營的報社曾經請一位陳彬和來主持，此人戰後來到日本，在日本去世。在上海時我常會碰到他，日本戰敗前不久，他來拜訪我，向我說日本已經注定要輸，所以他現在要去投靠華北的傅作義，還說：「請留心共產黨，他們必將取得天下！」之後就消失蹤影。

松本：陳彬和也經常提供情報給大使館。他是湖南人。

岡崎：對。日方的報紙被併為一種，他是來擔任該報的主筆。我們也常碰面。他是反國民黨的。

戴：他好像就是那位以新加坡《南洋商報》日本特派員身分去世的陳彬龢。

岡崎：我們是與陳彬和個人變得關係不錯，並不知道他和共產黨相通。

松本：我也不知情，不過我知道他反對南京政府。

岡崎：他說如果知道日本決定要投降，請我通知他。我們聽取短波，因而大概有所覺悟的事情當然不能告訴他。

松本：不是有所謂「須磨電報」的？須磨彌吉郎擔任情報部長時，或者是當南京總領事時所發出的電報，分量非常之多，稱為「須磨電報」。其中有各種發生、沒發生的事情。陳彬和大概就提供了五分之一左右的材料。須磨三不五時就與陳彬和會面。我一直不曉得那傢伙是怎樣一號人物，現在聽到這些，發現有意思的事情非常多。

戴：陳彬和是昭和幾年去世？

岡崎：昭和25、26年吧！

戴：那麼他應該就不是陳彬龢了。

松本：陳彬和的事，應該是岩井英一最知道。

高橋：這位岩井英一先生，我在閱讀成都事件（昭和11年8月24日，四川省的成都針對日本總領事館的重開而起的暴動事件。《大阪每日新聞》記者、《上海每日新聞》記者慘遭虐殺，滿鐵上海事務所員田中武夫、漢口的商人分受重輕傷。岩井先生原定就任總領事，因為當時人在重慶而逃過一難）的紀錄時，對這個名字有了非常強烈的記憶。他還健在嗎？

松本：很健康。和我同年。

伊藤：最後再讓我說一段話。就說一下我在上海任職的四年半期間所做的算是最為滿意的文化貢獻吧！也就是「救濟國恥」的工作。一件是搶救差點被戰火燒盡的中國文獻，一件是避免了英國「皇家亞洲學會」（Royal Asiatic Society）華北分會（上海）圖書館的危機。

日軍派遣上海是在1937年8月，登陸上海的部隊是根據石原作戰（參謀本部作戰部長石原莞爾少將主張不擴大事變）的預備應召部隊，不管裝備或紀律都欠佳（有謠傳說本來打算要立即撤回的）。接著柳川兵團（第十軍）登陸杭州灣是在11月5日。結果別說撤退，戰線還逐漸擴大。晚秋的上海相當冷，老兵們焚燒手邊可以燒的東西來取暖。根據情報，那些做為燃料的東西之中，有很多中文書及資料。我一赴任就要求原田熊吉少將（12年8月中國大使館隸屬軍官，13年2月華中派遣軍特務部長）說：「這會成為日軍之恥！請立即停止將官署、學校圖書文獻燒為灰燼！」原田少將是「中國通」，他迅速制止燃料化，改為暫定接收。

滿鐵上海事務所調查室號召上海自然科學研究所、東亞同文書院相關人員，設置「華中資料整備委員會」，負責文獻整理與其歸還準備，以及經濟文化資料的翻譯（有部分發行）工作。滿鐵派出大塚令三為負責人。由於日軍占領南京（昭和12年12月13日），增加文獻集積量，所以在名勝北極閣下的雞鳴寺內掛上整理事務所的看板，積極執掌「戰中文化事業」，出版將近百冊的文獻資料冊子，整理過後的圖書文獻、資料，悉數歸還中國，由中國南京圖書館接收。之後中國方面的負責人陳群擔任謝禮使節來訪，我們有一番暢談，他說：「旅途中，我每到一個初訪的城市，必定會找尋其中的舊書店，不過東北的城市裡並沒有不錯的舊書肆。我想你們大連也不例外吧！」對於他的直率，我非常讚賞。

戰後，在某人有關戰時國策研究機關的回憶錄中，記載這個華中資料整理案的企畫和執行者是上海自然科研所的新城所長，這是誤解。

另一件救濟國恥的工作是，衝入太平洋戰爭之後，英、美在中國的資產剛進入凍結期。

一位東京的年輕學者——如今已是成為學界權威的大老——○○先生帶著參謀本部的介紹信，來到上海。原田少將告訴他：「請和滿鐵的伊藤討論。」所以就來找我。照他的說法，竟然是希望我能協助他將在漢學界無人不知的Royal Asiatic Society（上海華北分會North-China Branch）的圖書館搬到日本。洗耳恭聽的我除了愕然之外，同時也憐憫於戰爭的盲目性，誠懇地勸說，請他死心回去。

第一件工作在當時曾被報導在《朝日新聞》的短訊欄中，後者則是誰也不知道的事，所以每次當媒體刊載這位大學者的論說時，總是成為我追憶往昔時的苦笑之因。

第六章　關於敗戰

濃厚戰敗氣氛下的華中

阪谷：上回我們已經稍微提到日本的敗戰，今天，想針對敗戰之事請教各位。為了喚起各位的回憶，我試著做了一張三位先生的年表。昭和18年4月，岡崎先生在上海大使館任參事官，同年6月，伊藤先生在第二次滿鐵事件中被逮捕，強行押到敦化。

而我們也聽說當時在東京的松本先生，於岡崎先生成為參事官的同年4月就任同盟通信社的常務理事兼編輯局長，之後患病的事情。

從那時開始到戰爭結束期間，待在中國，最直接在華中下苦心的是岡崎先生；伊藤先生則於昭和19年5月被判緩刑回到大連，旋即又返回日本；松本先生則是到戰爭結束為止都在養病。因此，首先想請教岡崎先生在戰爭結束前以上海為中心在華中所下的苦心，以及與上海地區的接收司令官湯恩伯將軍之間的交涉情況。

岡崎：在講這些事之前，我們的夥伴曾經考慮要請松本先生擔任駐美大使，曾有一次和您見面當面邀請過，不曉得您還記不記得？

松本：是嗎？我完全不記得了。

岡崎：您都已經忘了吧！可能也與您當時的身體狀況有關。

松本：是什麼時候的事？

岡崎：大概是在我們想：「照這情勢可能快不行了吧！」是開始移防到瓜達爾卡納爾島（Guadalcanal）的時候。那時如果您的健康沒有問題的話，情況或許就會有些不同吧！

阪谷：關於這點，是在第二次近衛內閣的時期吧？我聽說近衛首相曾經透過牛場（牛場友彥，近衛首相的祕書長）邀請松本先生擔任駐美大使，我們就從這件事開始說起吧！

伊藤：駐美大使的邀請，大概有三或四遍了吧？松岡洋右的時期也有過吧？

松本：近衛先生和松岡那次是同一時期，1940年，昭和15年。邀請我擔任大使的話題就到此為止好了。不過，我很感謝岡崎先生很多事情都會想到我，只是你們邀請我擔任駐美大使這件事，我真的完全不記得了。那時是我生病的時候吧？

岡崎：的確是在所謂「瓜達爾卡納爾移防」（昭和18年1～2月）前後的之前。可能是在之後也不一定。

松本：我那時已經病倒在牀了。

岡崎：我記得當時我回到日本，和朋友討論過後，硬是和你見了面，兩三人一起商量，不過你以健康為由婉拒了。本來那時是希望你不要管健康就答應去做的。現在就告訴你一聲曾經有過那麼一回事。

雖然不是只有我自己一個人，昭和13到14年間，我因為一年期的調查工作前往上海，結果就這樣定居下來了。去的時候，千葉成夫、林廣吉等左翼那一群人跑來找我。他們主要是來依託伊藤先生的，可是伊藤先生不久之後就回滿洲，所以之後就由我們幾個人來做。但是馬來亞海戰（昭和16年12月10日）發生後，我們幾個同志就聚集起來，討論應該在此進行談和——特別是因為我們收聽到英國提議和談的廣播。我們推舉和宇都宮（德馬）君等是左翼同伴的水戶高校那群人當中的千葉成夫擔任事務長，組織了上海市政研究會，研究時局。那是伊藤先生還在上海之時。還有在東京商大（今一橋大學）發生問題而辭掉大學工作來到上海的杉村廣藏。主要是以這些人為中心來進行，認為應該趁此機會講和，所以就由千葉君起草，以伊藤先生、杉村先生和我三個人的名義，向東條首相提出建議書。伊藤先生、杉村先生態度磊落，所以我也想提就提吧！非常熱血激昂。當時我們嚴陣以待，想著憲兵隊差不多要來捉人了吧！可是始終沒來。想了一想，應該是沒被採用吧！要是東條能夠看到建議書的話，……至今想起來還是非常遺憾。我本來保持著原稿的，但是歸國時不准攜帶一切文書，所以只好都燒掉了，真是很可惜。我現在想，要是當時能藏在身上帶回來就好了。

松本：是在瓜達爾卡納爾……

岡崎：是在瓜達爾卡納爾移防之前。在馬來亞海戰中，威爾斯親王號戰艦被擊沉之後，所以是首戰的時候。內容主張當時應該要講和，是篇很出色的文章。

伊藤：千葉君和報業有關係吧？

岡崎：回日本之後進入讀賣新聞社，成為論說委員。

就是這樣，與其說一開始就反戰，不如說杉村先生、伊藤先生和我們當時覺得不該做這種蠢事。那時我被迫留在上海，吃了很多苦。

我曾回東京一次，在昭和17年10月下旬左右。昭和18年5月，我第二度赴上海是因進入大使館工作。當時大使館中的氣氛也是不可以發動戰爭，尤其是不能施行苛待中國民眾的當地政策，所以我每次見到擔任汪兆銘政府最高顧問的青木一男先生，也都向他提起這些事。我認為苛待民眾並不會止息戰爭，何況我們也不覺得會贏得勝利，所以要是苛待民眾卻又戰敗的話，下場將會很慘，因而提倡一定要實行不會苛待民眾的占領政策。因此，辦華興商業銀行時，也是秉持這種用心，只要一開銀行分店，一定會建造淨水設施，分水給附近的民眾。民眾都非常高興。

因為做了那些事情，所以我進入大使館之後，心想絕對要讓戰爭趕快結束，雖然這場戰爭不是我們說要結束就可以結束的，但是至少在棉花或米等物資的籌措上，絕對不能用刀槍來解決。於是我們想出將這些事務交由中國方面人員處理，日本再去採購他們買來之物即可的方案。對此方案，從商工部過來、同樣擔任大使館參事官的奧田君（新三，戰後成為商工次官）亦積極表示贊同，向內閣（青木一男，大東亞大臣）提出建議書。不久就接到中央准予照辦的指令。結果當時有位辻政信大佐，他是南京總軍的第三課長，所謂第三課是負責「後方」補給，也管理財務。他帶著一位隨從衝入擔任公使的宇佐美珍彥先生（是較我們稍年長的前輩，那時他才剛來不久）的辦公處抗議。宇佐美先生嚇了一跳，問我：「岡崎君，該怎麼辦？」我說：「也讓我列席好了。」到場之後，由於宇佐美先生不了解全盤狀況，所以不太應答。辻上校說：「大使館買得到的話就買來看看！我們就算帶著軍隊去也不見得可以買到。大使館若是採用這種方法而買不到糧食的話，皇軍會餓死！那時就是大使館的責任！大概會向中央建議這種事的，一定是大使館。能做的話就做做看吧！」但是既然大東亞省已經授命我們這樣做了，不能退縮，就斷然說：「那就做吧！」辻上校說：「軍隊不會派出任何一人，也不會借給你們存放在當地的錢，全都讓你們自己去做！」非常盛氣凌人。那是我第一次見到這位辻政信，覺得「真有架勢」！

之後大使館就承辦物資的收購。做是做了，但是軍隊依舊持續反對，中國方面也覺得困擾，所以只有米先暫緩，棉花或芝麻等就請中國方面組成委員會進行收購，看日本這邊需要多少，再賣給我們。這樣的合作還算成功，可是無論如何最重要的還是米。

到了翌年五月，就結果而言，也就是戰爭結束那年，又來指令聲明把米的供應也交給中國方面負責，上海的第十三軍（通稱登部隊）的參謀長是位明理的軍人，叫土居明夫，他說：「岡崎君！因為軍隊也接到這個命令，所以米的收購也交給你們大使館去做。」而且還要把通告總軍及汪政府的任務交代我。我說：「不，不能是我，指令是發給登部隊的，所以應該由軍方負責告知。」但是他堅持無論如何不會去，最後不得已，我只好去南京。我首先見了汪政府的實業部長陳君慧，告知他這件事，他聽完之後大為高興，說：「這真是太好了，也讓我們有面子……。」正好那天是陳公博主席預定去北京的日子，就取消北京行程，召開了會議。我前往南京的大使館，出席總軍、大使館和上海大使館辦事處每月召開一次的例會。總軍方面只有經理部持反對意見。經理部認為這樣做將無法保障百萬皇軍的生活，所以反對，但是總軍參謀部把這些反對意見壓了下來。我覺得沒問題而回到上海之後，登部隊的經理部因為有調配物資的責任，所以當時一位高級主計將官馬上來找我。

松本：是不是岡田酉次？他是南京政府的經濟顧問，辦了一個岡田機關什麼的……

岡崎：不是那個人，是經理部員，是大佐。部長是主計中將。他一直糾纏說：「如果這麼做的話，我沒辦法負責任，拜託請暫緩由大使館來管這件事……。」當時，我已經預測再過不久就要宣布戰敗了。因為我聽說那時的公使土田豐君在五月前後到東京時，參加了從未有過的天皇陛下拜謁。我心想：「啊！連天皇陛下終究也預感到戰敗了？」所以我就說：「你們雖然那樣說，但這個秋天軍方有辦法收成稻米嗎？」結果他很意外地乖乖回去了。後來等不到稻米的收成，戰爭就結束了。我和這個主計將官，從他回日本直到去世之前都有來往，他其實也沒有什麼惡意，只是軍人總是比想像中還要沒有洞察力。就算上面是這樣想，也不會對下面的人說。首先就是有這樣一件事。

松本：最後的通貨膨脹，應該很辛苦吧？

岡崎：對。還有一件就是收購棉絲布的事情。當時軍隊由北而南架起對內地的封鎖線。因為不能越過封鎖線和內地的人進行交易，使得內陸地區的人民連穿的衣服都沒有。反過來說，另一方面，交換物不賣給內陸地區的人，漸漸地自然也沒有物資從內陸地區流出來。

因為眼看日本就快要戰敗了，因而從昭和18年前後起，上海的紡織業製品漸漸不出售了。這就是所謂的囤積，更加促使物價騰貴，各方都對大使館說：「請想想辦法！」最後連軍方也來請求。於是經過大使館內部各種提案的沙盤推演之後，提出執行強制收購的結論。而且是中國那邊的東西由中國去買，日本這邊的東西就由日本來買。至於付款方式，由於中國方面無法使用紙鈔，也就是不能全額使用儲備券，所以一半以黃金來支付，而日本方面暗中定下方案，打算以日本政府的公債來支付。

之後因為石渡莊太郎先生擔任最高顧問而來到南京，我認為一定要傳達給石渡先生知道這件事，就到南京去向他說明。那時書記官是福田赳夫（前任首相）先生，擔任石渡先生的輔佐。我向他說：「請想辦法從中央那邊拿到黃金，一半用黃金付給中國方面的人。」石渡先生卻說：「岡崎君，戰爭這種東西，是在紙上打的。」這句話到現在還言猶在耳。我爭辯：「但是不這麼做就沒有辦法了。」石渡先生也沒有特別反對。

之後，我馬上回到日本，……那時我是身著軍屬人員服裝，雖然沒有配劍，還綁著綁腿回到了日本……與大東亞大臣青木一男先生見面商談，他說：「這個辦法不錯。」接著就問：「你需要幾噸黃金？」我當場被問倒。因為我本來打算這邊得到許可之後，再進行各種計算，沒想到當場會被問到這個問題，而且青木先生是一位非常細心的人，要是我回說：「還沒有計算好。」一定會被他罵一頓，所以我只好說：「大約需要20噸。」誰知道他爽快地說：「好！我會準備好讓你帶去。」實在不得了。

於是我回到上海做準備。結果又發生一段插曲，計畫強制收購事已經有部分走漏風聲，因此許多報社記者競相來問：「收購了的棉絲布要怎麼處理？」我告訴他們，如果保證不寫的話——就是現在所謂「不宜公開報導（off the record）」——我就回答問題；如果要寫出來登在報紙上，我絕對不會回答。因為他們保證不會寫出來，我就告訴他們：「要運到內陸地區去。」「要是讓內陸地區的人困擾、生氣，就不能算是對華新政策，所以要運到內陸地區去。」說完之後，這件插曲就此落幕了。但是，其中的兩個人（我知道他們的名字）把我說的話通報給辻（政信）第三課長，辻課長聽了非常生氣，傳過來說：「將違抗軍方政策的岡崎參事官盡速遣返日本！」

當時的公使已經換成田尻愛義君，很替我擔心，就寫了一封信給辻上校要替我辯白，他先讓我讀了信，我對他說：「最好不要做這樣的辯解，反正我完全不是為了留在這裡才那樣做的。留在這裡也沒意思。」經過我的堅持，田尻公使總算沒有將那封辯白信寄出去。當時大使館裡也來了兩位軍方大佐級的人物，他們也積極幫忙調停，可是辻就是不聽。就這樣過了一個月，我到南京去參加由陸軍、大使館、上海大使館辦事處每月合開的例會。因為負責經濟的是辻課長，以往我都會去拜會，所以這次也不得不去他的辦公室露個面。於是只好去敲他辦公室的門，門一打開，他本來是面對窗戶坐著，突然起身看到是我，就飛快跑到門口，對我說：「岡崎參事官，我們不能沒有像你這樣的人。」就這樣，這件事就這樣落幕了。有這樣有趣的回憶，收購棉絲布一案算成功了一半。

松本：主要是棉嗎？

岡崎：棉布、棉絲。然後中國那邊買進預定數量，或是說庫存數量的大約一半。所以我們還剩下了五噸左右的黃金。但是，這五噸黃金又成了諸多話題的發端，總之在戰爭快要結束之前就移交給了中國。

松本：那些黃金是怎麼保管的？

岡崎：黃金本來是放在正金銀行保管的，到了戰敗氣氛漸濃的8月10日以後，由於考量到日方如果繼續保有這些黃金，有可能會被中國沒收，而考慮不如當作儲備券的擔保交給中國。但拍電報給東京沒有回音，因此自行決定交給中國。移交之際雖和軍方起衝突，但最終還是交出去了，也因而沒有發生儲備券的補償問題。還有我們感覺黃金正好夠補償，但也有不來以儲備券兌換法幣的人。因此之後從國民政府那邊來的報告是說：「黃金有剩下一些……。」如果那時日方繼續持有的話，可能會被為錢而來的美國士兵搜出帶走，且不是美軍拿走，是士兵個人拿走。我曾經接過一個報告，說美國大兵問大使館的一個館員：「聽說你們有黃金，那些黃金到哪裡去了？」館員回答：「已經交給中國了。」他就說：「把黃金交給中國，還不如扔到黃浦江裡去！」

阪谷：那是從美國來的。

岡崎：是美國兵，不是軍隊。

松本：那些黃金是金條嗎？

岡崎：對，在日本重新鑄造的中國規格金條。要在上海使用的話，說什麼都得重新鑄造成金條，不然不能流通。所以將幾條金條的模具帶到日本，請造幣局製成金條。不過，中國的金條的成分約92、93％左右，依鑄造金條的錢莊不同，會有2、3％的差別。但是日本是純金，因此馬上被拆穿，大家都知道這是日本的金條，可是風評反而更好。如果不鑄成金條的話，不太能夠流通市面。但是要大量收購棉絲布的時候，實在沒有工夫去把20噸的黃金都重新鑄造成金條，所以也有把日本的金塊直接帶過來。

阪谷：直接把金塊、大量金塊（gold bullion）都帶過來？

岡崎：是的。

高橋：與磚塊差不多嗎？

岡崎：對，像磚塊那樣。金條是長13公分、寬約2公分左右的金板。換算成當時的日幣，一條大約價值日幣80萬圓。就是現在的800至1,000萬圓。

雖然被那樣緊迫的事態所逼，田尻公使還是很快就下了決心。與辻政信的交手，從結果來說實在是麻煩至極。

戴：現在談到的關於黃金問題，日本對南京、汪政權之間是比較好說明的。問題在於汪政權拿著日本給的黃金，向民眾購買物資時，是以怎樣的形式支付給民眾、說服民眾的？

岡崎：從中國的紡織工廠收購的部分，是透過中國方面組織的採購機構來進行。彼機構的負責人是一位知名的老先生袁履登。袁先生說買進多少東西，就遵照支付黃金和儲備券，由我方領取物品。我記得我也拜訪過袁先生，與他會談過。是一位讓人尊敬的老翁。

戴：這個人在中國民間擁有極大的信任感嗎？

岡崎：他被稱為上海的澀澤榮一。

戴：此人應持有上海的地下銀行性格的，是很有威信的大哥級人物，因為他從事這種工作，結果商業界或是民間都肯和其合作。

岡崎：這部分可能是對方內部的操作，但對我們來說，檯面上的人物就是袁履登。

伊藤：還有個虞洽卿，是浙江財閥的頭目。

松本：不是香港嗎？

岡崎：我之所以知道黃金流入各紡織業者手中，是因為一位知名的紡織工廠老闆，名字我忘記了。他的太太是曾國藩的孫女，在收購告一段落之後，來我這裡道謝，對我說：「我們一半是收取黃金，這樣日本戰敗時逃亡比較方便。」收到紙鈔的儲備券就不知道能幹什麼，但是黃金可以帶著逃亡，所以向我道謝，並送我他夫人畫的一張畫當紀念品，回國時無法帶回來，就放在當地。因為這件事，可得知黃金的確到了賣主手上。

戴：這樣的話，可以說明順利發揮了功能，但是以一般的常識來說，中國的民眾並不信任政府。因此這個運作系統末端的黃金流向，應該相當有意思。

岡崎：袁先生不是汪政府的人，而是受民間信用的人，我想他確實把黃金交給了工廠。然而，日本方面卻相反，有一個在華紡的故老菱田逸次，來找我好多次，發牢騷說：「你們要給中國一半的黃金也可以，但是給我們的卻是公債，而且還是登錄國債！至少給我公債證書，在上海還可以成為金融擔保，可是登錄國債太花時間，根本沒辦法！」我努力說服他說，現在要在日本印幾十億圓的證明書，紙根本不夠，沒辦法。

但是，戰敗之後，他卻來向我道謝，說他當初要是拿到公債證書的話，一定會被中國政府沒收；因為是登錄公債，所以回到日本之後，還可以發給大家退職金，真是非常適合，所以來道謝。

戴：也就是說，結算的根據登錄在日本政府那邊的意思？

岡崎：對。也不會碰到需換成新日幣的問題，非常好。

阪谷：如果是拿到國債的債券，就會被沒收。

岡崎：會被國民政府沒收殆盡，對紡織公司來說，算是全賠了。所以所謂世事真是……

戴：塞翁失馬，焉知非福啊！

汪精衛死亡之謎

戴：最近在香港出版的中立性質雜誌《申報》（1982年5月號）上，刊載一篇很有趣的回憶錄叫〈霍實子回憶之二〉，目前是第二回。這是我第一次知道這個人物，他是現在（1982年3月）住在上海的84歲老翁。是在日本長大的華僑，從小學、中學到大學，都在日本就讀。回國後，投入父親霍公實的友人殷汝耕傘下，繼續在殷的底下從事對日折衝工作。1935年秋天，殷汝耕成立冀東防共自治政府，他便從華北逃出來投靠蔣介石。他因從小在日本長大，是善於譯解日本相關情報特別是解明祕密電報而活躍的人物，在抗日戰爭中擔任軍事委員會的「少將參議」。

松本：叫什麼名字？

戴：霍實子（擔心這個名字在對日折衝時被誤認為女性，因而一度改名霍實）。據說他參與了解明珍珠港、山本五十六等各種祕密電報。他的回憶錄中，我覺得最有意思的部分就是關於汪精衛之死。在我有限的知識中，汪精衛是在名古屋大學附屬醫院過世的。

松本：我也是這樣聽說。

戴：然而，這篇「回憶錄」寫的卻不是這樣。霍實子說汪精衛在名古屋大學附屬醫院接受完手術之後，主治醫師建議他要靜養三個月後才能回國。可是汪卻不想待在日本靜養，偷偷回到上海去了。霍實子破解了這個祕密電報，向蔣介石報告。而汪精衛是用祕密電報向當時待在廣州的妻子陳璧君通知要回國的消息，陳璧君則覆電要汪精衛隱藏身分先住進上海的虹橋醫院，等她回來。霍實子也破解了這通電報，全部都向蔣介石報告。因此得知這個消息的蔣介石人馬就買通護士，持續對汪精衛下毒，到了10月，汪精衛就死在虹橋醫院了。日本方面慌忙地以陳公博接任汪的位子，萬事俱備之後，才在11月首度發出訃聞，精心設計了許多橋段，說汪在日本去世，遺體被運到上海。汪精衛之後被安葬在南京明孝陵前的梅山。霍實子還回顧說，結果戰爭結束後，蔣介石一回到南京，就派兵把汪的屍體挖出來，沉入揚子江云云。關於這個說法，各位有什麼看法？

岡崎：我也不知道，這是我頭一次聽到。

戴：霍實子在新中國成立之後似乎也一直留在大陸。是位經歷過文革的老人。

高橋：我與戴先生不一樣，但是我想講大家都知道的，當時不是東北大教授黑川利雄博士特地從仙台趕來名古屋，和名古屋大學齋藤真教授等人合作進行手術及治療，拚命想挽救，卻還是回天乏術嗎？畑俊六元帥的日誌中也寫到，決定陳公博是汪精衛的頭號接班人，周佛海是第二順位，總軍費盡辛勞。但是這時候除了陳博公之外不作第二人想，所以雖然周佛海頻頻來關說，還是把他壓下來了。汪精衛的葬儀舉行時，畑俊六也詢問過總參謀長松井太久郎中將：「我應該出席嗎？」不管怎樣，日誌中還是記錄汪精衛死於名古屋。

戴：可是照霍氏的回憶錄，所謂死於名古屋其實全是偽裝。霍實子現在不須顧慮蔣介石的情面，再者其中有何等內情我們不清楚，不過霍實子可是共產黨取得天下之後，仍然留在大陸的人。先不管這些，如果霍氏的紀錄不是捏造，就非常有意思了。也就是說，汪精衛雖然被主治醫師要求靜養三個月，他自己卻堅持要歸國，而且還祕密回到上海。他和夫人之間交換的電報被人解讀出來，傳到蔣介石耳裡。這裡有兩個關鍵點。

一個是日本國內和駐南京單位間的祕密電報被破解；另一個是汪精衛本人和他在廣州的妻子陳璧君間交換的電報被破解。經由這三通電報，重慶方面掌握到汪精衛其實用化名住進了上海的虹橋醫院。因此蔣介石方面的特務機關就買通護士，慢慢對汪下毒。演變成這樣的結果。

高橋：畑元帥的日誌中曾提到岡崎先生的名字。對於剛才提到的收購物資的事情，他寫到你提出要由民間進行，他認為：「怎麼可能！我就看你有什麼本事！」軍方那樣勞心勞力蒐集而來的東西，岡崎參事官這些人竟然說要讓民間來做，既然如此，那麼要做就去做吧！畑元帥是這樣寫的。他還很憤慨地寫到，昭和18年年底，竟然主張起和平的這樣不像話的中堅層的人，而只寫上岡崎參事官一人的名字！不管怎樣，畑元帥是支那派遣軍總司令官，是當時在中國的日本人中擁有最高地位的人物。可是在他的日誌中，對於汪精衛之死，並沒有記載剛才我們提到的事。

戴：因此，這對我來說也是非常意外的記述。這個回憶錄照這樣繼續連載下去，如果相關回應能以任何形式出現的話，就會變得更有趣。這段記述的前後還有山本五十六的問題、珍珠港祕密電報的破解、引渡陳公博的相關祕密電報的破讀等記述，這幾個部分我大多信服。問題是，關於汪精衛之死這一段，我全然是第一次聽說，所以覺得很有趣，但也不代表我對此全然沒有疑問。無論如何，因為並不是很了解，所以只是想藉這個機會，一方面向松本先生們介紹這本回憶錄，同時也想聽聽如果各位對此有什麼回憶的話，一定很有趣。

松本：我們一直深信當時汪精衛是在名古屋去世的。汪兆銘先生在名古屋的最後的主治醫是黑川（利雄）先生不是嗎？負責內科。但是，實際上動手術的是外科。而那位外科醫師現在是癌研的外科部長，叫作梶谷，在直腸癌手術方面特別著名，現在也仍健在。我在三年前也曾讓他看診過。所以，阪谷先生要不要去訪問他看看？或許梶谷君會告訴你。

岡崎：有關剛才提到的畑俊六元帥，我有一些趣事想告訴大家。當時軍方如果向人拜託什麼事，過了四、五個月都沒有結果的話，就會馬上換其他人做。因為知道軍方有這樣的習性，所以既然大使館要負起責任，就必須先與軍方做一個約定，便召集大家商量。軍司令官終究沒有出席，不過總參謀長來了。

松本：總參謀長是誰？

高橋：昭和17年8月起至昭和20年2月為止，是河邊正三、松井太久郎兩位中將。

岡崎：我認識這位河邊中將。還有，當地的軍司令官、艦隊司令長官、南京的大使也到場列席。這些人並排坐好之後，因為大使館方面是由我負責，我就很率直地說出剛剛說到的那件事：「聽說軍方拜託人家做事，過了一段時間做不好的話，就會馬上換人、換方式來做，所以要是我們也被這樣對待的話，會很困擾。所以除非我們大使館做不下去主動請求，否則請讓我們繼續處理，不然我們就不接受委託。」大家回答：「拜託你們了！」就這麼說定了。

高橋：畑總司令官也和滿洲國同樣地強烈主張總軍司令官應該兼任駐華大使。但政府無法同意這項要求。畑元帥的主張所根據的是，因為戰鬥、戰爭之外的治安、民生、經濟、物資取得等進行得並不順利。因此才認為總司令官應該兼任大使，俾實施一元化的管理，並且以此為由不斷地向政府提議，認為又是重光葵在作梗，進而寫了一些批評重光葵的負面文字。此外我無法判斷，但感覺當時情況還似乎相當棘手。

滿鐵調查部事件

阪谷：接下來想請教伊藤先生。您好像自昭和18年的6月起，不幸被關東（軍）憲兵隊逮捕，而且還被關進牢裡是嗎？

松本：被關在哪裡？

伊藤：在敦化（吉林省）、奉天、長春（新京）之間轉來轉去。

阪谷：一開始在敦化，然後是奉天，接著是長春，總共三個地方。在那段期間裡，相對於剛才提到的岡崎先生在瓜達爾卡納爾島時曾思考著戰敗或是和談，伊藤先生在獄中應該也思考著許多事，因此想請教您當時對於戰爭的前途有什麼看法？

伊藤：其實我到現在還不明白為何我們會被逮捕。當時有個名叫長谷部照俉的滿鐵軍人特約顧問，滿洲事變一開始時擔任第二師團的步兵第三旅團長，曾在齊齊哈爾、吉林作過戰的少將，也是日興證券前副社長長谷部照正君的父親。這個人在滿洲情勢告急之際跑來探望我說：「東條會在最近開始逮捕包括自由主義者在內的左翼人士5萬人。只是現在正煩惱到時候收容空間會稍嫌不足。所以滿鐵的調查部可能有危險，要小心！」長谷部照正君當時也在調查部。之後，昭和17年9月展開第一次搜捕，第二次我就被帶走了。

松本：您是在北京被抓的嗎？

伊藤：不，我被派任「參與」的閒職，昭和17年2月從上海回到大連，那時已經風雲告急。之所以說風雲告急，原因之一是之前提過的滿鐵調查部以「中國抗戰力調查」為主題進行共同綜合調查，認為日本軍方愈是深入到中國內地，就愈是懸兵萬里，後勤補給不易，而且也很難抵禦中國軍方的游擊戰。正與毛澤東的持久戰論如出一轍。因此，我便前往上海，建議日本軍方盡可能將占領地上海的周圍地帶建立成安全繁榮的自由安全區，如此一來也能對日本軍方帶來後勤上的利益。但是軍方誰也不贊成這個意見，唯一同意的是朝鮮出身的大佐參謀洪先生。他很正直，非常贊同我的意見，但也表示，光靠少數人的力量沒有辦法實行這個對華政策。

結果，「上海繁榮論」終究不被採用，而日軍的戰線也一直往中國內地拉長、再拉長，陷入泥沼戰。為了研究對策，就進展成我們所謂的「中國抗戰力調查」。而如何能證明懸兵萬里不可行，也就成為「抗戰力調查」的出發點。

另一個原因則是鈴江言一建議我說：「反正戰爭終究會輸，既然伊藤君已經成為調查員，不如就做個能名留青史的調查再輸吧！」這也成為「中國抗戰力調查」的契機。從北京、東京、大連等調查機關也動員來許多調查員，以上海為中心進行抗戰力調查。可是愈是調查愈覺得日本沒有打贏這場戰爭的可能性。剛開始日軍的局部戰況看來情勢不錯的時候，軍方也參考過這份調查。因為從中可以得知日軍的弱點在哪裡，做為彌縫方案，所以被視為珍寶。受歡迎的程度，甚至有調查員被軍用飛機直接載往東京，到參謀總部、陸軍省、軍令部等處演講。人選有中西功或具島兼三郎等人。

然而，當愈來愈無法補救，漸漸露出敗跡時，日軍的弱點逐步擴大，成為敗戰原因。所謂「狡兔死，走狗烹」，之後便演變為滿洲鐵路調查部事件要因之一。

還有一個原因是，由於昭和8年的滿洲鐵路改組問題，憲兵一直在我的身邊跟監，因我與小磯（關東軍參謀長）、菱刈（軍司令官）相會，將滿鐵改組延期至一兩年後。這也似乎傷害到關東軍的自尊，軍中醞釀著一股要把伊藤這傢伙捉起來的氣氛。大概有這種潛在因素，加上雖然在缺乏具體證據之下就逮捕了數十位調查員，卻無法查出圖謀不軌的形跡，所以勢必要設法捏造出一個統一的謀略，以及帶頭的人物，而新人會出身的田中九一和伊藤武雄就成為軍方考慮的人選。

最後有一個讓他們真正動手的藉口。橘樸先生不是主辦過雜誌《滿洲評論》嗎？該編輯部的人員是最先被逮捕的（但橘樸未被捉），憲兵拿著滿鐵調查部的名冊，要求其中一些人從中圈選出左翼人士，這份名單便成為證據資料，從被圈選最多次的人開始抓起。我大概被圈選了四到五次吧！軍方聲明這是滿鐵方面流出來的證據，於是調查部員們無人倖免，先後遭到逮捕。這似乎就是滿鐵調查部事件的真相。

我遭逮捕之後，首先被送到吉林省敦化，被丟進憲兵隊的拘留所。那時日本憲兵還很親切，看我有點營養不良，帶我到番茄田裡讓我吃番茄，或是帶到他們的房間裡吃點心，十分照顧。但隨著日子一長，漸漸就變得苛刻起來，將我遣送到奉天，又轉送到長春，受到殘酷的對待。我想不出任何會被逮捕的理由，就問那些憲兵，結果他們也說：「我們也不知道。」於是故意找麻煩，設法捏造、渲染出所謂勾結共產黨的事件。有的傻瓜以為順著話風講，自己就可以受到比較好的對待，也就跟著編造，一搭一唱以符合其邏輯。但是似乎就連憲兵也沒有上當。

我被關了十個月後被判緩刑出獄。後來我在大連無所事事將近一年時光，其間海軍的津田靜枝（備役中將）在東京受到近衛先生的委託，整合對華親善團體及留學生支援機構等二十幾個團體，創立「日華協會」。任命前駐泰國大使坪上（貞二）為理事長，以陸海軍為首的各相關機關也都相繼入會，發電報來大連，要我擔任協會的總務局長。那時大連到日本間的航線已經不通，所以我從清津搭船到新潟。當我到達新潟時，正好是東京最後一次大空襲，大概是〔1945年〕5月底吧！

阪谷：那一次大空襲是5月25日。

伊藤：所以我沒辦法進入東京，不得已只好前往山形縣的鶴岡，去找當時隱居在鄉間的石原莞爾，向他說明我被捕的經過。他說：「其實你們會被捉，就是日本已經戰敗的清楚證明。」之後的一個星期就是泡溫泉。

戴：石原那時在做什麼？

伊藤：成為陸軍的備役人員，從事東亞聯盟的工作，努力要利用酵素肥料來增產。我和石原之前也曾見過一面，是他擔任京都陸軍第十六師團長時。我在前往東京的途中，順道去拜見。那時石原就主張日本染指華北的行為是一大錯誤。要之，他認為華北只要龍煙鐵礦和開灤煤礦能夠聽取日方的要求就足夠了，涉入政治是不對的。因為有那樣的因緣，又和他很投機，所以就在鶴岡與他天南地北漫談，過了一個星期才進入東京。

當時敗跡已露，因此近衛先生創辦的日華協會一開始就是進行重慶交涉。因為向來不管誰的和平工作都無法順利進行，所以現在才要整合中國關係的所有團體，想以全日本民間勢力的名義去進行重慶交涉，只能說為時已晚。我被找去幫忙。但是協會正式成立好像是在6月。

阪谷：伊藤先生就任總務局長是在7月，也就是戰爭結束前的一個月。

伊藤：說明白一點，近衛先生無法勝任這個工作。雖然之後還是做了，但為時已晚。近衛為總裁，副總裁是細川護立，海軍有津田靜枝，陸軍則來了某人，與東亞研究所的構成同一種模式。

阪谷：其目的說穿了就是為了進行重慶交涉的一種部署。

伊藤：正是如此！如果將全民間團體當作母體，就可以說是由民間勢力發起的。

阪谷：伊藤先生接下那份工作時，有想過會成功嗎？

伊藤：不，聘任電報中完全沒有提到工作內容。我在大連不是很無聊嗎？就想如果去東京的話應該有趣得多。那時如果把我的家人也接過來就好了，結果我把家人留下獨自前往，真是一大失策。結果在我聽取牛場友彥君談有關莫斯科的事，又忙著其他事務之間，戰爭就結束了。任職局長的一個月期間，我做的工作只有將研究經費發給兩三位學者，再來就是擔任結算人，提供中國研究所的創設基金這兩件事而已。還有提供書錢給藏書被戰火燒掉的長谷川如是閑翁，讓他去買韋伯斯特（Noah Webster）的著作，以及提供吉川幸次郎著書（《尚書正義》）的出版費，這些都是當時工作的一部分。

近衛訪蘇計畫

阪谷：剛才伊藤先生提及有關對重慶交涉的事，剛好其中出現莫斯科，所以我想請教松本先生，您在輕井澤養病時，近衛先生的訪蘇行程——請蘇聯擔任和平工作的調停人——曾希望您能同行，其前後是怎樣一回事？

松本：我在鎌倉靜養了大約兩年，之後身體大致恢復到可以出門旅行的程度，我讓我的家人於昭和20年5月先到輕井澤避難，而我自己還不太能走動，所以等到7月初才前往輕井澤。大概過了一個星期之後，近衛先生打電話來說：「我有事要跟你談，想去你那裡一趟。」我回答：「你應該不會知道我這間簡陋小屋在哪裡，還是我去找你好了。」但他堅持：「不、不，因為是我有事相求，所以應該是我自己過去才對。」還說：「你家我已經叫警察調查好了，警察會帶我去，應該不會錯。」。於是近衛先生大概在11時左右到我家，待了大概一個小時。他說：「其實我7月10日本來待在輕井澤，但10日受天皇陛下召見，要我返回東京，我趕赴東京去拜謁，陛下說：『我有個想法，想請蘇聯居中調停，幫助日本處理戰爭結束事務。雖然對你來說可能很辛苦，但能不能我去一趟蘇聯？』」

近衛先生其實也不太了解請蘇聯居中調停是為了什麼，可是因為陛下已經決定，也拜託他，所以只好接下這件差事，問我：「你能不能也去？」但我說：「我現在還在養病中，可能無法旅行。」他竟然說：「牛場去詢問過你的主治醫師，他說武見（太郎）醫生也認為你要去莫斯科是可以的，只是搞不好會在那邊倒下去也說不定。」於是我說：「這樣啊！那麼周到……。不過近衛先生，你打算用什麼條件去和蘇聯談？」他說：「沒有條件！當然最高戰爭指導會議或是大本營政府聯絡會議會提出各種做為近衛特使訪蘇的條件，但是我完全不把那些條件當問題，全部放進口袋內，只等對方叫我們去就馬上去，我本身只打算請求維持天皇制，其他全部都不當作條件。」於是我回答：「我知道了，既然你已經下了那樣的決心，我就陪你走一趟吧！」。

之後過了好幾天，蘇聯方面完全沒有聯絡來。因此我們就催促說：「你們的答覆呢？」外交次長洛索夫斯基（音譯，ロソウスキー）就代替部長莫洛托夫（V. M. Molotov）對佐藤（尚武）大使說：「請再提供更多具體的調停條件過來。」但是我方無法提出條件，以日本的立場來說，無法公開提出條件。近衛先生本人是將條件全部放進胸懷，只想著要捍衛天皇制，所以什麼也不能說。於是日本方面只能答覆會派人過去談，如此一來對方也不清楚日本是不是真的想要調停，結果直到《波茨坦宣言》發表時都沒有回應。曾有一時，史達林原本打算7月12、13日左右前往波茨坦，但是史達林卻把從莫斯科到波茨坦的日期延後兩天。有人因此樂天地認為這是因為日本方面提出了調停案，所以史達林可能是在莫斯科研究這份計畫。但這些全都是子虛烏有，對方根本不把這當一回事。史達林只向美國的杜魯門說日本曾有這樣的想法，但是已經不成問題了。完全沒有放在眼裡。

但是那時發生了一件很有意思的事。美國國務卿伯恩斯（J. F. Byrnes）有位得力心腹，名字我忘了，不過是個猶太人，腦筋很好，因為對於日本的事情完全不了解，所以向伯恩斯建議要求天皇簽署投降宣言，而伯恩斯也打算這麼做。

但是當時的國務次卿格魯（J. C. Grew）在隔壁房間聽見伯恩斯和那位屬下的對話後，就衝進現場，熱辯說：「如果要求天皇陛下簽署投降文件的話，就像是捅蜂窩一樣，日本國民將會徹底被激怒，絕對會有強大的反對聲浪出現。總之美國要是做出一些讓天皇下不了台事情的話，等於是把日本搞得亂七八糟，所以絕對不能讓天皇簽署投降文件！」之後杜魯門也加入，又談了兩次，伯恩斯這才下定決心讓其他人負責投降文件的簽署，然後前往波茨坦。

還有一點就是，美國前國務卿史汀生（Henry Stimson）非常堅持不要轟炸京都。他在擔任菲律賓的高級專員（high commissioner）時，曾經去過京都兩次。他老早就提醒伯恩斯，說京都是個非常美好的日本古都，不該遭受轟炸，可是依舊不放心，所以雖然當時他已經不是國務卿，還是自掏腰包特地前往波茨坦，然後在旁監視伯恩斯，讓他不要搖擺不定。因此京都沒有受到轟炸，全都歸功於史汀生，我甚至覺得在京都建立史汀生的銅像也不為過。

格魯制止讓天皇簽署投降文件，以及史汀生保護京都不受轟炸，這兩件戰爭結束時的小插曲，我認為非常重要。而我去蘇聯的事，由於對方沒有回應，甚至還簽署《波茨坦宣言》，所以完全告吹。

戴：就一般的常識來看，您明明是研究美國的專家，為何會邀你一同去蘇聯呢？

松本：不、不，不是這樣的，近衛先生是考量到戰事已經進入白熱化階段，我們無法和美國搭上線，但是英國的國民性非常講求實效，加上英國的駐蘇聯大使，是我在上海時的英國駐華大使克拉克・卡爾（A. C. Kerr），近衛先生知道我和他的交情相當不錯，知道我們是非常好的朋友。既然這位克拉克・卡爾先生正在莫斯科，就要我去說服他，希望日本和蘇聯商談時，英國可以從後面幫我們。我覺得近衛先生是這麼打算的。

戴：這個主意應該是牛場先生教給近衛先生的吧？

松本：不，近衛先生自己早就知道了，因為我向他提過很多事。

敗戰與湯恩伯將軍

阪谷：接下來我們要討論的是戰後的話題。在此先回到一開始，我想請教岡崎先生和湯恩伯將軍的結識經過，或是關於之後上海地區的遣返工作，您和湯恩伯將軍之間的交涉情形如何？

岡崎：日本戰敗之後，每個人都在想像重慶軍隊終究會殺過來。那時有位名叫顧祝同的老將軍，他的軍隊稱為忠義軍。日本敗戰後他們就逐漸進到上海的郊區開始展開掠奪。所以大家擔心接下來可能演變成像往昔一樣的殘酷事件。男人被殺就算了，可是如果連婦孺也遭到毒手的話，未免太可憐了。所以當時有所謂的老上海三人幫，也就是山田準三郎、波多博、船津辰一郎，這三位是長老。這幾位長老受託去和上海的青幫接觸，希望中國軍隊或民眾不要對日本人施暴，而且因為戰爭已經結束了，所以我記得他們彙集統制會的所有財產，全部都帶去了。正在擔心之際，傳來湯恩伯中將就任上海地區接收司令官（任命發布同時晉升上將）的報導。湯恩伯是怎樣的人呢？一問之下聽說他係從日本的士官學校畢業，是非常勇敢、清廉的好將軍，所以大家都安心了。戰爭結束時，重慶發出三點有關日本的指令。

一就是說「以德報怨」，再來是禁止移動日人所持物資，最後是受雇於日本人者必須離開日本人身邊。因此在工廠工作的全都被解雇。但是依照國民政府的制度，規定業主解雇工人時需支付三個月的薪水。而離職的中國人不可能馬上就找到新工作，所以也開始要求資遣費。然而因為有禁止移動物資的命令，所以無法調配資金，付不出資遣費。一開始好像是用手頭資金或物品來支付，到了9月，要求變得激烈起來。那時的工廠幾乎全由軍方管理，所以大家到軍司令部去申訴，但是軍司令部並不受理。而管轄日本外務省、大東亞省相關業務的是總領事，可是總領事也沒有錢，因此也束手無策。我們大使館事務所本來是與此事無關，可是要求資遣費的人也蜂擁至大使館事務所。大使館事務所要是也拒絕的話，他們就無處申訴了。當時大約是晚間12時左右，我已經回家就寢，被打來的電話吵醒，問我：「對這種情況已經無計可施，該怎麼辦？」我就說：「如果我們拒絕受理的話可能會引發暴動，之後的處理可能很棘手，現在不做些什麼不行。所以請向群眾說我明天早上會過去與他們見面，幫他們解決。」群眾聽了才漸漸散去。

我知道在那段期間曾發生公司的社長或廠長被關在碉堡內一整晚任憑擺布之事件。隔天我與工人見面，向他們說：「我會想辦法，請不要把事情鬧大。」於是暫且先請他們回去了。要之，不想辦法弄錢就什麼都不行。因此到9月初為止，我請日本人提供藏在家中的金條等可以拿來換錢的東西，用來慢慢支付了一些。後來加上因為日本在戰爭期間進行強制勞動，而被帶到日本、馬尼拉、新加坡、婆羅洲等地的中國人勞動者也陸續回到中國，又開始請求賠償，所以簡直是無技可施。

然後剛好是9月9日那天吧！湯恩伯將軍抵達原是日本軍司令部的格羅夫納酒店（Grosvenor House），因此晚上8點左右我便帶著一名翻譯去求見。雖然讓我們進去了，可是9點過了、10點過了，甚至到了11時都還不讓我們見他。我正覺得「看來還是沒辦法」的時候，陳紹寬參謀（長？）[*4]來了。

松本：陳紹寬不是海軍的人嗎？

伊藤：對，海軍。

岡崎：應該是這樣沒錯。當時他用很有禮貌的日語對我說：「很抱歉讓您久等了，湯將軍現在正在開會，有可能到天亮才結束，所以今晚請您先回去吧！明天我們會移到原日本海軍陸戰隊本部，請您下午4點再來，他到時會和您會面。」聽到他這麼說，我便安心地回去了。

翌日下午4點，我就照他所說，一個人到舊海軍陸戰隊的本部，由一位像學生一樣年輕、著美軍軍裝、神采奕奕的軍人為我帶路。我之前也曾去過陸戰隊的本部，當我被帶進接待室時，看到一個老先生在沙發上。我以為：「是清潔人員在休息吧！」瞥了一眼，沒想到他的肩章上有兩顆星星，才知道：「啊！他就是湯恩伯中將！」其實他在出發之前就已經升為上將了，但是沒時間在肩章上多加一顆星星，就直接這樣來了。我向他打招呼，自我介紹：「我是岡崎參事官。」他回說：「來，坐吧！」我向他表示，發放資遣費是日本方面的義務，但是錢需要靠賣東西來籌，所以想請他解除一部分的禁令。還有勞工們的請願運動若是

＊4 陳紹寬（1889～1969），福建閩侯人，時任海軍總司令。

演變為暴動，對將來的中日關係也不好，所以希望他能遏止暴動。我這麼說完後，他立刻回答：「暴動的問題是我的責任，我不會讓這種事發生的。而有關物資的移動還有買賣的問題，我必須與重慶方面商量，請再稍候一陣子。」我正鬆了一口氣想結束而打算告辭時，他說：「請等一下！」我心想：「他要向我吩咐什麼？」有些惴惴不安，結果他說：「日本長久以來侵略我國，做了很多過分的事，但是如今再說這些就沒有辦法開始。」——他用「開始」這兩個字眼。他還說：「今後就是停止戰爭，將亞洲好好整頓起來吧！這也是蔣主席的想法。岡崎先生，請你多加協助。」他這麼一說我真是大吃一驚。他並不是說自己的國家，而是說「將亞洲好好整頓起來吧！」本來我從學生時代開始，也是抱持著這種想法，所以我離開前回答他說：「我也是從以前就抱持著同樣的理念，所以不只協助，我會盡心盡力去做！」在此之後他又找我過去好幾次，仔細聆聽我們的意見。上海的日本僑民能夠平安地遣返回日本，我認為是他的功勞。

遣返剛開始的時候，美軍和中國軍的上校階級、參謀長階級的人士來視察，規定只能攜帶40公斤左右的隨身物品。這個裁決送到湯恩伯那裡，他用筆加上：「五天內所需糧食和寢具不在此限。」如此一來，每人正好可以攜帶100公斤左右的行李回去，當時的居留民眾都感到非常高興。湯恩伯將軍到台灣之後也曾四度訪問日本。那時我們雖然非常貧窮，但只要他來訪問，我們都會籌錢歡迎。

他最後一次是為了接受胃潰瘍手術而來。聽說那時蔣主席要他：「去美國開刀！」可是湯恩伯將軍說：「我喜歡日本，所以要去日本開刀。」於是住進慶應醫院。然後就在那裡病逝了。他是戰爭結束之際，對日本抱持同情態度的人。之後到共產中國也是一樣。中國人對我們日本人都很親切。我曾經在某處有寫到，我覺得中國人對日本的想法都是如出一轍。

阪谷：湯恩伯將軍會被命為上海地區的接收司令，聽說是蔣主席特別指名湯恩伯要他駐紮的。這也是經過了某種程度的篩選嗎？

岡崎：是有聽說過這種說法。先前也有提過，忠義軍等開始掠奪上海，所以為了將來的中日關係，才會緊急任命廉潔的湯恩伯將軍。因此，湯恩伯將軍首度駐紮上海。但是待久了，就算他的軍隊也還是發生問題，所以過一陣子便把軍隊移到無錫去了。

戴：湯恩伯將軍最後在慶應醫院住院時，岡崎先生有去看過他嗎？

岡崎：有的。他來日本的時候，我還去機場接他。接著他住進醫院之後，日本人不只是去探望他，而且還去拜託各種事情。這樣下去他的病永遠都不會好，所以我們認識的人之間還討論過盡量不要去打擾他。話雖如此，但是連一次都沒去探病又未免太失禮，所以我就打算只到醫院的玄關就回去。湯將軍身邊跟著一位海南島出生、曾就讀日本陸軍士官學校的龍佐良大佐（後為少將）。他和我是撤退前的舊識，所以我先去找他，問問湯將軍的現況，上校說：「訪客太多實在困擾。」他很擔心：「客人一來都待很久，而湯恩伯將軍又是只要客人來訪就一定要從病牀起身。」我本來打算不去見面就這麼回去的。但是湯恩伯將軍交代過：「如果岡崎先生來的話，我想與他見個面。」所以上校要我：「見一下面吧！」進了病房，湯將軍果然就起身坐好。就是因為一直這樣重複，最後才會去世吧！

戴：您與湯將軍最後一次見面交談時，他還算非常正常嗎？

岡崎：嗯，我也擔心他的身體，知道不可以聊太久，所以簡短地說：「你看起來身體還不錯，應該很快就能出院。等你出院後我們再好好聊吧！」就告退了。連三分鐘都不到……。

松本：他得的是什麼病？

岡崎：胃潰瘍。

松本：也可能是癌症。

戴：那時很熱吧？8月左右嗎？

岡崎：他是昭和29年6月29日去世的。7月3日在青山齋場舉行告別式，那時的天氣還很熱。他死後台灣方面來了指示，要把遺體直接移回台灣，因此必須注射很多藥物。我全程都守候在他身邊。

戴：還有聽說另一個有趣的說法。松本先生剛剛說湯將軍可能是癌症，可是台灣方面傾向認為是心因性胃潰瘍。這是怎麼一回事呢？因福建事件而出名的陳儀，以戰後台灣第一位行政長官的身分被派到台灣，結果1947年台灣發生二二八事件的暴動。事後陳儀被調回中國，出任浙江省主席。陳儀的夫人聽說是個很不錯的日本人。聽說陳儀把湯恩伯視為親弟弟一樣照顧。然而，陳儀任浙江省主席時，面臨中國共產黨軍會不會渡過揚子江的緊急事態。當時上海鄰近周邊的總司令官是湯恩伯。中共軍的特使前來進行不流血和平解放的遊說工作，陳儀打算配合，但是握有軍權的是湯恩伯，所以和湯恩伯商量。可是不知道是出了什麼事，湯恩伯向蔣介石報告此事。當時湯恩伯開出條件說：「只希望不要判處陳儀死刑。」於是陳儀就被捉起來，最後還是被帶到台灣槍決。其實真正的理由是，當時國民黨政權的中央政府流亡到台灣來，有必要安撫台灣的民心，因此必須讓陳儀擔負二二八事件的最終責任，以確保台灣的治安穩定。台灣人好像認為陳儀是被當成代罪羔羊槍斃的。處決陳儀之後，國民黨政府為了構築防止中共入台的防波堤，下一步就是進行農地改革。從湯恩伯的角度來看，陳儀的死刑違背當初他和蔣的約定。湯恩伯不滿的是，他認為蔣介石好歹是國民黨的主席，所以才撇開私情，告知陳儀想和中共進行和平解決的計畫方向。可是另一方面，陳儀私下就像大哥般，對自己照顧有加，所以拜託蔣不要殺陳儀。結果不但判處死刑，還叫湯恩伯來當死刑見證人。湯恩伯因此在精神上受到極大的打擊，之後才會生病。這是在台灣政府高層內部流傳的祕密。

因此他才不去美國而選擇日本。台灣內部的當權人士都說，可能是因為他一直抱持著從陳儀和陳儀夫人身邊得來的對日本的情感。

其實我從某位國民黨高官處聽到這個傳言時，也是嚇了一跳。不過究竟可信度如何就不得而知了。

岡崎：陳儀和湯恩伯之間的關係，我當時也曾聽說。陳儀也讀過日本的士官學校，畢業於陸軍大學。聽說陳儀還在日本時有一次去橫濱南京街吃中華料理，店裡有個非常英挺的男服務生，陳儀就問他：「你是這裡的服務生？是為了什麼才來日本的？」男服務生回答：「我想在這裡存點錢，進日本陸軍士官學校讀書。」陳儀就說：「這樣啊！那我幫你出錢，趕快去讀吧！」湯恩伯應該感受到陳儀對他的恩情吧！

戴：而陳儀夫人後來似乎經由香港返回日本。她好像沒有子嗣。夫人後來住在哪裡過得怎樣？如果還活著的話應該年過80了吧！如果她還健在，真希望聽聽看她怎麼說。

松本：陳儀是福建出身的嗎？

戴：不，他應該是浙江人（生於浙江省紹興縣）。他屬於政學系，所以和蔣介石的權力核心還是有點距離。政學系屬於實務開明官僚的體系。

松本：為什麼會派陳儀去台灣？

戴：那是因為與上回提到的福建事件有關。福建人民政府的時代，陳儀被派去主持福建省政。他在福建時一面打壓共產黨和反蔣勢力人馬，一面又對不滿分子採取懷柔政策，以進行福建治政。福建和台灣又有密切的關係，這時大家所熟知的郁達夫被邀來福建，而邀郁達夫來的就是陳儀，因為郁達夫出身東大經濟。陳儀為了福建政治而來台灣視察。簡單來說，他是想把台灣的鴉片政策等後藤新平的政策帶進福建。因為有這樣的來龍去脈，所以陳儀的執政團隊中設有台灣研究的工作小組，以資福建治政。就是此一關聯，才會讓陳儀進駐台灣。

松本：我記得陳儀在蔣介石成為委員長時，也擔任過閣僚（軍政部次長）。

戴：那是陳誠。

松本：陳誠是軍政部長吧！但是陳儀好像也擔任什麼職位。

戴：是在重慶的時候嗎？

松本：不是，更早之前，昭和10年左右。

戴：這邊我會再查看看。這樣應該會牽扯到李擇一吧？

松本：我不太喜歡李擇一。

阪谷：因為這次的談話內容實在太有趣了，所以沒辦法提到「講和條約」的事，下回希望能夠進入到與新中國的關係，或是伊藤先生的中國研究所、日中友好協會等話題。謝謝各位。

第七章　尋求與新中國的友好

LT貿易之推進——對中輸出整廠設備

阪谷：今天打算討論戰爭結束後的話題，在此我準備了戰後至《舊金山和約》簽訂之間簡單的年表，以及三位先生戰後的個人史，敬請參考。

我所說的戰後時期，是指日本在聯合國部隊占領之下的時期，而松本先生素來與吉田首相情誼深厚，身為知美派，與占領國的美方也多所接觸，我想松本先生在對美關係上一定下了許多苦心。而日本在戰後此種特殊的政治過程中，對於中國，特別是對於毛澤東時代的新中國，如何定位？這是我們最為關注的議題，希望能請教您在這方面的苦心之談。

另一方面，伊藤先生於戰後不久即參與設立中國研究所，進而日中友好協會成立後，也一直以理事長的身分活躍於日中之間，積極推動日本和新中國的友好合作。而岡崎先生更是費盡苦心，為了推動LT貿易而四處奔波。三位先生的種種辛勞，顯然最後都對日中邦交之恢復貢獻了力量。值得注意的是，三位先生各自走在三種不同的道路上，但是目的同樣的都在恢復日中邦交。

針對於此，想要請教各位「珍藏」的經驗談。

不過因為今天岡崎先生的時間有限，所以雖然時間順序上會有些不按照次序，但還是先請岡崎先生發言，讓我們分享從一開始以高碕達之助團長為中心所組成的訪中團（1962年），一直到推動LT貿易之間的種種勞苦。

岡崎：我在念一高的時候，我的班上也有中國留學生。之前提過好多次的龔德柏，我到後來才知道他是當時東京學生抗日派的首領。在我們同窗期間，我渾然不知此事。當時日本學生不太和他們中國留學生說話，我倒是常常和他聊天，他告訴我對於祖國現狀的種種不平、不滿，或許應該說是憤慨。因此我才能夠知道許多從中國內部看到的中國內情，以及在日本發行的報章、雜誌或其他書籍中完全看不到的事情。

當時正值日本成功逼迫中國簽署《二十一條要求》之際，我因而產生疑問，懷疑如此苛待中國，對於日本是否為長久之計？為了長遠的將來，我認為日本反倒應該要與中國攜手，幫助亞洲中成為殖民地的國家獨立，復興文化、振興產業，使其脫離貧困才行。所以斷不可與中國相爭，必須要友好。日本唯有在周遭國家的繁盛之中，才能贏取長遠的和平與繁榮。若依照當時的作法繼續下去，將來日本必遭苦頭。或許是因為我喜愛歷史的緣故吧！放眼歷史上稱霸的國家，無一不滅，沒有可以二度崛起、再度成為霸者的國家。倘若日本也走上這條道路，實在是對不起後代子孫。我抱持這樣的想法，開始提倡日中友好論。只可惜事與願違，日本在後來還是持續攻打中國。太平洋戰爭因為日本敗北而宣告結束時，雖然戰敗，我卻沒有流下眼淚，也不感到憤慨，更不覺得惋惜。當時我人在上海，所以之前多少就預感會敗北，剛好8月15日那天，我一個交情不錯的中國朋友特地來找我，滿臉欣喜地對我說：「岡崎先生，這樣一來日本和中國之間的關係就會變好囉！」我從以前就主張必須和中國友好相處，對方這麼說我也是真心贊同。我並非因為日本戰敗而喜，而是因為從交戰國那方聽到如此肯定的言論而感到高興。

這件事就到此告一段落，然而四年後就變成中國共產黨的天下了。其實在中國共產黨長征之前，有一位前輩就建議我：「要好好研究中國共產黨，今後必然會日漸壯大的。」告訴我這件事的人，就是天羽英二先生，當時他自蘇聯大使館一等書記官轉任外務省情報部長，我和他剛好一起坐船回日本。自此我就多少開始注意中國共產黨的發展，但老實說對於共產政治我只知道蘇聯共產主義而已，只感到黑暗的一面，因此對於日中和平友好的將來多少感到絕望落寞。這麼一想，若是日本和共產主義有所齟齬的話該如何是好？所以我決定重新研究共產主義下的中國，因為若是有握手交好的可能，那麼何樂而不為？基於這種想法，我約從1957年開始便陸續蒐集各種資料進行研究，如此一來覺得似乎前景有望，便開始思考如何接近的方法，那時正好結識了風見章先生。風見章先生如是建議：「為了斡旋沒有邦交的共產國家和資本主義國家，或是說自由主義國家之間的貿易，蘇聯在莫斯科設立國際貿易促進委員會，居中調解各國的貿易，所以日本也可以設立一個類似的機構。」我也與伊藤先生商量，召集幾個人一起發起，終於成立了國際貿易促進協會。首任會長由村田省藏先生擔任，村田先生去世後誰來繼任成了問題，我也被推舉為人選之一。後來由大阪市長與東京的藤山愛一郎先生等人討論決定的，大致推薦我為繼任者，可是曾任大東亞次長的……

阪谷：山本熊一先生？

岡崎：沒錯，山本熊一先生來拜訪我說：「你還有別的工作可以做，我沒有工作，所以這個機會就讓給我吧！」我回答：「沒關係，我也不能兼任二、三個工作，正感到困擾呢！」就讓給他擔任會長了。但是不知道怎麼回事，山本先生後來把方向導向反體制運動，也就是透過攻擊政府、外務省來增強國際貿易促進協會的力量，也拉進工會組織等，猛烈抨擊政府。我覺得這種作法是反其道而行，重要的應該是拉攏政府成為我們的助力才對，如此我實在無法繼續共事，便辭職了。正當我思考自己還有什麼辦法可行之際，就遇見了松村謙三先生。當時我是去為龜山孝一君助選，等待上場前，休息室內只剩我和松村先生兩人，我和他談起中日問題，他大感興趣地表示：「我對此也相當憂心，回東京後再好好談吧！」於是回到東京以後多方商量。談到日中關係、日中邦交問題時，無論如何一定要會晤中國的要人，但是依目前國際貿易促進協會的作法，是無法與高層人士接觸的，所以松村先生對我說：「岡崎先生，拜託你想想有什麼好方法吧！」對方（中國）是計畫經濟，然而日本是資本主義國家，國際貿易促進協會聚集的只有商社，所以一切買賣都是現貨交易，日本假設今年買進明年卻不買了，或是今年大賣明年卻大賠的話，就做不成生意了。因此我們的提案要強調善用對方計畫經濟的特性，日本也必須計畫性地來從事商業行為，提交給池田內閣。大約是6月底或7月初。

松本：是1961年（昭和36年）嗎？

岡崎：1962年。然後7月初時黑金（泰美）官房長官來電說此提案：「池田（勇人）總理也大致表示肯定，擇日再正式答覆。」我心中石頭終於落下。然而，問題是此一提案沒有先讓松村先生看過。沒讓他看的理由是我們無論如何都想要賣給中國整廠的生產設備。如果賣出整廠設備，雖然建設工期長達兩到三年，但此期間日本的技師或工程人員只要認真踏實地工作，中國方面或許也能感受到：「還以為日本人全都是壞人，或許事實並非如此。」如此一來，戰爭期間對日本人所產生的不信任感可能漸漸消失，這將成為兩國國交很大的基礎，所以才有賣出整廠設備的構想。

當時出口整廠設備是沒有問題的，我曾在報紙上讀過一則消息，通產省大臣佐藤榮作先生表示：「只要有第三國的保證，即許可出口整廠設備。」我想那應該是支付保證的問題，然而所謂第三國的保證，當時西方的自由國家中，與中國締結邦交的大國也獨有英國而已。蘇聯和中國雖然原就有邦交，但是日本人不可能拜託蘇聯，而英國又是日本的貿易競爭敵手，想必不會允諾保證，因此沒有合適的國家可以請託。可是，如果沒有第三國的保證，政府就不會許可，那樣就麻煩了，於是便想到可以請人做擔保。當初提出的計畫是日本方面請松村先生，中國方面請廖承志先生擔任支付保證人，因此如果先把這份提案送給松村先生過目的話，可能會遭到反對，所以沒有事先知會。

由是，8月14、15日左右（昭和38年7月18日，第二次池田內閣改組，官房長官由大平正芳改任黑金泰美，通產大臣由佐藤榮作改為福田一）松村先生特地前來詢問：「岡崎先生，有什麼腹案出來了嗎？」我回答：「其實我7月初已經向池田內閣提案，而官房長官答覆說大致上無異議。」他說：「這樣啊！那實在太好了。」我說：「不過，其實有件事情一定要告知您才行。」接下來便提及方才的保證相關問題，中途他打斷我說：「岡崎先生，請等一下。」我回答：「我話還沒說完。」他卻再次強調：「不，請等一下。」

松村先生如此向我說：「正如岡崎先生所知，我從政已有50年了。但是，在此一期間我從未與營利之事有過任何關係，你卻打算把我牽扯進營利事務，究竟是怎麼一回事？我無法接受。」我說服他：「絕不是要把你扯入營利之中，而是因為出口整廠設備是日中邦交正常化的必要關鍵。」可是他說：「這事與那事是兩回事，恕我拒絕。」終究無法達成共識。

後來官房長官正式允諾此案，剛好那陣子松村先生計畫要前往中國，等OK的電報一來，就決定要去了。他打電話來問我：「岡崎先生，那個貿易案後來進展得怎麼樣？」我回答：「其實照之前的條件，已經獲得池田總理的首肯了。」他說：「這樣啊！那麼給我案文吧！我去中國時帶過去。」結果就這樣跨過一道大難關。松村先生於9月中旬訪中，接受周總理熱情的款待，雖然兩國的政治體制迥異，但是雙方協定透過經貿累積的方式逐步促進邦交正常化。松村先生表示他本身無法從事實務協定，所以會派高碕或岡崎前來再行協定，於是10月中以高碕先生為團長，總數四十人左右的團隊浩浩蕩蕩地訪問中國。高碕先生是個相當豁達的人，所以非常適任。而周總理表示：「這個貿易協定一方的負責人是我，但因為我公務繁忙，所以請廖承志代理，若有任何問題請告知廖承志。」松村先生所殷盼的與中國有力幹部協商的管道終於成形。（《中日長期綜合貿易備忘錄》由廖（L）、高碕（T）兩人簽署而成，開始所謂「LT貿易」。）

我個人相當樂見將此事視同政治問題看待。而且日本方面的各公司行號都不單只是重視本身收益，而是以政治觀念運作，之後高碕先生亡故，由我繼承其後。然而這個五年協定剛走過第一個五年之後，日本換成佐藤內閣，其對中態度非常惡劣，中國方面一度打算終止協定，因此松村先生與我們為了防止協定終止而做各種努力，終於中國方面也讓步，答應讓少數人前往會談，於是1967年1月以古井喜實議員為團長出發拜會。

那時候「政經分離」還是「政經不可分」的問題浮出檯面，爭執很大，因此由中國方面明訂：「今後每年皆重新改訂，且先討論政治問題，取得共識後再論經濟問題。」所以後來兩次古井先生擔任團長前往時，都因為政治論題糾紛過多，無法多談經濟議題而感覺很難做下去，於是第三屆開始又由我擔任團長。如此進行之中，也一邊談恢復日中邦交事宜。綜觀下來，日本方面的主角是松村先生和高碕先生——雖然高碕先生的時間較短——松村先生斷然堅守必須恢復日中兩國邦交的立場，如有必要，會先將其他的小問題暫時按下。關於此點，周總理似乎也抱持相同看法。

因此，回復邦交的道路，可以說是在松村謙三、村田省藏、淺沼稻次郎等人努力之下才首度開啟的。1972年邦交正常化即將實現之前，在招待當時少數於北京的備忘錄貿易協定相關人士的宴會上，周總理說出：「飲水不忘掘井人。」

古井議員擔任團長前往當時，引發議論最久的議題是中國方面提議：「廢除《美日安保條約》！日本又回歸軍國主義。」

松本：哪一年發生的？

岡崎：應該是1969年。那年有一位作家切腹自殺。

阪谷：三島由紀夫。

岡崎：就是那個時候。因為常聽說佐藤總理的夫人嗜讀三島的作品，而佐藤總理也算是三島派，所以就說他是軍國主義。

而古井先生也是相當雄辯之人，總是從正面硬碰硬，使得議論難以達成共識。我當時在會談之外也曾對中國方面說過：「我認為《美日安保條約》對中國將來也有必要。為了保持亞洲的安全，如果沒有這個條約就很難與蘇聯對抗吧！」這句話似乎多少起了作用，我想我煞費苦心的就只有這一部分。還是以松村先生為中心，讓中國方面得以清楚地了解日方的想法，這點松村先生居功甚大，我只是從旁協助準備而已。中心人物是松村先生，然後是高碕先生，還有竹山祐太郎、古井喜實先生也出力良多。

伊藤：我想要說明一下國際貿易促進協會為何開始出現反體制動向。林廣吉曾經讓我看過蘇聯方面發給風見先生的電報，得知日本的國際貿易促進協會成立之際，是受莫斯科的國際貿易促進委員會點頭認可的。因為是在這種情形下成立，所以該會最初就具有反體制的傾向，特別是到山本熊一君的時代為止都是如此。

而針對現在說到的日本軍國主義的問題，《人民日報》上刊載過有一篇論說〈東山再起〉。我想這是在廖承志第二次訪日之時，比現在岡崎先生所說的時間稍微再早一些，就已經出現日本軍國主義的論調了。這並沒有持續很久。那篇論說出現以後，大概有一年期間中國的想法都傾向那樣，也使兩國的會談停滯不前。而日本共產黨也大致取得領導權，必須取得日本共產黨的許可才能前往中國。我認為這點和「東山再起」的論調是合在一起的。

戴：總而言之，就是檢視日本軍國主義有無復甦的言論。

方才聽了岡崎先生的一席話，我覺得您一定以某種正面的趨勢做了整理的。

就我的記憶，也認為從外部看來，池田內閣對於中國感覺頗為積極正面。過程經歷了「周鴻慶事件」，接下來發生昭和39年初的《吉田書簡》問題。我認為這些所謂的「逆流」，應該是體制內保守派針對松村先生及岡崎先生的親中走向，想要力挽狂濤所做的種種努力。在這個時機點上發生了周鴻慶事件，又牽涉到《吉田書簡》，而這個《吉田書簡》對親中走向一直有實質的制止作用。與《吉田書簡》有關的台幣借款，是由當時任職輸銀的阪谷先生負責，不過想先請教岡崎先生，關於這一方面有沒有什麼插曲？

岡崎：最初（1962年秋天）前往中國時，日本商社已經先去搞整廠設備出口一事，是維尼龍的整廠生產設備。我們在中國的時候，大日本紡織、現在的尤尼吉可（Unitika）和可樂麗（Kuraray）也都來了。中國本身的衣料品不足，所以打算從中擇一進口，尤尼吉可的日產量為50噸，可樂麗是30噸。中國方面向我們表示，雖然想要引進維尼龍的生產設備，但是資金方面不足，所以決定先選擇規模較小的，因此希望引進可樂麗的設備，請我們從中斡旋。但是要出國時，通產省已告訴我們——其他要做什麼都可以，唯獨不能出口整廠設備。我不知道其中有何隱情，但是無論如何都不能接受通產省的指示。因為基於前述種種理由，我是贊成出口整廠設備的。

後來終於針對此議題進行交涉，竹山先生和我去見高碕先生對他說：「此事無論如何希望能達成，務請您下定決心！」高碕先生也爽快回答：「好！」推薦了可樂麗。然而，回到日本之後，卻有某一個人反對說：「不，岡崎君你不能這樣做！」因為日本和台灣雙方商討的意見是，台灣雖然不反對日本和中國有貿易往來，卻要求不能使用政府資金，日本政府也允諾了。但是整廠設備的輸出若不使用輸銀（輸出入銀行），利息就會偏高。於是向池田總理呈報此一困擾，本以為總理會勃然大怒，沒想到卻沒有，指示說：「金融的問題有些卡住，請岡崎先生研究一下不必透過輸銀的方法，我也會命令大藏省想辦法。改天再見面商討吧！」算是露出一線曙光。於是我前往日本銀行想調查看看有沒有合適的出口金融制度，發現期限六個月內的話可以用四分利貸款，可是協定的時間長達五年，這樣也是行不通。

另外還有一點就是，美國有可能反對此事，所以詢問當時的美國公使——記得叫加德納（Gardner），他表示：「美國不反對，但是長期不行，五年左右是可以的。」因此我得知反對的不是美國，是和台灣之間的協議。

到了和總理約定見面的那天，我大歎：「實在束手無策！」總理也說：「我這邊也是沒有對策。」，我回答：「若是沒有就只能放棄。」總理卻說：「不，先別放棄，我這陣子會做出決定，再等一下。」那時是1月左右。等到8月，池田總理終於許可讓可樂麗對中國輸出維尼龍的整廠生產設備。

松本：1963年？

岡崎：是1963年沒錯，那一年通過的。

松本：當時福田一是通產大臣。

岡崎：通產省那邊完全不吭聲，但是政府礙於台灣方面的抗議，所以1964年4月2日派遣吉田先生到台灣，因而出現所謂的《吉田書簡》。我向池田總理詢問此事，他回答：「那是說今年不讓你們使用政府資金，可是明年過後就可考慮不同作法，所以岡崎君，請你不用顧慮直接轉告業者。」不過，就如同諸位所知，不是很順利。

然後1964年的夏天，台灣派張群前來向日本政府抗議，說這次已經做了所以沒辦法，但是下不為例。此時剛好池田總理生病住院，11月9日由佐藤擔任總理，外務大臣也改成椎名悅三郎。中國對於《吉田書簡》的反擊變得非常強烈，1964年的年底進行的備忘錄貿易交涉中，中國甚至表示若不正式廢止《吉田書簡》聲明，就要中止備忘錄貿易，此問題後來就轉到佐藤先生身上——因為佐藤11月就任總理。中國也向椎名先生前任的外務大臣大平先生提出抗議，大平先生之前未曾涉及此事，算是第一次碰到的問題，所以顯得不太積極。不過佐藤先生的祕書官來電表示總理希望與我見面——那是12月的12、13日前後。因為公務繁忙所以要我一早就過去，於是我7點半左右就抵達總理位於下北澤的寓所。我和佐藤先生從他擔任鐵道省事務官時就認識了，他說：「我擔任總理期間，一定會解決中國問題，請你鼎力相助。」我感到非常欣慰，認為將能順利推動。那時，社會黨的議員質問橋本登美三郎官房長官說：「《吉田書簡》要如何處理？」橋本回答：「與《吉田書簡》無關。」這件事還見報了。正當我以為一切會順利進行，但隔年重開的國會上又有人質詢：「橋本官房長官表示與《吉田書簡》無關，請問總理如何處理？」結果佐藤總理卻回答：「我與無關的事無關。」於是事情又回到原點。

可是當時日立造船已經接下船的訂單，而大日本紡織也已簽訂以5月31日為期限的合約，所以實在是燃眉之急，我多次前去拜會佐藤總理，每次都被直接請進總理辦公室，在官房長官等任何人都不在場的情況下兩人單獨會談，然而總理既不明說「不」只是說「要等時機」，完全不給承諾，所以我就去拜託田中（角榮）通產大臣。

本來輸銀體制的原案是山際正道做成的，所以我先請教了山際先生，他說：「輸銀已經不受政府的干預。儘管輸銀的幹部在理事會上反對，他們雖然也有按照政府方針行事的時候，卻並非聽命政府行事，所以岡崎先生可以不用擔心。」我向田中先生提及此事，請他交給輸銀負責。我說因為輸銀若是出錯，政府可以給予指導，但是現在政府不能指示他們拒絕或是該怎麼做。田中先生回答：「好！知道了！」便在國會的商工部會上照辦了，這次報上也再次刊登：「此事決定交由輸銀負責。」我正想著樂見其成，沒想到1965年3月31日說要決定四部會的政府見解，結果又被否定了。

這樣下去實在不是辦法，我記得4月7日那天，我又前去拜會佐藤總理，他說：「我並沒有說不能用輸銀，只是不得不考慮時機。」那時日立造船的訂單已經逾期作廢了，但是尤尼吉可的合約期限是5月31日，所以還來得及。中國之所以購買維尼龍的生產設備，是因為衣料不足，必須快點讓國民有衣服穿。我知道中國是基於民生考量，自然是希望此事能夠順利進行，所以請求：「只要5月31日前給我肯定的答覆就可以解決。」佐藤總理卻回答：「要是過了期限就於事無補了。」於是我知道已經多說無益，只好放棄了。最後中國方面發出通告廢棄和日立造船的貨輪進口合約，以及和大日本紡織的維尼龍生產設備進口合約。

事情的經過就是如此，所以我一去中國就被斥責：「中日兩國之事，為何要與台灣商討？」

戴：我想到另外一件事，佐藤先生上任總理前不久，在晴海舉辦商品展覽會，我記得他那時非常積極地和南漢宸先生談話。照這樣看來，現在岡崎先生提到佐藤總理舉棋不定、反覆無常的這種具體的政界內情，我想佐藤先生不是一開始就反中國大陸，而是表面上以佐藤先生為主，實際上有一股與台灣當局合作阻擋日本藉由整廠設備過度深入中國大陸的力量。台灣受到冷落，這是無論如何都必須遏止的。就我的想像，我認為一方面有岸（信介）先生、賀屋（興宣）先生等反共一派和美國部分反共勢力結合演出的動作；另一方面，則有以岡崎先生為首，希望以整廠設備做為突破口，尋求中日關係正常化的動作。剛才談到可樂麗的整廠設備問題，剛好當時中國處於大躍進的階段，出現糧食問題，隨之而來的是衣料的缺乏，對此，大原總一郎先生、穗積五一先生、阿拉斯加紙漿（Alaska Pulp Corp.）的笹山先生也算是親善集團的一部分，都設法要雪中送炭，其中多少帶有戰爭贖罪意味，總之，表現出鄰人有困難時就必須伸出援手的意向。我本身曾經和大原先生談過這個事情。這些立足於高層次的動向，當時也同時存在。

這裡我有一事想請教岡崎先生，雖然歷史上談論假設是個禁忌，但我相信大家都曾經想過：假如池田總理多活個幾年，又會變成怎樣的局面呢？這一點您如何看待？

岡崎：我感覺假若當時池田總理仍在世的話，日中邦交一定能更早恢復。而且池田總理從不說喪氣的話，總是勸我們要往正面推進，有時見面的時候，就會對我說：「日中問題就拜託你了！」因為如此，所以我認為一定要讓中國方面多認識池田總理。當時沒想過講和會議時總理會親自出席談判，我們認為：「反正要派特命大使，那時派出池田先生的話，和談一定非常順利。」另外，松村先生和池田先生的交情也很好，因此我們才做了那樣的準備。所以若是池田先生能夠長壽一點，就有某種程度緩和國內反對勢力的力量，而且那樣的對中態度——與其說是對中態度，我認為不如說是對亞洲邦交的態度——也很好，應該能更快與中國締結邦交。

經過一段時間之後，有消息說蘇聯曾要求將澎湖列島的馬公做為蘇聯軍艦的停靠港，不過當時蔣介石拒絕了。我想確認此事真偽，就去問一位名叫德桑蒂斯（De Santis）的美國人（後來才知道他是季辛吉的手下，常常來找我詢問中國情勢），他說是真的。後來經由他的介紹，我也當面詢問過美國大使館的一等書記官，結果也說是真的。我想「真是幸好」後來到中國時，我們一行人也請教周總理同樣一件事，周總理當時的回覆委實妙哉，所以我經常向人提起這件事。他說：「那事就是蔣介石也會拒絕的。」實在是妙答！當他說這句話時，總覺得背後牽扯著無限多的政治解釋。所以那時蘇聯與台灣攜手合作恐怕是不可能的，該擔心的毋寧是現在才對！

日中友好協會與「反省聲明」

阪谷：從岡崎先生方才的談話中可以得知，一開始風見章先生示意說要建立國際貿易促進協會時，也曾經與伊藤先生商量過。因此現在稍將時光倒轉，請伊藤先生回顧您與戰後日中友好協會的成立有關聯的事情，我想在許多地方會和剛才岡崎先生的談話有所交叉。

伊藤：若是中國共產黨取得天下，日本理所當然應與之握手言和的趨勢，其實從一開始就有跡可尋。國民黨的時代比較看不出這些活動，不過等到中國共產黨統一中國的1949年，這邊自然就形成設立「日中友好協會」的動向。至於該推舉誰出馬做主，則是以風見章任會長、伊藤武雄任理事長為考量。中國的報紙沒有列出我的名字，不過已經報導了風見將出任會長的消息。然而，風見先生是近衛內閣的閣僚，所以表示：「這樣實在受不了，馬上是令人困窘的。」我也因為一直任職於滿鐵，卻尚未發表反省聲明，要在這個節骨眼上進行日中友好運動，未免良心不安，所以婉拒了。

於是會長的棒子轉交到松本治一郎先生手上，理事長的人選則呈現膠著狀態，很長一段時期呈現內山完造、伊藤武雄對立。當時有位叫劉明電的華僑時常來拜訪我說：「內山先生戰後在上海的行為舉止不太好，無論如何請你先出馬吧！」我認為內山先生在戰後的行為風評如何，不該現在拿來當問題，所以堅決推辭，最後還是由內山先生出任。結果內山先生連任兩期之後，第三期的理事長人選又落到我身上，當時逼不得已只好接棒，當了一期理事長。依照規章，幹部應每年輪替一次，所以不管好壞我總算任滿一年之後，打算把理事長的棒子交給下一位，卻始終沒有繼任人選。雖然地方上叫我繼任的呼聲很高，但我說：「我不幹！一定要我做的話，就讓我擔任事務局長吧！」因此我繼任事務局長，空出理事長的位子，結果那一期變成沒有理事長只有事務局長的一年。從而一般大眾開始稱呼我為事務總長。當時有個大事件就是「反省聲明」的發表，以風見先生為中心，石堂清倫、宮崎世民、日本新聞社（Japan Press Service）的佐藤重雄、細川嘉六等十人左右的關切實際日中問題的小團體，在某晚的懇談會中，我提議身為主張友好的我們，無論如何對於侵略都必須經過一次反省的階段才行。只是「因為和平了，讓我們握手言歡吧！」並不算真正下決心。我主張：「我們需要表明日本不會再次踏上帝國主義道路的決意。」然而席間除了石堂、細川等一兩人贊同之外，並沒有發展到「好！來做吧！」的全體共識。但是居於領導地位的風見大老那晚一直保持沉默，未發一語。

那陣子到台灣進行訪問的岸首相，發表談話支持蔣介石的反攻大陸政策，長崎也發生右派人士扯下中華人民共和國國旗的事件（昭和33年5月2日），在議會接受質詢的岸首相表示，未承認國家的國旗將不視為國旗，對這次「國旗侮辱」事件做出不當回應，於是中國便宣告斷絕日益興盛的「友好貿易」。

就算情勢發展至此，要宣揚「反省聲明」的重要性仍舊困難。可是唯獨風見大老隔天特地前來我參加的一個集會，向我表明決意說：「伊藤君，我們來實現昨晚你說的計畫吧！」連我都大感驚訝。因此上緊發條的反省運動獲得與我們兩人關係良好的日本新聞社同人的協助，進行寫宣誓內容、提倡者的糾集，以及友好團體的贊助工作。

畏懼賠償、追隨台灣腳步、反中國的自民黨自不待言，而友好人士之間可能也有一種羞怯心理吧？覺得好像事到如今還故作姿態發表聲明很奇怪，所以我和風見先生的反省連署勸說，並無法取得南原（繁）、有田（八郎）、高野（實）和穗積五一等諸位一流中日友好人士的認同。不過細川嘉六與中島健藏兩位則是非常率直的認同，結果連署人變為四名，號召人則有大山柳子、平塚雷鳥、丸木俊子、河崎夏、羽仁說子五位。婦女較為反戰、率直。反觀就連自命為日中友好使徒的許多先進，因為中國方面積極的伸出友好的手、對促進貿易、漁業協定等的認可而習以為常，雖情勢還停留在交戰狀態，卻一副連終戰宣言都未曾發表過也不在乎的態度訪中，甘於受款待，錯以為能夠就這樣轉移至講和狀態，被指摘為：「一手拿著匕首，一手端著貿易利益。」我發覺仍未完全脫離過去傲慢蔑視的姿態。

在此節錄部分「反省聲明」如下：

最近，中國6億人民對我國所做出的警告，除了打開日中關係僵局之外，對於民族的將來也有相當重大的含意……。

我們絕不會忘記過去的侵略戰爭帶給中國人民莫大的苦痛，對此人道上的責任若未能深刻反省，則日本民族不可能會有將來的發展……。

現在這個時代，唯有團結於道義之上，集中獨立自主的努力，爲達成與其他民族的和平同權而奮鬥的民族，才能博取世界的尊敬，並且獲得繁榮與發展。這些民族本著所謂萬隆會議精神，逐漸構築出相互之間的新關係。

我國政府卻在此時追隨美國力量的政策，加深與台灣、韓國等地的關係，破壞亞洲的團結，向著成爲戰爭危機根源的道路前進。

只要繼續朝此路線前行，不僅有引發戰爭之虞，對於民族的將來，在道德、政治、經濟上都是莫大的隱憂。

這份反省聲明當中，也有一半是自我批判的意識：

另一方面不可否認的，包括我們在內，民間的態度也有需要深自反省之處。雖然釋出友好的善意及一些的成果，卻無法否定其中有依偎著中國的好意與積極的態度，疏於努力深入改造民

> 族道德與政治，而想要順勢搭上新世界風潮的傾向……。

> 用武力欺壓其他民族想要獲取利益，或是放棄自我改造想靠狡猾手段搭新時勢的順風車，無異於癡心妄想。從深刻的反省中重振起來才是比什麼都重要的事。任何領域上的努力與活動都應貫徹這個基本信念，邁向一大團結，才有可能開展日中關係，民族的前途方能有希望地開展。」（伊藤武雄，《満鉄に生きて》，1964年）

以此作結，連署人為風見、細川、中島、伊藤四人，於1958年7月14日進行新聞發表。

日本的新聞界除了共同通信社之外，全都無視此舉，反倒中國方面的新華社從共同那邊得到消息，敏感地有了反應，《人民日報》也大幅刊登採訪新聞。這些消息又反過來輸入日本共產黨的《紅旗》，反映出當時日本的一般氛圍。至於中國方面，在那年10月的國慶日時，趁著以風見為團長，細川、伊藤為副團長的國交恢復國民會議訪中代表團受邀參加停留北京的期間，再次將此份「反省聲明」刊登在《人民日報》上，給予甚高評價，而1960年日中文化交流協會（中島健藏理事長）文學家訪中代表團與陳毅副總理會見時，對於團長龜井勝一郎的反省，陳毅表示：「龜井先生表示不能忘記日本軍國主義對中國的迫害，然而我們中國卻想要忘記那段記憶。這真是一段嘉話，可是要是顛倒過來的話，就變成一場悲劇了。」這段談話相當有名。時光流逝，等到1972年，田中角榮總理面對日本戰敗以來懸而未決的課題，在北京勇敢地簽署了日中正常化的共同聲明，表示：「長久以來對中國造成麻煩了！」將反省的心意述之蕪辭。之後又經過六年，才簽署日中和平友好的講和條約（無賠償金，反霸權友好）。在無條件投降的三十多年後，就以為藉此表現出真實的反省。順便一提，去年發生的「教科書問題」則明顯暴露出反省誠意不徹底的實情，讓人痛切感受到深入挖掘歷史問題的迫切性。

戴：劉明電先生當初是那樣發言的？

伊藤：中研、日中貿易促進會、日中友好協會的評議員中各有幾位華僑。要之，華僑是早期日中友好運動的催生者。

戴：當時那麼有力量？

伊藤：沒錯。有甘文芳（華僑民主促進會）、謝南光（以貿易商身分）、于恩洋（留日華僑總會）、劉啟盛（同前）、林炳淞（同前）等人。

戴：也就是說，劉明電是以華僑的民主某某同盟為後盾而發言的？

伊藤：關於這方面我不是很清楚，不過他常常向我提到莫斯科的列寧研究所的事。總之劉明電君是當時最有力的發言人，好像也擔任中研的理事。當時若不與華僑商討，是無法進行日中友好運動的。

戴：原來有這樣的時期。

伊藤：對，有。

戴：後來，劉明電先生就幾乎都沒有發言了。

伊藤：是因為最後廖承志先生下令不許華僑插手日本的運動。

戴：被譴責？

伊藤：不知道是被譴責還是怎樣，總之對華僑全體下達了這樣的指令，所以後來華僑就退出日中團體。

阪谷：剛才的談話中提到長崎的國旗事件，似乎和先前岡崎先生提到的輸銀融資問題有一點關聯。其實我在昭和32年4月從日銀轉調輸銀，任職調查相關業務。那時剛好是石橋內閣總辭後不久，向中國出口整廠設備的話題還很熱鬧。我記得我還跑到大阪，負責鉅細靡遺地調查若是輸銀貸款給對中整廠設備的出口，將會產生什麼問題。可是三個月就垮台的石橋內閣之後成立岸內閣，在其領導之下，以長崎國旗事件為契機，潮流瞬間轉向徹底相反的方向，我有如此的印象。所以當時我在輸銀所進行的對中出口整廠設備的貸款事宜，只好暫時束之高閣，幾年之後，岡崎先生所講的維尼龍生產設備的出口問題浮出檯面，我才想起以前的調查資料都放在桌子的角落布滿灰塵了。剛才有人提及池田總理的事，但是我也常會想，在此之前若是石橋內閣沒有那麼快解散——雖然這個也是觸了禁忌的歷史上的假定——就好了。對此岡崎先生的看法是？

岡崎：我完全同意，石橋先生也相當關心中國問題，當初我們看著他抱病前往中國。我從很久以前就認識石橋先生，他是一位非常積極的人。如果他能夠長壽一點，就能和松村先生聯手，更早地去著手進行各種相關事務。

戴：但是這個地方不把美國的因素放進來一起考量是不行的。當時的情況和現在完全不同，從日本經濟全盤的力量來看也是。

這一點，我認為石橋內閣，然後是岸內閣到池田內閣這段歷程的前期因素，譬如吉田內閣時期的單獨講和，或是全面和談的議論也都要考慮進去，置於歷史的脈絡中思考。其次，吉田內閣也相當關注中國大陸的問題，巧妙避開當時美國施加的壓力，同時也善加活用，最後決定與台灣和談。但是吉田先生的作為不容忽視，其中一件就是我們現在持有的外國人登錄證上國籍記載欄的相關規定，那實在是漂亮的一招。

之所以這樣說，是因為我們的國籍欄記載規定很單純，只有「中國」兩字而已。從台灣來的人，例如國民黨的支持者寫「中華民國」，或是從事台灣獨立運動的人擅自填「台灣共和國」，都會被法務省刪掉。當然從北京來的人可能會想寫「中華人民共和國」，或者像劉明電先生一樣明確支持北京的台灣人也會寫「中華人民共和國」，但是一樣會被刪掉。當時吉田先生在檯面下還是有他了不起的政治考量，因而做出這樣的措施。

這只是細節，其他有關吉田茂先生在這方面的動向和判斷等大局上，想請教松本先生。還有，在戰後新狀況中的亞洲整體情勢、日本民族的再生或謂戰後復興當中，您大致是如何定位中國大陸？又是以怎樣的構圖掌握包含日本在內的全體情勢？當然現實的政治又在另一個力學中展開，其中的關聯也想一併請教您。

《吉田書簡》

松本：我的想法是中日關係非常重要，只要中日關係順利，美日關係大概也會改善。剛才戴先生提到主張單獨和談的吉田先生，應該是認為部分像是左翼文化人士叫嚷的全面和談不太可能實現，所以只有盡力去解除所謂的占領時代，如此一來日本當然就能取得和多數國家的國際關係，這就是所謂的單獨和談論。這一點我想吉田先生是正確的。

只是之後就如同岡崎先生剛才所言，松村謙三先生於1962年9月訪中，我覺得這是最為重要的政治決策。而記得那年10月我偕同大約15位日本知識分子參加第一次達特茅斯會議（Dartmouth Conference），該會議主要是想盡力促進包括出口整廠生產設備一事的中日貿易而舉行的會議。那個時候杜勒斯前國務卿的影響力依舊很強，華盛頓當局對於北京情勢的意見是數年之後中共政權就將崩盤，但是日本方面則極力主張北京現在的政權不可能會在數年後垮台。當時一同前往的還有倉敷紡績的大原總一郎先生，他想要推動出口維尼龍整廠生產設備一事，而美國方面來的正式政府代表是羅斯托（W. W. Rostow）等人，所以大原先生向羅斯托徵詢意見，表示日本有意進行日中貿易，對方很明確地表示說，只要在COCOM〔譯註：對共產圈輸出統制委員會〕和CHINCOM〔譯註：對華出口管制委員會〕的範圍外，要如何進行都不是問題。大原因此下定決心，一回國就與通產省等處大行交涉，在隔年夏天（1963年8月）取得維尼龍整廠生產設備的出口許可，但是不久之後，剛才岡崎先生提到的《吉田書簡》就引起軒然大波。《吉田書簡》到底是誰寫的？目前仍是未解的問題。我想吉田訪台應該是因為池田總理的考量方向還是希望和北京的邦交正常化，所以才請吉田先生去安撫蔣介石。我那時心覺不妙，兩度拜訪吉田先生，請他只和蔣介石會面，一概不要觸及貿易事務等其他問題。吉田先生說：「我才不會那樣做。我只打算和蔣介石從大局上來討論目前和將來的問題。」我說：「好啊，請您照這樣考量行程。」他就將全部行程寫給我看，在三、四天當中大概預定與蔣介石單獨見面四次，沒有其他閒雜人等。

但是其中有一兩次，張群為了致意或其他目的而陪同出席，而且在此前後張群也數次和北澤君會面，我猜測他們談妥要保住台灣顏面。所以，雖然不知道《吉田書簡》究竟是北澤直吉君從日本帶過去的，或是張群託付的，但是幾乎可以確定《吉田書簡》是在那時出現的。我想這不是北澤君一個人的勾當，應該也有取得池田先生的一些諒解。

岡崎：池田先生和北澤兩人的意見相左，所以很難想像池田先生唯獨在那件事上……。北澤就不是了，我記得曾經在哪裡讀過，他說已經很長一段時間了。

松本：所以我對於北澤君這種胡搞的行為感到相當不悅，不過他已經過世了，所以不想多作批評。從一開始我就擔心吉田先生到了台灣會不會發生一些事情而被抓住不放，所以我也向東畑（精一）君提起這些事，請他拜託吉田先生不要涉及無聊的事務性問題，東畑君也頗為贊成地說：「我會去拜訪吉田老先生，請他幫忙。」本以為這樣就一切順利了，沒想到出現《吉田書簡》，真遺憾。

岡崎：有關《吉田書簡》的解釋，池田總理辭任後，出院返家我還特地去問他：「佐藤總理這樣解釋，可是你向我說的卻不是這樣。」「不，與我說的一樣。」「那麼就拜託你以前總理的身分去與佐藤總理談談。」「不，以前總理的身分去說不太妥當，還是透過第三者接洽比較好。」所以到最後池田先生都認為應該到1964年年底就能進行。

松本：這樣啊！不過，總之《吉田書簡》持續了五、六年左右。

伊藤：貿易問題。恕我從旁插話，日中貿易會如此發展，當初吉田先生及三井的佐藤喜一郎都沒有料到吧！

戰爭結束後，我在遣返者的海外同胞援護會（之後財團法人化）負責照料遣返者時，由於管理機關是外務省，所以我曾一度拜會外務大臣吉田先生。與他討論中日貿易時，他告訴我說：「你若是用老方法是行不通的！」

後來有一次，因為曾任三井銀行的總經理佐藤喜一郎先生也曾和我在上海待過，於是我說服他援助國際貿易促進委員會，可是他回答：「以前都是trend in，現在則要trend with，所以不好玩。」他所說的in和with到底要怎麼解釋才好？以前是trend in，現在變成trend with，所以不行，是否就是表示沒有治外法權或其他利益之意？雖然不甚明白，但他用這種說法來表示不贊成。

戴：我想是指相互互惠的貿易型態和單方傾銷的貿易型態兩者的不同吧！

聽了松本先生剛才的說明，我覺得相當有趣。首先岡崎先生因為《吉田書簡》的後續問題而感到相當困擾吧？當時我也還在東大，我們所見聞到的就正如您剛才所言部分。在那種情形下，蔣介石舉起了拳頭。他相當愛面子，所以當時的主張是幾乎要斷交。但是，我們當時是聽說池田先生反過來利用這個時機，趁著對方舉起拳頭，以此為理由順勢向北京靠攏。其間有許多相當激烈的變動。在那個階段，日本的部分人士與賴世和（E. O. Reischauer）大使非常慌張，認為這樣下去不得了，若是池田先生下決意的話就糟糕了，所以一開始是打算讓岸先生以代理首相的身分前去見蔣介石，竭盡禮節希望能讓蔣介石把拳頭放下。但是池田先生認為若是讓岸先生代理前往，就無法掌握不知會發生什麼事情，所以拒絕了。然後又有智囊建議，要是推出吉田先生，池田先生可能就無法拒絕，因此決定請吉田先生出馬。而松本先生、東畑先生等胸懷長遠計畫的人士看此情勢，覺得務必要請吉田先生僅止於發揮最小限度的任務，否則後患無窮，於是嘗試設下許多牽制機制。然而，實際上到最後階段卻不知道哪裡卡住而失效。事情經緯大致如此嗎？

松本：是的。

戴：萬分感謝，我終於看清一些當時的情況了。

松本：不過吉田先生倒是給蔣介石很高的評價，他見過其他各種人士，像是蘇卡諾等，但他斷然表示蔣介石是當中最了不起的。

戴：算是有骨氣。

松本：嗯。

戴：結果《吉田書簡》到底是從哪一條線、以何種方式出現的？直到現在依舊是現代史中未解的謎。

松本：對。但我想台灣方面的希望應該就是那樣。希望日本不要將政府資金提供給中國。

戴：相反的，台灣卻讓日本提供金援。

阪谷：其實我在輸銀一直負責日圓借貸事務，在對台貸款的實務面上有深入的涉及，但是我在處理此事時，感覺這日圓貸款的提供，在某種意義上與《吉田書簡》有關，都是對台灣的一種撫慰。請問岡崎先生，您是否也認為這個日圓貸款具有這層意義？

岡崎：或許有吧！佐藤先生當上總理時，我也與他談到《吉田書簡》問題，他說剛好當時台灣方面請求貸款大約3億美元，因此想趁這個機會一併解決。我不清楚是因為有那種內在關係，還是因為碰巧演變成那樣才說要這樣做，總之他如此發言過。

戴：談到對台金援的問題，我試著描繪當時的構圖，應該是美國對台灣的經濟援助也差不多到了要終止的時期，所以希望能夠順利讓日本接手。實際上不久之後，美國的確結束對台的經濟援助。台灣必須填補失去美國經濟援助後所造成的大洞，於是不得不轉向日本請求。而剛好日本也有部分在這種情況下利害關係一致的人士，因此《吉田書簡》的存在一直發揮其作用。

松本：1963年度實現維尼龍整廠生產設備出口時，美國的總統是甘迺迪。1963年6月5日，甘迺迪在美國大學發表著名的演說，而這份演說稿的執筆人就是諾曼・卡森斯（Norman Cousins）。幾個月後，我不記得是甘迺迪為了和蘇聯簽署部分禁止核試驗條約而到莫斯科去，還是對方的葛羅米柯（A. A. Gromyko）赴美簽署的，總之，就在1963年美國和蘇聯簽訂部分禁止核試驗條約。由於美國體制內的共和黨等對此紛紛抨擊說美國不能與共產黨合作，於是只好塑造出另一個壞人，從1963年開始宣傳「中國才是最大的敵人」。結果日本和中國關係日漸良好之際，美國和中國的關係卻非常惡化。這全都肇因於為了要通過並核准美國和蘇聯簽署部分禁止核試驗條約而進行的反宣傳。

戴：就是把中國當成代罪羔羊的反宣傳。

松本：沒錯，大致上1963到1965年都是如此，所以從1963年開始，中美關係才會如此惡化。

戴：另一方面也因為越南的問題。

松本：沒錯！

戴：當時的發言人是羅斯托？

松本：當時是甘迺迪政權，那應該就是羅斯托。

岡崎：說一個題外話，剛剛我提到大原先生出口整廠設備一事，其實是成功的。我有三次參訪當地維尼龍工廠的經驗，分別是初期、中期和末期。記得工廠成立之初我前往時，廠長曾經這麼說，到1960年為止都是蘇聯人——因為鼻子很大，所以叫他們大鼻——來這邊指導的，但是「大鼻非常任性、傲慢，吃的東西和宗教信仰也和我們不同，弄得非常不愉快。但如果是日本人來的話，除了語言之外幾乎沒有什麼不同，同樣用筷子吃飯，做事的步調也差不多，可以順利工作。所以將來要是日本願意出口的話，希望向日本購買整廠的設備」，這點實在很好。國際貿易促進協會的主任南漢宸先生採納這個意見，來日本時還表示希望生產設備全部從日本購買。因為說得太過頭，據說回北京後遭到訓斥。

松本：1962年9月松村先生赴北京，岡崎先生也在那年10月到北京。在此之前的三、四年之間，您都不曾到過北京？

岡崎：沒去過。

松本：沒去過？

岡崎：雖然有去中國的機會，但是當時我從事的工作常常需要到美國，所以一直無法成行。

戴：那時最活躍的應該是池田正之輔先生吧！

岡崎：沒錯，他實在是個麻煩人物。

戴：日中進出口公會？

岡崎：好像就是那樣。

戰後復興過程中的美國．中國大陸．台灣．日本

阪谷：剛剛松本先生談到1963年發生的事，而我到那年4月為止都擔任輸銀的華盛頓駐在員。與我私交甚篤的日銀的石坂一義君（現為TRIO社長）——石坂泰三先生的長男——常常寫信給我，有一次希望請教我對於日中問題的意見，我就抱持著這些想法也能傳達到經團連會長石坂泰三耳中的願望，提筆寫下書生般的意見寄給他——我認為雖然美國的對中關係最近看起來一點都不好，但是比起台灣，事實上美國仍是希望和中國大陸攜手合作，所以即使現在日本的行動看似違背美國的意圖，但是如果能夠積極地自行搶先恢復日中邦交，美方即使內心歡喜，表面也會裝作厭惡不悅地巧妙利用此事。當時日本的對中態度與美方高層的關係又是如何？我想日本仍是小心謹慎，一面忖度美國的動向或意圖，一面在行動吧！

松本：我想池田內閣會想到那樣的對中貿易，不只美國，也要搶先社會黨一步。

戴：不如說是有效利用日本的國內體制⋯⋯。

松本：沒錯，只要自民黨推動對中貿易的促進，社會黨就沒有立場反對了。關於這一點，我曾經用英文寫過一篇文章，認為日本的外國政策，特別是中國政策就是如此。為了因應國內如此需求，也為了自民黨＝保守黨的政權，無論如何日中貿易勢在必行。

戴：另外還有一點，是因為美國市場已經逐漸萎縮了。

松本：沒錯。

戴：為了接下來的展開……。

松本：還不能說到那裡，1960年代還早……。

伊藤：這雖是岡崎先生的專業範疇，但是日中貿易出乎意料之外地發展。

松本：沒錯，相當驚人。

伊藤：是當時的政治家都料想不到的吧！

松本：現在應該已經和日美關係不相上下了吧？大概多少？

戴：大概稍微超過100億美元。

松本：稍微破百嗎？那還只是三分之一。但是我沒想到會超過百億美元，我以為最多不過二、三十億左右……。

伊藤：原則上設定了單趟3億美元的目標，但是也曾有過不管目標寫幾億，都難以達成業績的時代。

松本：對。

戴：像是甘栗的階段。

松本：沒錯，甘栗，然後還有漆之類的。

阪谷：戰爭剛結束時，我在日銀調查局中由大內兵衞先生主持的特別調查室中服務，大內先生回到大學教書後，我到外國調查課工作，當時對於日本雖然喪失中國市場，但今後是否可以東南亞市場來取代曾經的中國市場的問題，大家絞盡腦汁議論，結論是否定的。不過，到了1960年代末，由於日本重化學工業化與出口振興政策的成功，東南亞市場比起我們戰爭結束當初所預測的還要擴大許多。反觀另一方面的中國市場卻始終打不開，甚至一度還認為應該沒有希望了。所以兩方的預測都是錯的。

伊藤：請問松本先生，剛才你提到吉田先生的事，我記得不是很清楚，說是要求有5%就好，然後對方嚇一跳那時期的事。

松本：什麼的5%？

伊藤：日本的對外貿易總額。

阪谷：我只記得部分而已，我從日銀轉派到輸銀後不久，日本和中國的關係，特別是做為整廠設備出口市場的中國，在當時被認為是相當有潛力的。那時我到鋼鐵業界打聽到，鋼鐵業界非常積極地規劃對中貿易，說：「你想想看，每個家庭都買一口炒菜鍋的話，那是多大的一筆數字啊！」當時是稱中國人為7億螞蟻的時候，就算一個家庭有四、五個人，但是想到可以賣出的炒菜鍋之多，對鋼鐵業來說，中國無異是薄板鋼鐵的超大市場。有這樣的例子做為說明，鋼鐵業掀起了躍躍欲試的時代。

伊藤：所以說稻山先生的確有先見之明，在簽訂貿易協定之際就努力與廖承志先生接觸。

松本：如此其相抵物品就是石油了。

戴：早就談到石油了嗎？

松本：最早傳出大慶的石油，是在幾年左右？

伊藤：已經很後期了，滿鐵的地質檢測員雖然沒有直接鑽孔探測，但據說在扎賚諾爾發現有石油的跡象。

戴：剛開始只有情報流出，但是沒有清楚指出油田的地點。

阪谷：說是在某個地方有石油。

松本：原來如此，那麼與文化大革命相較，時間上哪個先哪個後？

阪谷：應該在文化大革命之前。

高橋：發現大慶油田是1964年，文化大革命則始於1965年。說個題外話，發現大慶油田之後，我與岡田菊三郎少將見過面，岡田先生歷經內閣資源局課員、陸軍省整備局的動員課、戰備課的課員，後來於昭和15年3月當上戰備課長，負責日本陸軍的彈藥、燃料、軍需品等的生產及整備，可說是陸軍後方的負責人。那時，岡田先生表示實在不該到南方打仗，既然新京附近就有石油，實在沒有必要引發大東亞戰爭。

松本：說的沒錯。

高橋：因為就是想要石油才開戰的。

戴：戰前日本當局已經事先做好調查，大致知道哪裡有石油了嗎？

伊藤：不知道，東條也不知道。

高橋：如果事先知道的話一定會全力以赴的。

阪谷：對撫順的油母頁岩都那麼著迷了，要是早知道的話……

伊藤：薩爾圖南北地區（之後的大慶地區）的地質調查倒是有做，但調查目的是為了確認沼澤地帶的土壤構造能否讓砲車通過，所以只做那方面的報告，完全沒有實施鑽洞檢測的計畫。

高橋：我再補充一件岡田先生向我提過的事，會決定日德義三國締結同盟（昭和15年9月27日），其中當然有許多理由，不過岡田先生表示：「其實條約中有一個祕密協定，就是德國會將他們發明完成的煤炭液化裝置的方法傳授給日本，這是決心以東條陸相為代表締結條約的理由之一。」但是這個裝置無法順利運作。「到了昭和16年秋天，在決定是否要向美、英宣戰的緊要關頭，東條首相找了我（岡田先生）好幾次，問我到底能不能順利從煤炭提煉出石油。遺憾的是從來沒有成功過。所以東條先生才為了取得蘭印的石油而決定開戰。」所以才說：「早知在滿洲國臍帶處的新京附近就有石油，又何必為了爪哇的油田打仗。」

松本：的確如此。

高橋：所以，那個油田在中國共產黨大躍進的最後階段被當成一種象徵，很早就被公開了。

戴：「大躍進」的……

高橋：對，1957年秋天開始的大躍進，是以人民公社生產為主的農業活動為中心。但是大躍進中也有投入工業的基本建設，所以大慶油田被歌頌為大躍進的成果之一。

伊藤：但是在「大慶」傳出之前，有一段時間也傳聞說新立屯附近有油田，而且趙安博來日本時，還打馬虎眼說，可能就在那附近沒錯。

第八章　中日邦交正常化的實現與其背景

忘卻仇恨

阪谷：前次談話的內容，主要是請教岡崎先生自「LT貿易」開始至日中恢復邦交為止這段時期中，所嘗試的各種努力。接著，也請教伊藤先生有關日中友好協會成立以後的情形，以及松本先生關於達特茅斯會議，或是《吉田書簡》問題的背後關係等事情。

今天延續上次的談話內容，首先想再請教岡崎先生幾個問題。關於在田中角榮總理的決斷下實現的日中邦交正常化，以及您為了達成此目標所費的苦心，還有方才在進入正題前也稍微提到過的，想要請教您對於以周總理為首的中國重要人士們的印象如何？

岡崎：雖然這麼說可能有點過頭了，對於戰後的日本與中國，尤其是與改制為共產主義後的中國之間的關係，我以為不能有如學生時代所想的日中友好關係，而感到相當悲觀。

直到戰爭結束後中國成為共產黨政府執政為止，我所了解的共產主義政治，大體上除了只能透過報導得知的蘇聯的情況之外，其他便一無所悉，也覺得共產主義並不是一個很好的政治型態。因此，我也曾擔心與這樣的中國無法友好相處，甚至一度想要放棄日中友好論。但是，一方面感到要下定決心與鄰國以背相向實在可惜，另一方面我多少了解中國的歷史，所以對於中國施行的共產主義與蘇聯相似也抱持著疑問。因此，我興起好好來做一遍中國研究的念頭，從昭和27、28年左右起，開始學習有關中國的知識，成為之前提到的「國際貿易促進協會」設立的契機。這是戰前於近衛內閣中擔任書記官長的風見章先生給我的建言。

當時風見先生隸屬社會黨，不知道為什麼，他對偶然結識的我說：「岡崎君，既然如此，要不要在日本也成立一個國際貿易促進委員會試試？」伊藤先生應該也曾被風見先生這樣詢問過吧？接下來的發展便如同前次座談會中所言，內容可能有些重複，總之，第一任的會長是村田省藏先生，非常適任，但是村田先生過世之後，經過許多事情，最後由擔任過大東亞次官、與我也十分熟稔的山本熊一先生繼任會長。但是他上任之後卻莫名地推動反體制運動。當時我研判如此一來將與自民黨交惡，即使想要推動恢復邦交也會變得窒礙難行，遂離開國際貿易促進協會〔譯註：簡稱國際貿促〕。

就在這個時候，我偶然遇到松村（謙三）先生。之後的發展就如同前述，要是再稍作補充的話，就是松村先生曾對我說：「要進行中國研究，就必須時常與要人會面不可，單靠生意人之間的會面是不夠的，請想辦法見到要人。」當時若是加入共產黨說不定就好了，否則很難有機會與要人會面。於是我就想，中國為共產主義體制，所以是計畫經濟。所謂計畫經濟就是由政府指導進行。如同現在國際貿促所做的一樣，由商人獨自前往中國從事現貨交易，即使是日本人，製造商必須製作出同樣的商品並持續販賣多年，而不管是買方的使用者或是購買原料的製造商，要是中途被說：「不！不賣」勢必都會感到困擾，因此，商社另當別論，製造商及使用者都必須要配合計畫來進行才可以。

因此，我想到向中國提議進行類似的計畫性貿易，於是寫好草案，昭和37年的6月底左右提交給池田總理。其後的發展就如同前述。

當我在進行此交涉之時，對松村先生感到非常敬佩，因為原本就不是要拿什麼錢到他那邊，而他也僅表示：「有關營利事項一概不參與。」對於委託我辦的案子，到中途便不再過問。

以此為開端，松村先生於1962年9月前往中國，受到周總理非常熱烈的歡迎。當時松村先生卻說：「由於我本身不了解實務，所以之後會派高碕或岡崎前來，屆時希望能簽訂實務協定。」就歸國了。因此，我們一行連同業者共約四十五人的團體，便於10月底前往中國。抵達北京當晚，我們全體團員自不待言，就連其他在北京的日本人也全部受到中方邀請，舉辦了一場約八十人的盛大歡迎會。周總理親自接待，陳毅、廖承志、郭沫若先生等也都有出席。

之後過了幾天，趙安博說：「聽說岡崎君喜歡喝酒。」便招待我和他的五、六位部下共進晚餐，席間我被灌了許多茅台酒。由於我本身也喜歡喝酒，所以喝到醉醺醺後回到飯店就寢。結果接到通知，說九點半左右周總理要緊急召見，請馬上過來。於是我只好醉眼朦朧地出門赴會。那時只要求與少數人見面，因此高碕、竹山、野田、松本俊一（已辭去議員職務），加上我和翻譯大概七人，從晚間約九點半起在國務院進行會見。當然實際上我們只是從旁聆聽高碕先生與周總理之間的問答。擔任中方口譯人員的是旅日多年，日文非常流利的劉德有君。

其間，周總理說了一段話，雖然是透過翻譯，但是當時的一字一句我到現在都還記得：「甲午戰爭以來，日本不斷地侵略我國。特別是東北（滿洲）事變以來，更深入侵略我國內地，造成人命、財產莫大的損害。我們對此感到深惡痛絕。但是這段充滿仇恨的80年，若與中日友好兩千年的歷史相比，卻僅是一小段時間，因此我們正努力要遺忘這些仇恨。忘卻仇恨，今後與日本攜手合作，希望使亞洲更加強大。這股加強的力量，並非要用來侵略亞洲之外的地區。而是將來若是再有外來勢力侵略亞洲時，要能夠協力驅除才對。」語畢，他旋即朝著我問：「岡崎先生認為如何？」當時我還稍微有點酒醉，正處於半夢半醒的狀態，著實嚇了一大跳。

想當然爾，我並沒有事先準備好怎麼回答，只是偶然想起《十八史略》中的一節，就拿戰國時代合力對抗秦國的趙國藺相如與廉頗的關係，來比喻日本與中國在亞洲的關係。事後劉德有君還跟我說：「回答得真好！」我感覺到，那時周總理絕對沒有要與日本為敵的想法，而是認為必須先使亞洲變好。事實上，相同的想法在戰敗那年我與湯恩伯會面時，他也向我提過。他說：「今後我們同心協力，讓亞洲好起來！」

總之，這樣的想法，與我在學生時代所思考的東西契合，令我感覺到雖然一樣是共產主義，卻又不盡相同。到後來，中國有句話說：「飲水不忘掘井人。」不過直至今日我總認為，真正鑿出日中友好水井的是周恩來與松村先生。因此，從那時開始，我就再也沒有懷疑過，更加堅定我自己對於中國的共產主義與蘇聯不同，特別是對日本、對亞洲的態度不同的信念。此後雖然也發生許多問題，但是唯有此點不會動搖。我認為這是非常好的。

因此，現在就算發生任何問題，我都會以這樣的觀點來判斷事情，就是如此一來對亞洲會造成何種影響？倘若亞洲的情勢惡化，日本也絕不可能安然無事，其他亞洲國家也是一樣。

阪谷：照這樣的情形，您認為毛澤東主席在方才所述中，處於怎樣的地位？

岡崎：我一度想要申請與毛先生會面，但是一方面想到沒有特別的事情需要會面，同時一方面又覺得與周恩來總理會面就足夠了，因此終究未能與毛先生見面。倒是有看過就是了。

毛澤東晚年發起文化大革命，於是猛烈的造神運動也相應而生。我曾有一次對中國人說過：「推崇一個人到如此程度不是很奇怪嗎？」他回答：「沒辦法，大家都是這麼認為。」話雖如此，但我感覺的確是太過火了。到現在我還是在批評此事。

戴：我有個問題想要請教岡崎先生。有關剛剛您所提到高碕先生與周先生的對話內容，我很好奇，周先生真的將中日戰爭以後不幸的歷史悲劇擺進兩千年的中日關係之中做定位，表示要遺忘仇恨嗎？如果有當時的速記紀錄的話，我想確認這一點。因為我感覺這裡存在著中國人與日本人在歷史意識上的差異。我所想像的是，周先生所表達的應該不是遺忘，而是在將仇恨昇華為寬恕，但是不可能忘記如此不幸的歷史事實的脈絡之下進行發言的。照一般的情形來看，中國人的歷史意識應該是「可恕不可忘」才對。

岡崎：不，感覺上是那樣說沒錯。

戴：好。但是對日本來說，所謂遺忘，指的是放諸流水的想法。問題不在於哪種好哪種不好，只是在歷史意識的層面上，我總感覺這兩種想法在中日之間存有些許差異。

日本的觀念似乎認為既然此事已成過往，彼此可以重新開始友好關係，這種情況一般來說就是一股腦兒的遺忘、放諸流水，然後劃下全新的開始。而中國的觀念則認為此事反映了中國人長久以來極為不幸的歷史側面，不僅非常難以遺忘，也無法將之付諸流水。我覺得這似乎是從春秋戰國以來長久歷史的抗爭中所形成的獨自的歷史意識。而做為歷史的教訓更不能遺忘。但是應該寬恕，因為若是不寬恕的話，就不會有新的開端，只會形成無止境的惡性循環。我覺得周先生所要表達的道理應該是如此才是。對此，岡崎先生認為如何？

岡崎：當時周總理的說法，就如同我剛才所說的：「我們正努力想要遺忘，忘卻這段仇恨，今後建立友好關係吧！」我想，忘卻這段仇恨的說法，指的就是寬恕仇恨吧。現實中，我也有認為「和岡崎可以無話不談」的中國朋友，每次來訪，總會提到從前日本幹過的壞事，或是自己受到的淒慘遭遇。因此，我認為中國的民眾並沒有忘記。之前的座談會也討論過，戰爭結束時蔣介石宣告（參見本書147頁）的「以德報怨」，是出自《論語・憲問》中的詞句。所以，有關中國傳統的歷史意識，我是可以理解的。

田中總理前往北京進行恢復邦交的那年九月，我也在北京。不久之後為了簽訂LT貿易的最終協議，十月我又再度前往，當時正巧遇到中日友好協會舉辦恢復邦交慶祝會，我也受邀前往致詞。剛好有人送我一本日本作家堀田善衛的著作，於是我就在途中閱讀。那本書中刊載法國女作家西蒙・波娃（Simone de Beauvior）所寫的文章的譯文。波娃是在1952年到中國的吧？

戴：她是與夫婿沙特（Jean-Paul Sartre）兩人一同前往的。

岡崎：他們請學習法語的中國大學生當翻譯，一同在南京街頭走。途中見到對面有一團日本旅客經過，於是波娃便問那位翻譯的學生說：「你見到那一群日本人，有什麼樣的感覺？」我想那位學生實際回答的內容應該更多，但是依據書上的記載，那位學生說：「我們必須學習遺忘。」於是波娃女史寫下這麼一段感想：「戰後德國人來到巴黎時，我們大家都對他們吐口水。然而此等深仇，這位中國學生卻能試著遺忘，我認為真的很了不起。」

因此，我在慶祝會上致詞時，就談起這段故事。同時我也提到，雖然周總理表示中國正努力忘記對日本的仇恨，但我們自己絕不可以忘記。我們日本人要牢牢記住自己曾對中國做過的事，並且一定要贖罪。

之後我前往重慶旅行。到了重慶，重慶外國人辦事處的主任與我同乘一部車。一開始我就先向他道歉：「戰爭的時候日軍曾對這裡進行轟炸，想必使大家深受其苦。實在很抱歉！」他回答：「岡崎先生沒有必要道歉。岡崎先生的事情，我都從收音機收聽了。」原來，我在慶祝會上的致詞，已經透過廣播向全國播送了。我想，這應該是因為中國人雖然大家嘴上都說要忘記，實際上卻是難以忘懷，所以正好岡崎說了這麼一段話，於是就向全國廣播。之後，他還來向我索取原稿，我就給他了。由此，我知道中國方面確實在努力，但是要忘記仇恨並不簡單，所以不如我們日本人也務必努力來消除這段仇恨。這就是我的想法。

還有一件相關的事情。中國不是放棄了對日本的賠償請求權嗎？有關免除日本的賠償義務一事，周總理大約在半年前曾向我說明過。據說東北（滿洲）地方的人民曾經要求向日本索賠，以填補自己蒙受的損害。但是，一直到最近我才知道，周總理曾與毛先生商量，透過毛先生的力量控制住民眾的不滿。因此，基於此點，我認為日本必須要定下對中國的態度或是外交政策，但是卻很難如願。

好像是去年吧，政府編列了預算，讓日本人的遺族到東北地方旅行。當時，我前往外務省的中國課，向他們反應：「不能做如此愚蠢的事。這對於中國的民眾以及當地的人來說，絕對不是一件愉快的事，尤其若在當地舉行追悼會的話，一定會招致反彈。為什麼政府要一起做呢？」外務省的人回答：「鄧小平先生來的時候我們有向他提過這件事，但是他沒有回答。所以，應該就是默許了不是嗎？」「不對。在中國，沒有回答就是表示反對。」我這麼說。後來果然如我所言，當他們在尋找場地舉行追悼會時，遭受很大的反彈，最終只得回到北京後在大使館內舉行。就像這樣，雙方在感覺上有非常大的落差。

戴：正是如此。中日之間在意識上的確存有落差。

岡崎：一定要努力填補這道鴻溝才行。

超越半世紀之交的中國友人們

阪谷：戰前伊藤先生曾擔任滿鐵事務所長活躍於北京、南京、上海等地，也曾擔任過大連總公司的調查課長。我聽說當時您曾與多位在國民黨統治下從事活動的中國共產黨員，例如李大釗、劉少奇等人有過接觸。因此我想請教伊藤先生，在戰前您透過工作與這些人士之間的往來，在戰後新中國誕生以後，是如何重新恢復互動的？

伊藤：1955年，郭沫若參加學術代表團來到日本，在早稻田大學發表過促進友好的演說。當時他提到，日中間的友好有兩千年的歷史，不幸的時期只是最近百年而已。日本人很單純，聽到他這麼說，就覺得原來如此，日中友好兩千年這句話說得真好，於是從那個時期開始，態度就變得太不在乎了。

我擔任滿鐵的派遣員前往中國北京常駐是在1921年（大正10年）。當時我帶著兩封給中國人的介紹信進入北京。一封是給北京大學的陳啟修老師，他是日本的一高、東大法學部畢業的高才生。另一封就是給剛才提到的李大釗。

向我引薦陳啟修的是一高的奇人——「獨眼龍」山口政二。我認為一高、東大的學長中，對中國事務最關心的就是這位山口政二。因為他在學生時代就立志參加辛亥革命（明治44年）而遠渡上海。但是到了上海發覺事與願違，就又返國繼續完成學業。就是這樣一位充滿國際俠義心的人士。他曾說過：「我最信賴的朋友就是陳啟修。」另一方面，宮崎龍介則給我一張向李大釗推薦的名片。我與陳啟修老師的接觸大致上止於客套來往，但李大釗就十分有趣了。我到北京的時候正值開灤煤礦罷工的時候，因此我想趁機去了解一下煤礦現場的罷工情形，於是向李大釗詢問相關資料，拜託他幫我寫介紹信。他給我的書是《中國十大煤礦記》，記載中國方面各煤礦田的情形及勞工狀態的資料。隨後我就前往開灤煤礦，與勞工進行面談。此後，我也曾多次造訪李大釗位於石駙馬大街的住家以及北京大學向他請益。我也曾帶我的友人田中九一同行，當時李先生很樂意和到訪的日本人會面。

我出國以後，由鈴江言一承接與李大釗的關係。鈴江曾將我在北京所發行的《北京滿鐵月報》每一期都交給李大釗。所以當李大釗因為張作霖搜查蘇聯大使館而遭到逮捕時，他的書架上也放著滿鐵的資料。日本的警察（領事館警察）看到那些資料，就猜想應該是伊藤武雄送過來的。幸好我當時出國不在現場，因此得以安然無事。

李大釗遭到處刑身故之際，我是在美國柏克萊停留期間聽到這則消息。話題跳到很久以後，解放後，我於1958年訪問中國，當我參觀北京歷史博物館時，見到所謂的「中國式guillotine」，也就是斷頭台。而且，上面還明白記載著此即為李大釗先生遭到處刑的斷頭台。這實在是令我感慨萬千。斷頭台的旁邊的牆壁上張貼著一些當時的新聞報導。但是，中國方面的報導卻連一則也沒有。也就是說，當時的中國報社可能無法報導這個事件。牆上貼的是由日本人辦的漢字報紙《順天時報》的報導，這也令我印象深刻。

此外，透過鈴江言一的關係，我與中共方面的友人有過不少的接觸。其中來往最深的，是日後擔任中國總工會委員長的蘇兆徵。他是海員工會出身，曾經擔任幹部（委員長）指導過第一次、第二次香港大罷工。鈴江之所以會和他認識，是因為鈴江為了視察青島日資紡織工廠的罷工情形，由北京出發到青島，在當地見到了蘇兆徵。那時鈴江與滿鐵尚無關係，是以個人名義前往。從那時起，鈴江與蘇兆徵就變成非常好的朋友，鈴江與我約定過，要是我到廣州旅行，一定會介紹蘇兆徵給我認識。記得是1925年的夏天，我到歐洲前先去了趟廣州，在第二次香港大罷工正如火如荼之際，前往總工會本部拜會蘇兆徵。那時我和蘇兆徵雖然是第一次見面，但是他卻向我說：「明天我會召集總工會的幹部，設宴讓您了解。」在翌日的宴席上，我見到了劉少奇，當時他是香港罷工委員會的祕書長。席間，劉少奇表示隔天正好是總工會幹部會開會的日子，問我要不要去旁聽。說起來也真是大膽，我拜託他無論如何請讓我列席旁聽。隔天在我前往會場的途中，劉少奇從對面走過來跟我說：「今天不行！」我用我僅懂得的幾個單字但姑且可溝通的中文問他：「究竟為什麼不行？」他只回答：「今天會議中止了，所以不行！」並未告知理由。那天是3月20日，原來是受到中山艦事件的搜捕行動影響，在當時的氛圍之下很難舉辦那樣的會議。

自從那次以來，一直到解放後，我都沒有再見過他。要到1958年，我才在北京的國慶日前夜慶祝會上再度與劉少奇重逢。當時重逢、未見的人加起來之外，還有林伯渠、胡適、高一涵、陶孟和、陳翰笙、李漢俊等諸位人士。張友漁、李漢俊兩位先生曾經到中江（丑吉）先生的府上拜訪過。而我雖沒有見過蔡和森，卻常聽鈴江談起他的事情。

年輕一輩中，還有與鄧中夏共同擔任過李大釗的助手、日後成為北京大學教師的黃日葵與台灣籍的謝廉清（之後參加反動維新政府），當時他們是北大的學生，曾經透過鈴江送資料給我。總之，我透過鈴江與數名中共的成員有過接觸。

我留學歸來後，1927年前往南京。那個時期與我往來的人當中沒有中共人士，主要都是國民黨的人。周佛海也在其中。他是1921年中國共產黨第一次大會的東京留學生代表，當時不曉得在東京有沒有共產黨的組織？

1926年，我在廣州所見到的另一個人是林祖涵（伯渠）。他是當時國民黨的農民部長。這也是多虧鈴江替我向北方黨部索取介紹信，我才得以到農民部長室訪問林祖涵。當時的談話，雖然我現在已經記不起全部的內容，但是相當有趣。我一提及東北的「馬賊」和廣東的「匪賊」，他便十分詳細地解釋給我聽。林祖涵出生於吉林省，畢業自東京高等師範。當時他曾向我談到，他正努力組織農民協會，藉由思想運動及實際運動，一步步地推動所謂「流氓」的組織化。解放戰爭時的活躍以及其後的表現，使他被尊稱為中共的「五老」。[4]

在解放後的北京，知道這些事情的大概僅有廖承志先生。但我始終只將這些當作歷史故事，不會想要加以利用。

松本：窩藏劉少奇的事不是廣東時代發生的嗎？

---

4 伊藤：前幾天，我在東京接到訪日中的中國社會科學院哲學研究主任林利女士的聯絡，原來林女士正是林祖涵的千金。她請我告訴她有關父親的往事，因為明年是她父親的百年壽誕，她想舉辦紀念會，需要我的協助，我答應幫忙。這真是子子孫孫情誼連結的奇妙因緣。

伊藤：不，那完全是兩回事。

松本：是這樣啊。據說廖承志先生在遭到追捕時，曾經受到伊藤先生的許多幫助。

伊藤：這完全也是兩回事。

阪谷：我在前年（1980）前往北京時，曾經致電給承蒙伊藤先生介紹認識的張友漁先生。他雖然年事已高，但仍非常活躍地擔任社會科學研究院法學研究所副所長，一接到電話，他就無論如何都要馬上來跟我見面，專程來到我在北京飯店的下榻處，充滿懷念地跟我聊起中江先生及鈴江先生的事情。伊藤先生，那個時代您與張友漁先生的接觸是？

伊藤：那個時代我沒有和他見過面，但是鈴江和中江經常提到他的事情，所以前幾年張友漁先生來到日本時，我和他提起這些往事，他想起從前感到非常懷念，也因此和我成為好友。後來到北京他也請我吃過一兩次飯。陳翰笙、陶孟和（已故）、張友漁等人都活躍在解放後的北京。

阪谷：現在說到陳翰笙先生的事情，因此接下來我想順便請教松本先生。當您在日中邦交恢復後前往北京時，我猜想您應該也趁機與您的1930年代「上海時代」的中國朋友知己們聚首。而陳翰笙先生應該也是其中一人，因此想要請教您關於這些人的現在情況。

松本：我記得我是在1979年10月中旬去的，相隔41年終於得以再度踏上中國。這也是多虧孫平化君的竭力幫忙，才能在日中友好協會的邀請下前往。孫君還特地來機場接機，重溫舊日情誼。當時也見了日中友好協會和社會科學院的幹部。我和張友漁先生就是在這時候認識。當時他好像是社會科學院的副院長之一。

我在上海時代遇到的朋友，幾乎都已不在人世，只剩下陳翰笙先生一人，卻一直聯繫不上。雖然透過孫平化先生替我轉達希望與他會面的訊息，但是他又正好離開居住的北京前往參加國際學會，所以有兩三天都聯絡不上。最後終於取得聯絡，他專程來找我，我便捨棄了原本預定前往西安的行程，改與他見面。

跟他，是因為太平洋問題調查會的關係，在上海見過兩次面，也讀過他的論文，所以對他的名字很有印象。我要出發到北京時，伊藤君跟我說：「與陳翰笙見面非常有意思。」我便一直找機會想與他會面。見面當天，他帶著自己的妹妹同行，說是因為自己眼睛不好，所以帶妹妹權充手杖。而我與他之間只能以英語溝通，當時又沒有翻譯在場，於是陳翰笙先生全然直言不諱。我詢問他對於目前北京政治的看法，他認為缺點實在是不勝枚舉，還說：「最糟糕的是人事問題，太多nepotism（任人唯親）的情形。這樣下去很難讓人期待行政人事的效率提升。我認為應該要向日本學習一下。」

我完全沒有期待他對北京政府提出批判的意思，但是陳翰笙先生本人的風範簡直就像大久保彥左衛門。而且陳翰笙先生還有種「治外法權」般的地方。社會科學院裡只有一位顧問，就是陳翰笙先生。所以僅次於所長的就是顧問陳翰笙，再下來才是副所長、副院長。總而言之，我和陳翰笙暢談了大概兩個小時。

伊藤：聽說社會科學院有事情的時候，職員會到陳翰笙先生位於東華門外的住處，請他處理。他並沒有出勤的必要。

松本：戰前，日本方面稱IPR（Institute of Pacific Relations）為「太平洋問題調查會」，中國方面則稱為「太平洋學會」。陳翰笙先生好像擔任過「太平洋學會」的書記長或祕書長。

阪谷：我在1979年的夏天，成為東急企業集團友好代表團的一員，隨著五島昇團長前往中國。當時我很想跟伊藤先生為我寫介紹信的陳翰笙先生見上一面，但是實在沒有時間，所以準備從北京出發前往西安的早上，我匆忙寫了封英文信，附上我編纂的新書《中江丑吉此人物》〔《中江丑吉という人》〕（大和書房），一併寄給陳翰笙先生。回到日本後不久，我就收到陳翰笙先生的來信，因為他的眼睛不好，所以我想應該是由他的妹妹所代筆的。信中以非常工整的英文寫著：「下次來北京時希望能夠見面。」因此，翌年的1980年，當我再度前往北京時，就覺得這次一定要見到面，可是卻怎樣都聯繫不上。因此，我的老朋友，同時也幫我翻譯的金連紘先生（肅親王的孫子）提議說：「去他府上看看吧！」便帶我過去，沒想到陳翰笙先生的住所竟然就在我父親的老家後面。從南河沿朝東華門大街左轉後一下子就到了。到了那裡一看，發現是間很簡樸的房子。結果得知陳翰笙先生剛好去了上海，預計要到我離開北京的兩天後才會返家。看家的老婦不會北京話，只用上海話說話，連翻譯的金連紘先生也聽不太懂，只好跟我說：「阪谷先生，沒辦法，要不然用英文留張字條吧！」於是我在紙上寫下：「專程來訪未遇，非常遺憾，將再度來訪。」留下字條之後就離開了。我的想法可能還太庸俗，以為陳先生是位大學者，就應該住在很氣派的房子裡，然而卻非如此，讓我嚇了一大跳。

伊藤：他從很久以前就住在那裡了。前陣子我們見面時，陳翰笙說了句名言：「你們日本雖然是官僚政治，但因為是資產階級官僚政治（bourgeois bureaucracy），所以還好。可是我國卻是未來型官僚政治（futuristic bureaucracy），所以還很不行！」

阪谷：陳翰笙先生沒有加入共產黨嗎？

伊藤：現在加入了，不過當時還沒有。

周恩來總理的存在

松本：岡崎先生與周總理會面時，覺得他實際上是一個怎樣的人？

岡崎：1962年當我初次前去會面時，我是感覺若要在古今中外的人物中選出20位優秀總理的話，周總理應該會名列其中。之所以說20位，是因為還不確定他能不能列入前十名內。然而，之後經過好幾次的會面，多次從他的事蹟以及對我們的態度或判斷來考慮，到了最後，我感覺到這樣的人物橫貫古今中外真是絕無僅有。要是有能與他匹敵的，大概就只有釋迦牟尼了。但我甚至認為，在實踐上他比釋迦牟尼還要卓越。他真是這樣一位人物。

釋迦牟尼有「本生譚」的前世傳說，講述摩訶王子遇餓虎前來討食，因無其他食物，便捨身飼虎的故事。這個故事當然是在宣揚佛陀的精神。

而周總理則是實踐佛陀精神。從西安事變後至終戰為止，周總理皆以總理的身分親自前往重慶擔任聯絡工作。戰勝日軍之後，蔣介石要求與毛澤東會面，可是延安方面認為若大意前去會遭到殺害，所以持反對意見。於是周總理就返回延安，以自己的性命保證毛主席的安全，說服毛先生答應會面，而毛主席也表示同意。之後周總理返回重慶時，帶著一個將滿11歲的女孩同乘一架軍機前往。那女孩的父親是新四軍的軍長葉挺將軍，他於1941年的皖南事變時中計遭國民黨拘捕，連同女孩的母親與弟弟一同被關入重慶的大牢，後來因為日本投降而獲得釋放，於是周總理便帶著他們留在延安的女兒揚眉，前往迎接父母親的出獄。

離開西安，快要到達秦嶺山脈上空時，飛機進入了寒氣圈。由於機翼結冰，飛機的高度逐漸下降。那是一台可以乘坐七、八人的軍機，於是機長便指示所有人穿上事先準備好的降落傘。可是，由於揚眉是臨時上機的，所以沒有準備她的降落傘。那孩子也聽得懂機長的指示，知道情況危險便哭了起來。那時，周總理卸下自己身上的降落傘替那個女孩穿上，對她說：「這樣就不用擔心了，別哭了！你的父親是位勇敢的將軍，妳也一定要勇敢。」之後飛機脫離寒氣圈，平安飛抵重慶。我總認為，這樣偉大的行徑不是凡人能做到的。

還有一件是在長征時發生的事情。由於走一般的道路會碰上國民黨的軍隊，所以紅軍選擇穿越四川省西北的沼澤地帶。整段路程中沒有食物，當然也沒有人煙，而且需要一個禮拜至十天的時間才能穿越。於是紅軍就準備緊急儲糧，將牛肉烹煮烤乾，撕成小塊裝成一袋，又將大麥炒熟磨為粉狀裝成一袋，兩種都只要用冷或熱水泡過後即可食用。他們帶著這兩袋食物進入沼澤地區，由於是緊急儲糧，周總理下令非到必要時不能食用。周總理的份則交由護衛兵保管。依據那位護衛兵事後所寫的回憶錄中之記載，一開始他們會抓老鼠，或是找一些看起來可以食用的樹葉或草根來吃，結果大家都變得營養失調。所以周總理便下令將自己的那份牛肉乾分給大家——當時他身邊大概跟隨10至15人吧。可是過不了多久，同樣的事情又再度發生。有人睡前還好好的，到了早上卻死了。於是周總理又命令護衛兵將炒麥粉也分配下去，護衛兵卻沒有這樣做。周總理斥責護衛兵為何抗命，護衛兵回答：「如果都發給大家，那您要吃什麼？」周總理像是要看穿護衛兵的臉龐一樣地貼近他說：「因為有大家的存在才有我的存在。能多活一個是一個，這樣才能達成革命的大義。立刻發下去！」護衛兵沒辦法，只好將炒麥粉分配給所有人。之後過了四、五天，總算到達有人煙的村落。護衛兵將這則故事寫進回憶錄中。我覺得這也不是一般人能做到的，至少我就做不到。

此外，令我們感佩的還有周總理的禮節。佐藤內閣成立之後做出不少觸怒中國的事情，所以周總理與我們會面時也是多所批評。但是，他並沒有說出任何讓我們感到困擾或不愉快的話語。因為他總是先考量對方的立場，再諄諄地陳述理論，所以不會讓人感覺不愉快。甚至他的談吐也是十分有氣度。

中美邦交恢復的內幕

戴：松本先生，我有兩件事情務必想請教您。1969年晚秋，佐藤榮作先生訪美，而有《關島宣言》的出現。在此前後，遠至華盛頓，近至北京周恩來的發言，日本軍國主義復活論突然以席捲東南亞全域的態勢澎湃而起。另一方面，以尼克森為中心的中美接近的動向也在地下運作。依松本先生廣博的見識，首先想請教您現在對於其間的關係是如何看待，又是如何定位的？

此外，在中美恢復邦交背後的具體進行過程中，美國方面有沒有對日本發出什麼樣的訊息或是暗示？有關這部分的歷史內幕，我想現在已經到了可以公開的時候了。若是您對這方面有了解的話，還請務必指教。

松本：不，對於這方面我完全不了解。日本的軍國主義復活論是從哪裡傳出來的？北韓嗎？

戴：按照一般說法，有人認為華盛頓方面似乎是季辛吉在非正式場合透露的。但是我疏於查證，尚未比照季辛吉的回憶錄。另一方面，北京也激烈高喊反對日本軍國主義復活的譴責運動。

松本：大概持續了一年左右吧？

戴：對。佐藤榮作先生的《關島宣言》出現之後，連東南亞也驟然出現反對日本軍國主義復活的聲浪。在這樣的背景底下，另一方面，美國則展開對中的祕密外交。這些事情要如何做有機的連結，以進行綜合性的掌握？直至今日我仍然不太了解。

松本：對於這一點，很可惜我也完全不了解。就連震源地是不是在美國我也不清楚。

岡崎：關於這個問題，我有一個不常對人提起的經驗。尼克森是在1971年7月16日宣布訪中。早此幾年，總計有七名在美國的大學從事東洋學研究的教授，接踵至我這裡訪問。其中我記得有一位叫德桑蒂斯的人物——我一開始以為他是商人——每次我從中國回來，他就一定前來拜訪。

松本：他是CIA（美國中央情報局）吧？

岡崎：他大約每兩個月就會來三次。還有一位叫作哈爾本（Halpern）的人物，是哈佛大學的助教，後來當上副教授。他帶著太太一直住在日本，很認真地進行大概兩年的中國研究。這些教授們不只向我詢問中國的狀況，還有人說：「日本應該盡早和中國恢復邦交比較好。」我回答：「阻止日中恢復邦交的，正是貴國，因為日本被捲入貴國的反共政策中，所以應該由貴國先採取行動，日本再來進行」。對方卻告訴我說：「不，美國還有許多問題存在，所以不能做。如果日本能夠先展開行動的話，美國就會跟進。」然而，尼克森宣布訪中的翌年二月，我去了一趟中國，一月時德桑蒂斯就來找我，向我表明自己的身分。他說：「我是季辛吉的使者，為了研究中國而來到日本。現在既然尼克森已經決定訪問中國，所以我的任務已經結束，即將返回美國。我會介紹某一等書記官來接替我的職位，如有必要請與他見面。而他有需要的時候，也應該會來拜訪岡崎先生。」那時我問他：「那麼，你打算如何處理台灣問題？」他說：「就照岡崎先生說過的方式處理。」這個回答很有趣。

之所以這麼說，是因為我總是對他說：「中國只有一個。若是將中國和台灣當作兩個國家，問題就很難解決了。」所以講到美國該如何處理台灣問題，那份聲明也主張不管是北京、台灣，中國只有一個。美國既不反對一個中國，也希望能以和平的手段達成統一，這些大致上都跟我之前說過的一致——雖然並非真的是因為我的勸說。我曾納悶他們為什麼只拜訪我又如此頻繁，或許是因為看準我常去中國的這一點吧！可是日本政府有沒有做出這些努力呢？可以說幾乎沒有。

松本：確實沒有。

岡崎：而且又變成佐藤內閣。

松本：季辛吉宣布訪中是在1971年的8月。同時間也發表翌年尼克森將會訪中的計畫。那時整個日本，包括自民黨及其他政黨都感到憤慨而紛紛表示反對。

岡崎：對、對。

松本：那時我接受新聞記者的訪談，提到：「我非常贊成！真是一個令人高興的好消息。」可是當時贊成的人真的很少。我原本以為大家都會贊成，沒想到大家都反對。

戴：那看是要從眼前還是從長遠來考量，應是見識的問題吧！

剛才岡崎先生也說過，其實我也曾在1969年11月至1970年年初，被亞洲經濟研究所派遣到東南亞進行50天的考察。現在回想起來，當初的返日報告要是能公開發表就好了，但是那時候是與《東洋經濟》的董事等數位幹部編輯部成員一邊用餐一邊報告。主要說明有中美接近的跡象、台灣海峽上第七艦隊動向的細微變化，還有我在香港、新加坡的見聞等。被問到新加坡國內對於日本軍國主義復活的批判及其關聯，我也表示了意見。當時日本媒體的論調全都只看到問題的表面，真是讓人不滿。

而與剛才我請教您的問題有關的是，反對軍國主義復活的活動，我擅自推測為一種聲東擊西的作戰。簡單來說，我猜想這是為了淡化美國國內自韓戰以來的反中國、反中共的情緒，以利推動對中關係正常化，所以將日本拉來當作代罪羔羊。在輿論操作上，先讓美國國民及亞洲人有日本軍國主義復活的印象，以埋下伏筆。美國人一般而言，制約與平衡（check and balances）的觀念相當強烈，因此對日本的制衡機制，使之聯想到中國。而且，在中蘇對立關係中，將中國當作王牌的想法，當時要說服美國的反共勢力、保守派或右派並不簡單。這是因為中蘇同樣都是共產主義。然而珍珠港的慘痛經驗加上對於日本迅速發展經濟力的負面印象，再與軍國主義的復活重疊的話，就很容易操控輿論。只要向一般民眾宣導，唯有中國大陸有能力制約日本復活中的軍國主義，便立刻見效。我認為有這樣的構圖。大家的看法如何？

此外，在《東洋經濟》的談話，由於我個人的關係並沒有公開。差不多在同時間，我記不起名字，但好像是Time Life公司的老闆也接受尼克森的命令，巡迴世界各國考察，試圖進行世界性的輿論調查，以掌握大局。我與幾位日本人一起和他見面。我記得那時他之所以會邀請我，是因為我來自台灣，可以用比較中立的角度來觀察及分析。

席間令我感到驚訝的是，對方美國人的說法實在太過直爽。當我們聊到中美關係發展中的台灣問題應該如何處理時，他引用歷史故事提到鄭成功統治台灣不過三代，最終還是和清朝統一了，讓我嚇了一大跳。於是我接著問他那麼《中美共同防禦條約》（1954年12月2日簽訂）該怎麼辦？他笑著說那種東西不過就是一張紙而已。還說因為是一張紙，所以燒掉就沒事了，撕掉就可以作廢了。聽他這麼說，讓我們更為吃驚。我又問他：「美國是否已經開始將台灣的1,600萬人口（當時），與中國大陸的6億或7億人口（當時），放在世界戰略的天平上做比較了呢？」他回答：「大概就是這麼一回事吧！」

這件事，我是今天第一次公開談論，岡崎先生提到的美國學者或者隱匿身分的男子們，他們老練的行動讓人興歎。即使是我這般的「年輕後輩」都能感覺得到。他們經過調查、研究，一邊確認一邊進行慎重準備，這是無庸置疑的。相較之下，我只知道表面，以在場各位先生為首的日本有心人們，雖然費盡許多心力，但是光從表面來看的時候，的確有令人感到不足之處。即便是有關台灣的確切研究，也幾乎是處於零的狀態。這件事暫且不談，如今可以再次確認，美國的動向事實上並非那樣急遽的變化。單就實際情況看來，其實可視為是經過深思熟慮後所採取的行動。

岡崎：尼克森發表訪中之前，季辛吉就已經悄悄到過中國。

我從大概那兩年之前開始，就隱約感覺到美國一定會向中國提出和解，也曾在許多地方發表過類似的意見。7月15日，伊豆山有一個針對銀行年輕職員的教育講座，邀請我去談論中國問題，我就在那講座中提到美國與中國會和解。談話內容之後也成為了一本書。講完了返家的隔天，就看到尼克森宣布訪問中國。事後回想起來，季辛吉既然早已祕密前往北京，不知情的應該只有我們而已——對方早就了然於胸。日本的政府全然無法掌握到這方面的情報。外交工作應該要更加深入虎穴才行。

松本：因為金門和馬祖島的問題，隔著台灣海峽，台灣和中國本土的關係曾經一度非常險惡。好像是1958年。

戴：總共有兩次台海危機。

松本：我覺得第二次最嚴重。我記得1958年我前往美國時，已經一副要向中國開戰的態勢。日本卻完全狀況外，報紙上沒有任何相關報導。

回日本看到這樣的情形，我曾在《中央公論》寫文章質問這是怎麼一回事，也描述中國與美國已經瀕臨一觸即發的狀態。

戴：1950年代的金門、馬祖砲戰總共發生兩次。第一次是1954年8月到1955年8月，第二次是1958年8月23日。這場大陸和台灣之間的奇妙砲戰，是雙方彼此預告日期之後，再互相發砲攻擊。事後美國人也察覺到這是場「假戰爭」。總之，雙方都主張「一個中國」。一旦台灣失去了金門、馬祖，國民黨台灣政權就有可能垮台，所以對於主張一個中國的雙方而言，應該都是高度警戒。繼而雙方都藉由相互砲擊來做為一個中國的存在證明。因此是場非常詭異的砲戰。我曾經在1972年的夏天去過金門，只要進入屋內就不會被砲彈波及，可是出外就有危險，因而這是場有可能被擊中的砲戰。可是金門的居民大家都笑嘻嘻的，實在是奇妙的戰爭。大陸方面允許國民黨本身的補給而不予砲擊，也就是未接受美國支援的補給，就不會開砲，因為大家同是中國人。若是美國第七艦隊或飛機護衛下的補給，就會開砲攻擊。所以這場戰爭很明顯地是在雙方默契下展開的事實，在日後逐漸明確起來。

這是第一次，之後在1958年8月23日又發生了第二次砲戰。此時媒體報導第七艦隊在台灣海域進入備戰狀態。

應該是1966或1967年吧？有一位在美國西雅圖的華盛頓州立大學任教，立場較偏右派，名為泰勒（Taylor）的先生來到亞洲經濟研究所。他笑著形容金門砲戰說：「那是一場京劇吧？」所謂京劇，不是會有在舞台上捉對廝殺的武打場面嗎？而戰死的演員回到後台繞一圈後又會再次登場廝殺。所以他舉京劇來比喻金門砲戰，是個十分有趣的說法。

我問他：「有關這件事，你是什麼時候察覺的？」他歎道：「唉！一直到1958年的時候才終於發現。你們中國人幹的事，真讓我們難以理解！」所以有關金門、馬祖的砲戰，若是做為今後有待闡明的中國人的政治操作方式與歷史政治觀等課題的一環來研究的話，應該很有意思。

據我的推測，當初蔣介石若是接受美國的勸告而自金門、馬祖撤退的話，那麼他就會完全落入圈套，最後因政變而垮台。蔣政權最壞的情況則會落入如同南越一般的下場。

記憶中為了替甘迺迪參選美國總統做暖身運動，當時出現各種策動一中一台的論調，包括施樂伯（R. A. Scalapino）的康隆報告（Conlon Report）等。站在政治力學上，美方尋索管道，希望能與中國大陸進入交涉階段。但是還有台灣的問題，該如何處理這個台灣仍是懸而未決的大問題。我認為美國最初恐怕也考慮過斬除蔣政權，另外換成一位仰仗美國鼻息，聽從使喚的人物，讓台灣獨立並加以活用。可以想見美國曾企圖將台灣定位成美國遠東戰線防波堤的一部分。這件事顯而易見地與沖繩的基地問題也有關聯。

伊藤：我想私下請教一下，關於金門、馬祖現在的狀況，你有任何情報嗎？據說現在非常不平靜。

戴：那個地方很有趣。

伊藤：我覺得真是太有趣了。

戴：自1979年1月1日以來便未再發生砲戰。也就是說，雙方都沒發動攻擊。

岡崎：我記得是1964年的時候，我們跟周總理見面時，其中一位同伴曾向周總理提問。當時周總理的回答很中國，因為極有周總理的風格，所以至今我仍然記憶深刻。當時那位同伴這樣問：「中國會以武力解放台灣嗎？」周總理回答：「我們不會做出那樣愚蠢的事情。台灣和我們是同個民族，遲早會回歸的。要是有錢可以搞武力解放，不如用來提升我國的民生及生活水準。生活水準若是不同，就很難達成統一。」這真是一句名言。

松本：沒錯！

岡崎：當時已經不再以武力——砲擊等相向，只用喊話的方式。態度轉變成不需要爭個五年、十年，就算花30年、50年也會等到那一天。

戴：和伊藤先生剛剛提到的金門、馬祖的部分有關，我覺得達賴喇嘛周邊的動態也有激烈變化，值得注意。我記得是去年達賴喇嘛來日本的時候，一句北京的負面話也沒有說。我和《朝日新聞》的吉田實先生聊天的時候，就建議他如果想要掌握有關台灣海峽的問題，也就是台灣和中國大陸的關係開展，最好多注意西藏問題的變化。我認為達賴喇嘛一族及其擁護者的動向，在各種意義上具有指標性的因素。今天早上（昭和57年7月19日）的《朝日新聞》，也大幅報導了西藏相關事情。

阪谷：從昨天開始就有報導。是有關班禪喇嘛的呼籲。

戴：對。最近的動態非常有意思。如果單從一邊觀察的話，容易判斷錯誤。西藏、台灣、香港的情勢息息相關，應該要綜合來思考。

第九章　今後中日關係的展望

中蘇．中美關係與日本

阪谷：在今天的第九回鼎談當中，為了總結，想請大家聚焦在今後中日關係的展望上來談。

依我淺薄的私見，現在美中、日中的親密關係，如果撇開「日中千年的友好」這種非常長遠的視點來看，可以說是在嚴峻的中蘇對立前提下成立的。然而現今在以「四個現代化」為基軸的鄧小平路線之下，究竟還有什麼理由讓中蘇非得持續對立？這在我心中產生莫大疑問。

如果中蘇和解能夠實現，那麼只要美國堅持與蘇聯對決的態度——不過由於經濟上國防預算的重壓、失業人口的增加、農產品的輸出等，美國自己在對蘇關係上可能也會轉換成協商的態度，然而光就現在看來，美蘇的對立關係可說是相當緊張——日本與中國的關係說不定也會產生某些變化。中曾根政權下，日本在政治上、軍事上反而看起來和美國的關係更加緊密，如此一來，日中關係今後究竟會演變成何種型態的疑問也湧現出來。從這樣的觀點出發，首先想請教岡崎先生對於中蘇關係今後演變的看法，做為本日鼎談的開場。

岡崎：就我所知的歷史來看，我所學到的教訓是好事不會長久，壞事也不會永保昌隆。這是因為人心善變，我絲毫不是為了保證將來，亞洲諸民族如果無法過著像樣的生活，日本也不可能獨自繁榮，這是我從學生時代起就抱持的基本想法。這個想法如今也已獲得證實。戰敗後我和湯恩伯相會，他說：「今後我們同心合作，讓亞洲好起來。」之後原以為共產主義下的中國應該不可能達成如此理想，但是周恩來卻說得比湯恩伯更有力：「中日合作使亞洲變好，為亞洲注入力量！」還說因此必須忘記對日本的仇恨。如果真能做到，我覺得真是非常好。

從這個觀點來思考的話，對中國「四個現代化」的協助，或者日本對朝鮮半島整體的態度，在看法和作法上必須要有相當程度的改變才行。周總理生前，我曾在某個會談時問過他對中蘇友好論的看法。當時中蘇還是有相互派駐大使，有普通意義的邦交。周總理主張，意識形態論爭要徹底進行，這與國與國之間的友好往來是分開來的兩個問題。

我認為中蘇友好論也必須照那樣解釋。根本問題上不管中蘇的態度一致或不一致，都需要很長時間，但是一般的邦交或貿易往來、相互的人力派遣，或者留學生派遣等，某種解凍現象我想會有。所以雖然這樣講不好聽，但我認為中國一直沒有對蘇聯打開心房。

前一陣子中蘇關係喧喧嚷嚷之際，某次會談中有位日本的有力人士提問：「中蘇如果和好了，日中問題該怎麼辦？」真是缺乏見識的發言，我聽到都覺得可恥。我反而希望中蘇能夠友好，不會為亞洲帶來災害。中蘇如果吵起架來，我們日本或是其他亞洲諸國不就全都會遭到牽連嗎？因此，我一直認為中蘇的邦交若能友好，應該是值得歡迎的。

伊藤：我不太能觸及到中蘇事務，不過先聲明我自己是廣義上的「毛澤東主義者」（Maoist）做為前提。

以久原房之助為團長，小畑忠良等人好像是在1955年吧，我記不清楚了，總之在相當早的時期就到中國訪問。日本的閣員級身分造訪北京，久原是首次，並與毛先生見面。久原表示要是中國和尼赫魯聯手的話，世界局勢將會產生巨大變化，毛先生卻說：「不，不是尼赫魯，是和您的國家！」還說中日都能友好的話，大概就沒問題了。當時正值中蘇蜜月期，除了蘇聯之外沒有其他國家願意幫助中國的時候。所以從外交上看來，理所當然應該是「中蘇穩固合作」的時期，毛先生講的卻不是蘇聯，也不是印度，而是日本，若說這代表毛先生對日本的信賴可能有點言過其實，但總之說明了日本的重要性。這點相當徹底。

毛先生在青年時期，曾以「二十八畫生」的筆名（毛澤東的筆畫是二十八畫）寫了篇短論，即投稿至《新青年》的〈體育之研究〉。這是毛澤東最早公開的一篇論文。這篇論文中非常讚揚日本的柔道。根據他的說法，嘉納治五郎習取我們中國的講道（《宋史》居家講道），又吸收近代醫學，創造出講道館柔道。這位日本教育家的思想，體現出對體育的關注，毛澤東非常讚賞。他是調查當時啞鈴、體操等國際體育形式之後，特別舉出日本的柔道。另外，他還批判了中國重文輕武的思想，認為應並重智育、德育、體育三育的平衡，不該單獨偏重智育。而諷刺的是，這正也可以反過來反省現今日本的學校制度。不只如此，新中國學習日本的桌球、棒球，持續推動運動競技的大眾化，基於此點，我們不得不認同毛澤東的先見之明。

另一方面，1961年武漢會見時，毛先生提到，日本人民不會永遠沉默地活在美國的壓力下，總有一天一定會跳脫出來，成為獨立的日本。這是我們在場聽到的一席話。由此點看來，我認為毛澤東一方面除了防備日本變成敵人拿著匕首刺過來的情形；一方面也為使將來日本永遠都不會拿著匕首刺過來，而必須保持友好。基於這兩種意義，他似乎認真考慮要在自主平等、反霸權的立場上和日本攜手合作。也就是子孫世代也能繼續友好和平。這點毛先生是正確的。當然毛澤東為人有其缺點，因為人總會搖擺不定。搖擺過度是應該被批判的，但是現代中國就算在將來，如果動搖了毛澤東思想的根本，就表示革命沒有成功。對於以人民公社的試行為始的政策論雖然有許多爭議，但是所謂統一四百餘州的豐功偉業，功績之大，做得比任何一個王朝都要徹底。如此的基礎建設是不動的，誰也無法否定。由此看來，日本國民只要不背離與中國人民緊握雙手的基本政策，不管中曾根先生怎麼做，都無法脫離這個友好團結的情況，這是我的樂觀論。

阪谷：岡崎先生說：「反倒希望中蘇友好。」對此我深表同感，不過我本來想請教的是，如果加入美國這項要素時，情況會變成如何？大概是我問話的方式不好。另外，剛剛伊藤先生也提到「不管中曾根政權怎麼做」這句話，可是如果我們暫且把中曾根政權置之度外，放進日本和美國的關係——我認為這也不是簡單就可以改變的——這項要素來看的話，想請教松本先生的看法如何？

松本：要考慮現在的中美關係，就會出現尼克森訪中的問題，其背景簡單來說，應該就是核武的競爭逐漸激烈，美國若是不和中國聯手，就沒有和蘇聯相抗衡的自信。因此，從對蘇聯的競爭意識中產生出中美關係必須友好的想法，所以尼克森派季辛吉訪中和周恩來對話，要是中國也願意接受，就會去著手進行。但是我認為對美國而言，中蘇關係即使改善了一些，美國和中國的關係也不至於會惡化。

總之，最先承認中華人民共和國的是蘇聯（1949年10月2日），緊接著是印度、英國。英國之所以如此，當然也牽涉到貿易問題，但最主要的還是考量到對蘇關係。而美國應該是按此模式跟進的。

然而，中蘇關係要是變好了，日中關係會變好或是變壞這個問題，應該是依據日本和蘇聯的作法來決定。美國擁有小麥，而蘇聯的小麥不足，無論何時在經濟關係上美國都可以援助蘇聯。特別是在提供糧食物資這一點上，美國擁有優勢，而蘇聯居於劣勢。但是蘇聯希望盡可能不要接受美國的援助，所以如各位所知，他們向加拿大或阿根廷購買小麥。我認為從美國以外的國家進口小麥的可能性是比較大的。

即使如此，美國也並非不賣小麥，美蘇關係本身還是有一條不算細的線來維繫，而且我認為應該會一直持續。這成為一種伏線，所以美蘇不會戰爭。這條繩子一直在促成彼此接近合作的關係，所以不論美蘇任何一方都還是保留著這條繩子。而在擴軍競爭的問題上，美國將有力量的立場當作對蘇外交的基本政策，可是蘇聯方面卻不站在有力量的立場來進行對美交涉，所以努力不輸給美國的武力，對於輸這件事感到極大的威脅感。因此，同樣是軍擴競爭，作法卻感覺不太一樣。雙方彼此都做了許多事，希望只有自己能夠強大的留下來。美方提議進行削弱對方的軍縮案，可是如果蘇聯也提出軍事縮減案，到時可能變成蘇聯強大，美國變弱。所以軍縮案一直無法實現。但是客觀看來，美國也有不少的有識見的人，如喬治・肯南（G. F. Kennan）、約翰・加爾布雷斯（J. K. Galbraith）等，或是最近的美國軍事當局第一權威人士葛雷（音譯，グレー）還是其他人，他們最近共同提議先從美、蘇都各減五成軍備做起，可是對此蘇聯還是沒有馬上回應。蘇聯總是懷疑美國是不是有什麼陰謀。真的很不可思議。美國要給小麥時，蘇聯就很信任美國，但是講到這個軍縮問題，由於認為美國暗中的意圖是要削減蘇聯武力，所以蘇聯遲遲不肯附議。因此美蘇關係雖不至於破裂，但是緊張關係大概還會持續相當一段時間吧！就算多少會有變化，可是就像剛剛說過的，有小麥的問題，同時還有軍擴競爭這條粗線，所以不管怎樣都還是留下兩種美蘇關係：合作關係與更升高的緊張關係，而且應該會持續這樣的關係很久吧！

這樣看來，美國確實是因為盡量想在美蘇關係中維持國際性的優越地位，所以要改善美中關係，這樣的意圖非常明顯。然而即使這樣做，對於剛剛提到的美蘇關係的基本狀態並不會有太多加分效果，但也不至於扣分。不過對蘇聯而言，美中關係要是太好，就不由得會擔心自己的國際地位漸漸失去優勢，轉處於劣勢。因而美中關係要是改善，蘇聯為了競爭，在方向上多少都需要修復中蘇關係。美、中、蘇之間的關係雖然錯綜複雜，進行各種交鋒，但是基本上美、中、蘇的關係滿布合作同時又保持緊張的形式。

至於中蘇關係未來會變得如何？我想應該只有邦交關係愈來愈好，但是黨和黨之間的關係則沒那麼簡單。好比南斯拉夫和蘇聯的關係，已經維持20年的友好邦交關係，可是黨和黨的關係則不理想。像是赫魯雪夫去訪問時也是如此。政府對政府沒有問題，可是黨和黨之間互不會談，所以我覺得中蘇關係應該也會變成如此。

因此，在國與國之間的關係上，各自都多少有些小問題，都想要一邊進行折衝，一邊進行不至於讓關係惡化之事，但是基本上將世界情勢的平衡翻轉過來般的關係，於好於壞都不會發生。不會有太多變化，就算多少有一點也不會有太大影響。如此一來，日本該怎麼做才好呢？而且日本又是站在美、蘇、中以外的第四個立場。對日本而言，今後在日中關係上絕對是希望經濟面能夠合作，同時又考慮在對蘇關係上盡可能想依靠美國，然而由於美蘇關係也是既緊張又維持合作，所以日本方面不太能與蘇聯發生正面衝突。日本的軍備不足，就算有也不能打起來。可是有時因為北方領土〔譯註：南千島群島〕問題，蘇聯會把軍力擴張過來。日本會對此抗議，但是就算抗議了蘇聯也完全不予理會，日本對於南千島群島的領上問題只能處於半隱忍狀態，同時又必須提供蘇聯開發西伯利亞的一些財政和技術上的協助，所以這裡也存在著緊張中維持合作的關係。剛剛說的各種力量對比的平衡關係，我想都有很類似的一面。

因而我並不認為這種現狀在五年或十年內會有怎樣的改變。當然也有人說要改善中蘇關係，但是倒不如說不要「改惡」還比較恰當。比如有一陣子北京還蓋了很多防空用的地下道，現在則因為關係稍微不同，所以在氣氛上有了非常大的變化。

整體來說，就像現在說明的一樣，這是非常複雜的關係，而且雙方都各自擁有合作與緊張的相互矛盾的兩種關係。至於中美關係，美國不時會拿出台灣問題來討論，北京的反彈就會非常大。對此美國又一副很抱歉的模樣，雷根在位時也曾經有派布希（George H. W. Bush）到中國對話、打招呼的事態發生，美國並不會做出比此更激怒北京的舉動。所以我認為中美關係會一直維持現狀。

知識分子的交流和超越體制的友好

戴：聽了各位的談話，就我的理解，主要是表示因為日本和中國到底是鄰國，所以日本最好還是不要利用「蘇聯牌」或「美國牌」這種姑息的對中關係形式，而是應該盡量從正面來好好交流。

然而，中日建立邦交以來，中國經常對日本提起的問題是呼籲要建立今後子子孫孫世代友好的關係，可是在這之前有個絆腳石，比如日本的資本主義體制和中國的社會主義體制之間要如何去調整？又或者是否能夠克服這個差異？關於此點，就國家關係而言，就如同其他的關係一樣，都需要在所謂外交關係或是國際交涉等各種形式下一邊調整一邊進行，但是無論如何都會留下一個問題，也就是國家體制的差異所產生的緊張關係該如何去處理？各位先生們因為曾長期從事與中國相關的工作，也有各種不同的體驗，所以想請各位先生們分別為年輕的讀者們提出一些建言。

首先想請教松本先生，中國在1957年之後，知識分子的地位被壓得很低，知識分子之間也幾乎沒有交流，然而今後應該考慮一下找些知識分子或是文化人來擔任國與國之間，或是黨與黨之間的斡旋角色或是緩和局勢的中堅。因此我個人身為一個中國人，對於中國的知識分子政策已經改善不少感到鬆了一口氣。而松本先生長久以來經營國際文化會館，為了今後建立日本與中國子子孫孫的世代友好關係，請問您對中國的知識分子有什麼樣的期待？或是對今後的文化交流形式有什麼構想？在此想請您給我們一些意見。

松本：我在30年前設立國際文化會館時，就是打算不受體制、宗教、人種等限制來和各國進行文化交流，增進彼此的認識，也一直照著這個理念來經營，但是對於分裂中國家卻非常困難。

因為對東德一無所知，我們曾經請來上杉正一郎君針對東德問題做了演講，結果駐日的西德大使館館員來鬧場。我非常生氣地對他說：「在會館中請大家要有禮貌一點，我們正在促進相互理解，身為大使館員卻來鬧場，實在不像話！」

從此我們就決定再也不碰觸分裂中國家議題。所以即使台灣曾經多次對我們提出邀請，但是基於國際文化會館的政策，也就沒有積極從事台灣方面的工作。這是因為考量到北京，我們一直等待著總有一天能與中國進行文化交流。

終於在四年前，我得到中國的「中日友好協會」的邀約前往北京，見到了孫平化先生、廖承志先生和鄧小平先生，我表示希望可以進行日本與中國的文化交流與人員交換、增進相互理解，當場得到他們積極贊同的口頭承諾，我感到非常高興。之後就開始每年交換一至兩名學者。現在中國方面是由社會科學院來負責，而我們則有對亞洲知性協力委員會，還有一定的基金，每年可以使用100至200萬日圓，所以進行人員交換時，來回的旅費由派遣國支付，接受國則負責停留期間的費用。

雖然中國社會科學院最近財政有些吃緊，仍舊比照著與國際文化會館之間的備忘錄來辦理，之前官鄉先生也來發表過，去年則應該是費孝通過來——這個人好像不是黨員，是有名的社會科學家、民俗學者——做了一番很精采的談話。而日本這邊也設立了新渡戶研究獎學金，有位外國語大學的助教授中嶋幹起君想要到中國當地進行為期一年的語言學、地方少數民族語言的研究，就被介紹去現在提到的社會科學院的語源研究所和民族研究所這兩個地方。由於中嶋君的中文說得不錯，也學了新疆話還有維吾爾族語等，所以就前往中國展開研究。我們就是點點滴滴的進行這樣的工作，今後當然也想一步一步地持續做下去。只是截至目前為止的各種文化人的交流總是超過十個人，而且還是能來的時候就一起來，所以若是一口氣來了二十幾個人的話，我們可以做好某種程度的歡迎工作，但是是否真能達到促膝長談，將來則應該還需要大為改善這些技術層面。我就是懷抱著這樣的心願來從事交流工作。

戴：非常感謝您。接下來請岡崎先生發言。現在中國由於四個現代化的問題而產生了相當棘手的課題。但是基本上對方是社會主義經濟體制，日本是資本主義，所以兩者之間必然有許多矛盾和問題，對此，今後該用何種基本理念來進行調整，互相補足成為好鄰居呢？想請您發表一些意見。

岡崎：我在中國變成共產主義時，曾經一度放棄過日中友好。可是反覆思量，不禁懷疑那個早自三千年以前就開始創造一流文化的民族、國家，可以用蘇聯式的共產主義維繫下去嗎？我抱持著這樣的疑問，決定要弄清楚這個問題，於是將從事日中貿易當成手段。一開始我完全是抱持懷疑態度過去的，果然發現如我所想，新中國無論如何都不會採取蘇聯式的共產主義、嚴控型的共產主義，或實踐完全的計畫經濟。我特別是從周恩來這個人身上得到如此的印象。

之後看到中國經濟不如想像中那般發展，我就告訴和我們有生意往來的年輕中國人們，不成為能夠讓個人自由發揮的體制是不會進步的。他們做為議論都贊成這樣的論調，當然也都表明厭惡資本主義。資本主義在我來說，是自由主義崩潰下的產物。之後，我也在和經濟學家的各種討論之間，感覺到或許會改變，要是能改變就好了。如今看到去年年底決議的憲法，發現裡面暫且去除共產主義的字眼，改為高唱社會主義。不過在憲法的一角中加入了自主權的表現，對於和外國企業合作的問題，則表示即使100%外資也沒問題。

以那樣的共產主義理論實踐了革命，不花時間是無法捨棄的。特別是軍隊無法立刻進行大改革，所以必須邊想邊做行。這也許不是所謂的「自由」，也並非自由主義，但是可以朝充分發揮個人主動權的方向慢慢來運作。所以如果這樣持續下去的話，應該是有希望的。

松本：就算和資本主義在體制上有接觸，雙方於實際操作上都多少需要互相讓步、妥協，為了因應此現實，也確實出現不得不讓步、妥協的地方，從中或許可以找出彼此相通融之處也說不一定。

岡崎：我同意。我也常舉一個例子，中國只要出席世界性的運動舞台，一定派出一流選手。去年秋天我和經營管理的訪日團會談之際，剛好中國的選手團來日本參加世界女子排球錦標賽。我說：「你看，中國一定會獲勝。」結果真是如此。運動競技上因為沒有統制，所以各個選手得以自行發揮全力。當然共產主義的國家也會要求人民盡自己最大的努力。道理是這樣沒錯，可是不是所有人民都會照著實行。以運動的例子來說明的話，就可以馬上理解。這次的亞洲大會如果像這樣拿了很多金牌，應該會造成刺激吧？

日本的資本主義從前確實也有不好的地方。我們的學生時代，正是《女工哀史》的時代，東北地方甚至有賣女兒為娼的悲慘事件，所以我們那個時代讀了馬克思都很感動，可是現在已經不是這樣了。這也算是託勞工組織的福，我們在學生時代所思考的資本主義之惡，現在大部分都消失了。而且現在是其他不同的力量變強，或者是勞工組織的力量太強，可能會往別的方向，但是人世間原本就是如此諸行無常。

剛才戴先生是請我說一些給未來的教訓，但是我的基本歷史觀是一個新加入文明社會的未開化民族或集團，終究會在社會居於首位。這未必是稱霸社會的意思，但總是會變成如此。就好比經驗豐富的前輩和年輕人之間的競爭一樣，不管做什麼結局都還是年輕人的天下。回顧三、四千年的歷史，正是這麼一回事。

還有一點，就是文明是自溫暖地帶發達起來，再傳至寒冷地區。這個過程將來可能反過來回歸到赤道附近，只是目前還達不到。這樣一想，埃及和羅馬的對立最後由羅馬稱霸。此後未開化民族漸漸抬頭。而羅馬正值興盛之際，現在的所謂日耳曼（German）或條頓（Teuton）民族都還是未開化之人。可是他們在300年前就稱霸了世界。我因為抱持著這樣的歷史觀，所以早在四、五十年前就已經說過：「英國快要不行了！」當時還被前輩們叱責，結果現在也正如我說的一般。

我在納粹興起的時代去了德國，對德國還算有點了解，他們非常勤勉而講求正確。我覺得德國人雖然遲鈍，卻是步伐正確的人。我在戰後不久就去了德國，德國的舊友們也還活著，所以跟他們聊了這些話。他們在七、八年前還相信政府，但是現在的德國已經不行了。我問他們為何不行了？說是因為戰後不久就從義大利等地輸入了外國勞工，也進入一些日本勞工。現在也引進土耳其勞工。上次看了電視轉播，說有一百七十萬左右的土耳其人前來。還有其他開發中國家的勞工也被引進。一些大家不想做的工作、骯髒的工作都讓外勞做，自己則是靠福利金悠閒生活。於是國民的氣力和體力都跟著衰退，民族也步入衰微一途。不管哪個地方、哪個時代的民族，一旦變強了就會想偷懶。而日本也似乎漸漸步入這種情況，讓人擔心。

戴：衣食飽足的結果。

岡崎：羅馬會滅亡也正是因為如此啊！某本雜誌要求我寫些東西，所以就把這件事寫成一篇短文。照這樣想的話，好比葡萄牙、西班牙等，雖然沒能成為霸主，但是曾有一段時間到達不錯的狀態，就一直維持在那裡。我推測日本應該也會變成這種傾向。

因此，以世界的角度看起，我認為蘇聯還是最年輕、最有力、最努力學習的國家。所以按照歷史的法則來看，這回就蘇聯民族的性向而言，不管是不是中國所謂的霸權主義，恐怕會對其他民族造成相當大的壓迫。據說現在這個國家的衛星國已經受到相當的剝削。所以在世界民主主義的思潮下，如果更加湧起不可以這樣做、不允許這樣做的世界風潮，難道會沒辦法遏止嗎？美國打算用武力來壓制蘇聯，但我認為這樣是壓制不住的。我一方面思考著這些事，一方面又想，中國因為過去曾經擁有高度文明，該不會就此萎靡不振了吧？不過近世以來中國人嘗遍被其他國家極度凌辱的痛苦經驗。當然，這點我們日本人也有責任，但是我覺得這些痛苦的經驗，如今將化為正面能量，成為新的民族力量。

戴：非常感謝您的答覆。伊藤先生，剛才您將自己定位為廣義的「毛澤東主義者」，而由我們看來，先生您在戰後致力於克服明治以來不幸的中日關係，建立新關係，主要的努力方向也是由下而上的連帶運動，或是站在民眾的立場上的交流、建立友好關係等。而中國的民間現在依然非常窮困，因此以最近的流行語來說的話，想請教您對於今後的民間交流，或是民主性質團體之間的交流等層面抱持著什麼樣的展望？請為我們說明一下。

伊藤：如果再接續剛才毛先生的話題，說起中國民族，雖然以漢民族為中心，但是圓融性大概是世界第一。舉個例子來講，毛先生會說：「請代我向日本天皇問好。」而且我聽見他很周到地提了好幾次。第一次是跟遠藤三郎先生，接著是田中角榮首相，是在他宣布日中邦交正常化的聲明，於9月30日（昭和47年）在上海飛機場準備搭機返國時，周恩來還特意傳達了毛先生的這句話。

這個共產主義的頭目，不追究戰爭責任，明知日本左翼批判天皇制，還是說：「請向天皇問好。」而且當他這麼說時，我原以為會引起國內的批判聲浪，但是當時對此並沒有任何批判。這究竟是怎麼一回事？我無法解釋，所以我不停地詢問中國人，卻總是得不到滿意的答案。不過，現實中鄧小平在訪日時也是毫不顧慮地和天皇握手，而且天皇自己也說他非去中國訪問不可。1975年訪美之前，天皇在接見《時代》雜誌東京支局長威廉·史都華（William Stewart）時，就彷彿回禮一般地表示：「在這個日中得以簽訂和平條約的拂曉之際，若是能獲得訪問中國的機會，我將非常高興。但是，這是日本政府決定的事。」

想來，只要日本人民有半數或是三分之一，仍然保有對天皇的象徵性的情感，我認為毛先生是認真這樣說的。這是因為與和平友好的日本人民，包括自民黨、天皇，及日本人民必須相親相愛團結一致。這應該是他的信念吧。從這裡可以看出來，毛澤東這個人，除了狹隘的意識形態或民族意識，或是一個超越這些將世俗人性應用自如的革命家。

因此，關於戴先生所提出的問題，1949年以來，透過中國研究所（1946年創立）日本中國友好協會、日中文化交流協會、政治經濟研究所（1946年創立）、Japan Press社（國際情事研究會）、AA作家日本委員會、TIC（公司）、東方科學技術協力會等組織的創設以及合作之下，我們從新中國學到的是其貫穿民族關係、意識形態而脈脈流動的人性主義，以及充滿變革性的芳香。有時忘了變革而導致失敗，或是不這麼解釋就無法理解的事情應該也是不少吧！我想同樣的事情即使在毛先生、周先生逝去的現代化的今日，都還是說得通。所以現在日本是資本主義，而就算中國是社會主義，還是知道自主且平等的交際方法。我們也必須懂得這些方法。但是中國人民歷經幾千年來歷史浪潮的鍛鍊，才走到今日，今後日本方面也的確需要確立毛先生所說的自主獨立。應該要像這樣學習中國的圓融、好好相處，雖然我講的可能會變成意識形態之前的民族議論，但是日本民族和中國民族、亞洲諸民族，不管從地理關係或是歷史關係來說，首先都該謙虛的放開心胸，大家緊緊攜手為一，走到最後的最後。反覆再說一次，最近中國方面常說的「子子孫孫」，迄今我們都以為只是漂亮的詞彙，但是看到最近的全人代（全國人民代表者大會）等負責人的對日表現，讓人感覺到他們真的對孩子們的時代會如何、孫子的時代又會如何持有確切的意象。我想他們確實認為和日本之間，少說也有100年必須好好握手合作才行。所以我們也有同樣的打算，雖然看得到空間、時間等各種表面上的落差，但是根據歷史，我們學習到其中一定有超越那些的某種東西存在。並且希望能夠牢牢記住，要站在自主獨立的確信上，照著日本的方式挺身向前。

而現實問題就是松本先生那邊也在進行的留學生研修生問題。我認為互相都必須珍視這種關係，將此當成一個巨大的溝通管道來使用。因為當事者就是我們子子孫孫年輕一輩的人們啊！

「戰爭養子」——絶非「殘留孤兒」！

伊藤：這個議題我在鼎談一開始就談過，我再重複說一次。以報紙為首，一般都習慣使用「中國殘留的孤兒問題」。可是這個「孤兒問題」的表現，我認為不恰當。

松本：我也這麼認為。

伊藤：雖然他們可能是被賣掉的小孩，或是被丟棄的小孩，可是現實上這三十多年之間，他們明明就有中國人的養父、養母，卻被稱為「孤兒」，這是怎麼一回事？實際就是養子、養女，不管是買來還是撿來的，現在總是養子和養父母的關係吧？都把他們收為養子養育成人了，理所當然要尊重這層關係，不把這當一回事的日本政府真的很糟糕。他們被當作養子送給中國，現在來到故鄉，很想返回原生家的話，就必須經過和平友好的協議，讓他們回到日本。厚生省如果不好好考慮這種關係是不行的。若是沒有正當協議就讓他們回日本，也會有因此而感到困擾的家長吧？所以必須友好的協議，政府確實認識現實這種過繼收養關係，再往下一步發展，我認為對於養育他們的家庭，應該要感謝和報答。

之前也說過，我結婚時，妻子的父親曾對我說的餞別之詞：「滿鐵這個公司，是在外地從事工作的公司，所以你們就像是要過去成為養子一樣，如果只想著原生家的事，總有一天會被趕出來的！」

前幾天，我也和訪日的趙安博先生談過，那些人確實和中國有緣，在當地生活了三十多年，融入當地社會，因此我們必須清楚建立他們是去給人家當養子的觀念，訂定立足於此人情之上的政策，讓具有良好歸國條件的人協議復緣。當然也要經過收容者的同意。現在連收容環境都還沒有整頓好，就吵著讓他們回來、回來吧的那個政策，真是官民兩方皆錯。這個現實問題如果將來不好好處理是不行的。日中之間因血緣而產生的子子孫孫的紐帶，今後該如何持續下去，這也是民族交流大問題的根本所在。

松本：我覺得「殘留孤兒」這個名字不行。

伊藤：這也是戰爭責任的自覺問題，是很不人道的。成為我們無法謙虛接受歷史現實的實證。

松本：實際上，有這麼多人把敵人的孩子養育成人，中國真是很了不起的國家。幾十年的養育過程中都沒有告知他們其實是日本人，只有等到父親快死時才說一聲：「你其實是日本人。」這種肚量何其大！我認為這才是真正的愛，真的很美。你其實是敵人的小孩啊！所以事實上是戰爭養子，根本不是孤兒啊！

子子孫孫、世代友好

岡崎：有關現在提到的子子孫孫的註解，我問過鄧小平先生，得知那是特意寫出來的。當然周先生是在田中總理去訪問時首度使用這個詞。我們團體現在每年接受約五十名研修生，照顧他們的生活，因為這個緣故，我在三、四年前去北京見了鄧小平先生。當時鄧小平先生說：「子子孫孫、世代友好這句話，僅限於在中日之間使用。我國與一百二十多個國家締結友好關係，但是子子孫孫、世代友好的字眼，我們只對日本使用。因為這是由我們提議的，所以絕對會遵守。但是子孫世代的人是否會遵守這個協訂，那得由以後的人來決定，我無從得知。」這個演出實在太高明了。之後經過長長的口譯，我正想著他還會說什麼，結果他說：「正因為我們不知道子孫會怎麼做，所以現在藉由教育希望讓他們遵守下去。」因此那句話是特意寫出來的。他的用意我們不能不察覺。

松本：確實如此。

岡崎：這真是很了不起。中國人因為過去自己忍受了許多痛苦，所以知道該怎麼做。我一直提到，亞洲如果不好，我們自己也不可能好起來，國民黨那邊也是這樣說，共產主義的中國也是這樣說。而我們日本人卻缺乏這樣的想法，好像自以為了不起就好了。

松本：真的是這樣，太傷腦筋了。

阪谷：謝謝。我們了解到中國的想法是希望藉教育來保障子子孫孫的日中友好，而這正好是這次企畫絕佳的總結。這次企畫請到長期獻身於日中關係的各位先生，在九次鼎談中毫無保留的與我們分享經驗談，在此致上最深謝意的同時，也宣布鼎談會就此圓滿落幕。

著者簡歷

伊藤武雄

明治28年（1895）	3月	1日出生於愛知縣渥美郡田原町。
大正 2年（1913）	3月	縣立愛知第四中學畢業。
3年（1914）	9月	第一高等學校德法科入學。
6年（1917）	7月	同上畢業。
	9月	東京帝國大學法學部政治學科入學。
7年（1918）	12月	參與新人會的成立。
9年（1920）	7月	東京帝國大學畢業。進入南滿洲鐵道株式會社（滿鐵），任職東亞經濟調查局（東京）。
	10月	轉調大連滿鐵總社調查課。
10年（1921）	10月	就任首任滿鐵調查課北京駐在員（隸屬於滿鐵北京公所）。
11年（1922）	3月	為視察第一次香港大罷工赴華南出差。
13年（1924）		《北京滿鐵月報》創刊（為編輯該誌於公所內設置北京研究室）。

15年（1926）	3月	為視察第二次香港大罷工赴華南出差（與蘇兆徵、劉少奇、林祖涵等人面談）。
	5月	接獲歐美留學（兩年半）派令——主題為「歐美諸國的對中政策及中國調查研究機關的研究」。
	8月	自北京出發（經由東京12月轉往美國）。
昭和 2年（1927）	3月	《現代支那社會研究》（同人社刊）出版。
4年（1929）	3月	結束歐美留學，返回大連滿鐵總社。
	5月	接獲南京駐在員（上海事務所發）派令——《北京滿鐵月報》改題為《滿鐵支那月誌》，移轉至上海事務所。
5年（1930）	8月	任職總社交涉部資料課。
6年（1931）	8月	任交涉部資料課長。
	9月	柳條溝事件爆發後交涉部解體。
7年（1932）	1月	任滿鐵總社總務部調查課長（接任國際聯盟李頓調查團的滿鐵接待團事務局長的職務）。
		兼任東亞經濟調查局理事。
		關東軍下令設置滿鐵總裁直屬之「經濟調查會」（1月20日）——雖反對解散滿鐵調查課，但調查課實質上移轉至

		「經濟調查會」。暫定調查課從事太平洋問題調查會的工作。
		以東亞經濟調查局理事的身分支持反大川周明集團，結果敗陣。辭任理事。
	5月	滿鐵總社調查課廢止，被任命為審查顧問。
8年（1933）	4月	獲選任滿鐵社員會幹事長（一年一任）。
	11月	滿鐵改組反對決議，對關東軍提出反對聲明。
9年（1934）	7月	任經濟調查會第五部主查。
	11月	任新京駐在經濟調查會幹事——設立調查機關聯合會。
10年（1935）	11月	任經濟調查會委員・天津駐在經濟調查會幹事——任在天津支那駐屯軍顧問（與吉田新七郎、奧村慎次一同）
12年（1937）	3月	接獲天津事務所長派令（昭和10年底以降，企畫、組織冀東地區13縣的農村實況調查，完成13班的資料編13冊，以及自己彙整的總括班一冊的調查報告書）。
	7月	接獲上海事務所長派令（10月到任）——（陸海軍、興亞院華中聯絡部囑託）調查室主事（調查室置於調查

部區處之下）兼東亞研究所上海支所長（列國的對中國投資調查）。

任中支那資料整備委員會（東亞同文書院自然科學研）委員長兼昭和同人會評議員（中國負責人）。

14年（1939）	4月	滿鐵大調查部成立。 致力於上海事務所調查室的三項綜合調查——「支那抗戰力調查」、「日滿支通貨膨脹調查」、「世界情勢分析」。
17年（1942）	2月	轉任大連滿鐵總社參贊。
18年（1943）	6月	14日　滿鐵第二次檢舉行動中，遭關東軍憲兵隊逮捕（敦化→奉天滿洲國監獄→新京）。
	10月	自獄中向滿鐵提出辭呈。
19年（1944）	5月	滿洲國司法部緩期起訴處分。獲釋後歸返大連。
20年（1945）	5月	應津田靜枝（海軍中將）的電報邀請赴東京。
	7月	日華協會創立總會，就任總務局長兼企畫部長。
	8月	15日日本投降，太平洋戰爭結束。
	9月	滿鐵被指定關閉。 成為日華協會的清點人（昭和21年12月結束，資產贈與中國研究所）。

11月 任在外同胞掩護會理事、參贊（外地歸國者關係業務）——昭和23年解散。

21年（1946） 3月 中國研究所設立，就任理事。
昭和44年（1969）1月就任理事長。
昭和52年（1977）3月制定「名譽所員」，理事長交替。

23年（1948） 9月 就任中國地方〔日本〕綜合開發委員、綜合調查所長（昭和25年9月辭任）。

25年（1950） 3月 就任地方調查機關（關東・東北・北海道・中國・四國・九州）全國協議會會長。

7月 擔任經濟安定本部・科學技術廳・資源調查會委員（地域部會長）至昭和39年3月止。

10月 日中友好協會創立　就任常任理事。
就任理事長——昭和28年（1953）7月。
就任事務總長——昭和31年7月。
就任副會長——昭和37年4月。
就任顧問——昭和48年4月至現在〔1983〕。

26年（1951） 6月 政治經濟研究所創立・就任理事。
就任理事長——昭和26至38年。
就任顧問——昭和38年至現在

〔1983〕。

28年（1953） 5月 任愛知大學法學部講師（持續約八年）。

31年（1956） 3月 日中文化交流協會創立・就任常任理事（至今〔1983〕）。

33年（1958） 7月 與風見章、細川嘉六、中島健藏四人聯名發表對中國的反省聲明。

10月 日中邦交恢復國民會議，擔任訪中代表團（團長風見章）副團長兼祕書長訪中，列席國慶典禮。就任日本新聞社會長。

昭和40至41年任顧問。

昭和41年辭任顧問。

45年（1970） 任AA作家日本委員會理事。三祐顧問有限公司（Sanyu Consultants Inc.）囑託。

55年（1980） 7月 任東方科學技術協力會創會會長（至今〔1983〕）。

岡崎嘉平太

明治30年（1897） 4月 16日，出生於岡山縣吉備郡大和村。

大正 5年（1916） 3月 縣立岡山中學畢業。

9月 第一高等學校德法科入學。

8年（1919） 7月 同上畢業。
9月 東京帝國大學法學部政治學科入學。
11年（1922） 3月 同上畢業。
4月 進入日本銀行，任書記、計算局工作。
12年（1923） 2月 23日，任職小樽支店。
15年（1926） 6月 11日，任職總行文書局。
昭和 2年（1927）11月 17日，任職營業局（負責特融）。
4年（1929）11月 倫敦代理店監督顧問隨從（駐任德國）。
5年（1930） 3月 柏林到任。
7年（1932）10月 接獲歸國命令（翌年昭和8年5月歸國）。
8年（1933） 5月 任職營業局（外事員）。
9年（1934） 8月 7日，任營業局調查顧問（負責外匯）。
12年（1937） 7月 31日，任營業局次長。
11月 27日，新設外匯局・任外匯局次長。
13年（1938） 3月 16日陸軍省事務囑託・華中派遣軍特務部隨從。
14年（1939） 5月 1日辭日銀參事，就任在上海華興商業銀行理事。
17年（1942）11月 任大東亞省參事官（大臣官房審議室）。
18年（1943） 4月 任駐在中華民國大使館參事官（任職上

		海事務所）。
20年（1945）	6月	任上海地區陸海軍共同設立的政經部部長。
	9月	與上海地區接收司令湯恩伯將軍交涉日本人遣返事宜。
21年（1946）	4月	被遣返日本。
	8月	辭大使館參事官。
	9月	被剝奪公職（昭和25年10月解除）。
24年（1949）	8月	任池貝鐵工（株）社長。
26年（1951）	10月	兼任丸善石油（株）社長。
27年（1952）	10月	同上辭任。
32年（1957）	5月	任池貝鐵工（株）會長。
	8月	任增強儲蓄中央委員會會長。
36年（1961）	6月	任池貝鐵工（株）董事顧問。
	11月	任全日本空輸（株）社長。
37年（1962）	10月	以日中貿易交涉訪中團（團長高碕達之助）團員赴北京訪問。
38年（1963）	3月	任日中備忘錄貿易（LT）事務所代表。
39年（1964）	3月	任日中綜合貿易聯絡協議會會長（接任去世的高碕會長）。
40年（1965）	6月	任池貝鐵工（株）顧問。
43年（1967）	5月	任全日本空輸（株）顧問。
43年（1968）	12月	辭任池貝（株）顧問。
46年（1971）	3月	31日，辭任增強儲蓄中央委員會會長、

	就任該會顧問。
47年（1972）11月	日中經濟協會常任顧問。
51年（1976） 7月	任全日本空輸（株）專任顧問。
12月	全日本空輸（株）董事顧問。
55年（1980） 3月	31日，辭任增強儲蓄中央委員會顧問。
56年（1981） 5月	30日，任日銀舊友會會長。
58年（1983） 6月	29日，辭任全日本空輸（株）董事（顧問職位照舊）。

松本重治

明治32年（1899）10月	2日出生於大阪市堂島。
大正 6年（1917） 3月	兵庫縣立第一神戶中學畢業。
9月	第一高等學校英法科入學。
9年（1920） 7月	同上畢業。
9月	東京帝國大學法學部法律學科入學。
12年（1923） 3月	同上畢業。
4月	同上研究所入學（法理學專攻）。
13年（1924） 1月	留學美國耶魯大學（留學期間獲得歷史學者查爾斯・比爾德的知遇）。
14年（1925） 7月	出席美國威斯康辛大學夏季討論課後赴法。
15年（1926） 9月	留學瑞士・日內瓦大學（至12月）。
昭和 2年（1927） 2月	留學奧地利・維也納大學（至5月）。

	8月	歸國。
3年（1928）	1月	任東京帝國大學法學部助教（附屬美國講座）。
4年（1929）	10月	擔任第三屆太平洋會議（京都會議）日本代表團祕書。同時被選為日中有志懇談會（主席張伯苓）祕書。
5年（1930）	4月	任日本女子大學、中央大學、法政大學講師。
6年（1931）	10月	做為日本代表團之一員，參加上海・杭州太平洋會議（實質上的第四屆太平洋會議）。
7年（1932）	12月	進入新聞聯合社，擔任上海支局長。
8年（1933）	5月	出差滿洲國・華北（在新京見證滿洲國通信社及路透社簽訂通訊契約）。
10年（1935）	4月	擔任新聞聯合社（聯合通信）上海支社長。
11年（1936）	1月	新聞聯合社改組為同盟通信社（任同盟通信社上海支社長）。
13年（1938）	1月	擔任同盟通信社華中華南總局長。
	12月	歸國養病。
14年（1939）	10月	任同盟通信社編輯局長（首任）。
15年（1940）	8月	受第二次近衛內閣探詢，出任駐美大使（辭退）。
	10月	任同盟通信社編輯局長兼調查局長。

17年（1942） 7月 同盟通信社於昭南市（新加坡）設置南方總局，兼任該總局局長。

18年（1943） 2月 辭任南方總局長，兼任海外局長。

4月 任同盟通信社常務理事、編輯局長（編輯局長一職因病退任）。

20年（1945） 7月 於輕井澤養病中，受近衛文麿公邀請擬同行訪蘇以處理終戰事宜（未及成行）。

9月 受東久邇內閣的書記官長兼情報局總裁緒方竹虎交涉出任情報局總裁（因內閣總辭未及實現）。

10月 同盟通信社解散、離職。

12月 1日，任民報社社長。

22年（1947） 3月 民報社離職。

3月 被剝奪公職（昭和25年11月解除）。
律師執業開始。

6月 協助高木八尺教授設立美國學會。

26年（1951）11月 任國民經濟研究協會會長（至昭和36年5月止）。

27年（1952） 8月 在美國洛克斐勒（Rockefeller）財團、日本財政界的援助下設立財團法人國際文化會館，就任專務理事。

28年（1953） 7月 任新聞通信調查會理事。

29年（1954） 1月 任傅爾布萊特（Fulbright）委員會（在

	日合眾國教育委員會）委員（至昭和32年1月止）。
30年（1955）10月	任國際學友會理事（至昭和44年12月止）。
32年（1957） 5月	任日本女子大學理事（至昭和49年3月止）。
6月	接續高木八尺會長之後就任美國學會會長（至昭和45年9月止）。
9月	任日本聯合國教科文組織國內委員會（Japanese National Commission for UNESCO）副會長（至昭和38年7月止）。
33年（1958）10月	任東京大學講師（至昭和34年3月止）。
36年（1961） 3月	任NHK經營委員會委員（至昭和40年12月止）。
11月	任電通董事（迄今〔1983〕）。
40年（1965） 5月	就任財團法人國際文化會館理事長。
41年（1966）11月	任世界貿易中心理事（至昭和49年5月止）。
42年（1967） 4月	任日本科學技術情報中心監事（至昭和46年4月止）。
44年（1969） 1月	任日美文化教育協力合同委員會日方小組委員（至昭和50年止）。

45年（1970） 1月 敘勳一等，受贈瑞寶章。

46年（1971） 6月 任葛魯（Joseph C. Grew）基金理事長

6月 任班克羅福特（Edgar A. Bancroft）獎學基金理事長。

51年（1976）11月 受表揚為文化功勞者。

55年（1980） 8月 榮獲菲律賓拉蒙・麥格塞塞獎（Ramon Magsaysay Award）（「和平與國際理解」〔Peace and International Understanding〕部門）。

後記

本書係彙整以伊藤武雄、岡崎嘉平太、松本重治三位先生對各自與中國交流的回顧為軸的「鼎談會」紀錄。「鼎談會」召開的日期如下，舉行地點皆在國際文化會館的松本理事長室：

第一回　昭和56年11月17日

第二回　昭和56年12月8日

第三屆　昭和57年1月25日

第四回　昭和57年4月5日

第五回　昭和57年4月26日

第六回　昭和57年5月31日

第七回　昭和57年6月21日

第八回　昭和57年7月19日

第九回　昭和58年3月17日

鼎談結束後，在原稿閱讀、校正的階段，由三位先生與擔任主持人的戴國煇與我（阪谷芳直）進行補筆、訂正、添加新文章及附上若干註釋。

關於三位先生的經歷，請參考本書266頁以後的「著者簡歷」，只需一瞥，就能明瞭三位先生與中國的深厚關聯。

說起本書實現的由來，緣於三位先生幾乎在同一時期就讀一高（舊制）、東大法學部，自從在學期間以來即為親近的好友，至今足足超過半世紀的長期間直接或間接地參與日中間交涉的重要局面，現在也仍維繫著深厚關係，所以我確信三位先生齊聚一堂、敞開胸襟、毫無忌憚的回顧談，必將是觸及日中交涉的核心、珍貴且不可或缺的資料，定能使許多史實更加明確。所以一方面也為了後世著想，我平素即希望能夠實現三位先生的「鼎談會」，碰巧又得到與我持有同樣想法的前輩小原正弘的鼓勵，要我排除萬難實現此一計畫，遂以此為契機，下定決心向三位先生提出鼎談的要求。承蒙三位先生皆爽快允諾，得以實現這場前後費時三年的「鼎談會」。

然而，一旦企畫成為現實，想到做為鼎談對象時代的中國，歷經軍閥割據、動亂——孫文時代——北伐、蔣介石的國民政府——中日戰爭、第二次世界大戰——國共內戰——中華人民共和國的成立等充滿波瀾的歷史，因此主持人必須巧妙地引導出各位先生涵蓋當時中國政治、軍事、經濟、文化等廣泛的話題，這個重責我顯然承受不起，所以就拜託我的好友戴國煇接下此一任務。不只是因為這位獨特的台灣出身之中國人學者向來蒙受三位先生的關照，當然也基於他精通中國方面的文獻、情報，以及總是採取從世界的脈絡中考量日中間交涉、交流全盤局勢的立場，正是最適合的人選。

可是，遵照三位先生的意向，我無法徹底居於幕後，最後是與戴先生一起擔任主持人的工作。儘管如此，力有未逮的我自然將自己的工作限定在事務方面，主要是留意三位先生的發言能在所定時間內平均分配，以及鼎談的流程能夠依照歷史上的時間經過進行，結果，實質上話題的引導還是專門仰賴戴先生。

無論如何，若本書的成果能夠贏得高評價的話，可以說全因三位先生高貴的人格使然，即使已高齡80過半，三位先生依舊盼望樹立日中真正的友好關係，並憑著無比的記憶力訴說過去，以青年般的蓬勃熱情對未來提出建言。另一方面，若有若干不符讀者諸君期盼之處，則歸咎於身為主持人的我的不得要領、不夠用功，特別是以每個月不得不依公司命令赴海外出差的上班族身分，來參與此企畫的我的責任，必須對三位先生，以及鼎談結束後預定赴美一年的戴先生致上由衷的歉意。

我也需要在此冒昧提及一些私事，這次「鼎談會」的企畫能夠得到三位先生的快諾，背後歸功於家父（阪谷希一），以及家父的大學同窗好友、我尊為永遠師表的中江丑吉先生兩人。

曾在北京貫徹其市井人的生涯，於太平洋戰爭初期逝世的獨特思想家中江丑吉先生——中江兆民先生的嗣子——在北京有個以親近者為中心的團體「中江會」，中江先生過世以後，一貫肩負該會代表人身分的就是伊藤武雄先生。而家父在中日戰爭爆發同時，擔任負責中國業務的滿鐵理事前往天津，當時滿鐵天津事務所長也是伊藤先生，彼此身為滿鐵同事有不算淺的因緣。然而，另一方面，伊藤先生做為中江丑吉先生最資深的朋友，對於我這個出入中江家最年少「友人」之一，總是寄予關懷之情。

松本重治先生素來仰慕中江丑吉先生，可以說是廣義上的中江會成員，如同他在《上海時代》一書中所述，滿洲「建國」不久之後，他與任職國務院總務廳次長的家父在新京見面，從此對家父一直懷抱敬愛之情，或許因為如此，對我也總是溫情接待。

此外，家父自日華事變初期至太平洋戰爭戰敗為止，擔任相當於華北中央銀行的聯銀最高顧問，位居華北金融總經管人的地位，與同時期在華中擔任華興商業銀行理事及大使館參事官的岡崎嘉平太先生之間，有日銀時期前輩、後輩的親近關係。由於家父經常稱揚岡崎先生的為人，使我在實際接觸岡崎先生之前，對他就抱有非比尋常的敬意。而戰後開始與我有往來的岡崎先生可能也將對家父的好感投射在我身上，總是以溫情相待。

由於上述這種經由中江丑吉先生及家父的人際關係、對三位先生的親近感，確實讓我抱持著一種期待——或許應該說是「依賴」——認為只要對三位先生提出此次鼎談的請求，一定能獲得首肯，這種想法驅使我付諸行動。而正好明天就是家父第26年的忌辰，在這樣的時期執筆撰寫本書的後記，也感覺其中存在著某種因緣。

此外，伊藤武雄先生來函說：「……今年亡故的中國友人王曉雲、廖承志兩君，是自延安以來即為構築日中新關係而鞠躬盡瘁的朋友……不可否認他們有年歲和地位上的差距，但是就解放以來專心埋首於日中關係，持續傾注精力此點上，兩者沒有分別，……一位生於日本，一位死於日本，形成奇妙的對稱。」吐露出他希望將本書獻給廖、王兩先生的心意。

身為編者，我感到有義務將伊藤先生這樣的熱忱介紹出來，所以在此添上一筆。

最後，對於從一開始就不惜在各方面給予協助的みすず書

房、特別是高橋正衛的盡心盡力，謹此致上由衷的感謝。

昭和58年11月5日

本文原收錄於戴國煇、阪谷芳直編，《我們生涯之中的中國》，東京：みすず書房，1983年12月8日，頁310～313

【附錄1】

自由談論的日中關係

——評《我們生涯之中的中國》

◎ **松井博光*著・李毓昭譯**

本書是三個人的談話紀錄。這三個人同樣生於1890年代後半期（明治30年前後），從東大法學部畢業，可以說是日本的頭腦或菁英，也都在戰前、戰中和戰後與中國有深入關係，接觸過兩國許多要人，而且三人彼此都有深交。企畫這場費時兩年多、歷經九次的「鼎談」，又兼任主持人的是有多本與中國相關的譯作，而且與三位先生從父執輩開始就有深厚關係的阪谷芳直。另外參與的人有生於台灣的旅日中國人學者戴國煇，以及出版社編輯部的高橋正衛。阪谷是生於大正時代，戴則是昭和個位數年代的人，為一系列的鼎談增添樂趣。

這種談話紀錄通常會有針鋒相對的情況，本書也不例外。可是已屆高齡的三位人士不愧是明治之人，再加上或許是朋友之間不用忌諱，把主持人的憂心晾在一邊，各自針對自己的體驗高談闊論。這一點也很有意思（加上戴先生不時出面表達尖銳的觀點）。

雖然他們說出的個別事實有前後矛盾之處，但那也是沒有辦法的事。當時有種種潛藏在水面下，日本平民就算想看也看不到的動向，可以確定那對日中關係有重大的影響，也讓人再度察覺到，日本各界所謂的重要人士的想法和作法，從戰前到現今幾乎都沒有改變。總而言之，就是完全不理會民眾的意向。而三位都表示，在學生時代與中國人留學生交朋友，是對中國產生興趣的契機，這一點不也是很大的啟發嗎？

---

* 時任都立大學教授。

三位都已寫下回憶錄。伊藤先生為《活在滿鐵》〔《満鉄に生きて》〕、岡崎先生為《我的紀錄》，松本先生為《上海時代》。雖然有些內容與本書重複，但建議有興趣的讀者與本書一起閱讀。

本文原刊於《東京新聞》，1984年2月3日

【附錄2】

日中關係史眞實見證集：三者扮演的角色各不相同，因而饒富興味

——評《我們生涯之中的中國》

◎ 姬田光義*著．李毓昭譯

本書是分別在不同領域活躍的三個人，以「回顧與中國的交流」為題的「三方鼎談會」紀錄（收錄有阪谷的後記）。這三人不愧是曾經致力於日中關係正常化，目前也仍在日中交流中扮演重要角色，各自的回憶本身就是日中關係史的重要真實見證，因此本書是一本見證集。

近百年來，日中兩國關係的歷史既不正常也很不幸，因此身為日本人很高興得以知道，有許多人在這樣的歷史中仍相信日中會在未來建立友好關係。當然，這些人裡面不是只有這三位，除了陸續在本書出現的人物——例如中江丑吉、鈴江言一、中西功等人——之外，確實還有很多，但儘管有這些人的祈願和努力，也無法防止日本侵略戰爭之事實。日中之間不幸的情勢是在這些人的努力與時局急速傾向戰爭的糾結中發生的。這樣的歷史進程在今後仍有必要更深入探討。就這方面來說，本書能讓讀者從歷史教訓中得到啟發。

說話回來，三人接觸中國的經歷，以及在日中關係扮演的角色，當然是各有不同，對中國的觀感也不一樣。伊藤先生是滿鐵的職員兼研究調查員，松本先生是新聞記者，岡崎先生則是銀行員。他們在各自的崗位上接觸中國，當然談話中會帶有來自多種立場的趣味與重要性，而三人對於同在中國時期的多方面檢討，也使本書饒富興味。那段時期長

* 時任中央大學教授，專研中國現代史。

達一年，大約是從1937年底到1938年。

這一年也是日本正式展開對中國的侵略戰爭，中國建立抗日民族統一戰線的過程。三人都指出，日本這邊忽視了中國這些動向，而沒有與中國保持和平，停止侵略。他們從各自的角度去檢討日本方沒有看清楚中國真正實力的作法。三人談及擁有的消息來源、與日中兩國人士的交流、交際範圍、生活方式，以及人民於兩國分成兩個極端時的情況——尤其是上海，真的充滿戲劇性。

但奇怪的是，關於日本的侵略，三人都沒有提到，例如在後世留下巨大污點的南京大屠殺，連置身於新聞最前線的松本先生也沒有提及，儘管他曾指出西安事變的大騷動並沒有傳入日本人耳裡，陸軍與海軍對此事也有不同的看法等事。這不禁讓人覺得，這本見證集也暗地反映出，連這三位當時位居最高層的知識分子都未能洞悉侵略的真相。

在三人與中國產生密切關係的過程中，本著各自的問題意識，應該都會提到包括上述的南京大屠殺在內的事，有些問題卻一直沒有觸及，例如日本軍的「三光」政策、中國在文化大革命期間對亞洲與日本的政策，以及越戰的進攻。姑且不論戰時的報導管制嚴格，有關新中國成立後的問題報導要多少就有多少，但三人的主觀判斷卻略過了文革或中國對越戰的作法。不論是自稱為「廣義的毛澤東主義者」的伊藤先生，還是其他兩人，都對以長遠眼光看待的日中關係或亞洲環境寄予厚望，或許因此認為這些事情沒有重大意義。可是硬要他國接受某種思想或意見，甚至用軍事力去干預的作法，果真沒有重大意義嗎？筆者認為這三人對日中兩國都有很大的影響力，應該要從大處著眼，對中國有必要直言時就必須直言。

本文原刊於《週刊讀書人》第1522號，1984年3月5日，第3頁

【附錄3】

「對亞洲的立場」始終不變的硬漢
——評《我們生涯之中的中國》

◎ 嶋倉民生*著・李毓昭譯

1895年出生的伊藤武雄先生現年滿88歲，岡崎嘉平太先生現年86歲，松本重治先生則是84歲，都極為健康，記憶力驚人。三位先生先後進入一高、東大結為知交，後來到歐美留學，從大正時期到現在，歷經半世紀以上的漫長時間，在各自的領域上對日中交流史扮演顯著的角色。

伊藤先生曾任滿鐵的調查課長，並在戰後參與日中友好協會的創立等工作。岡崎先生曾任職日銀，也曾是上海華興商業銀行的理事，在戰後成為日中在外交上照會的負責人。松本先生則在戰前是同盟通信社上海支局長，目前是國際文化會館理事長。

三位先生的共同點是在各自的領域上親臨日中關係的「現場」，活躍於重大局勢中。本書即是在講述他們的體驗，亦即對歷史的證言，具有與學者研究室或書籍中的日中關係史全然不同的重要性。

伊藤先生以「廣義的毛澤東主義者」自居，可以說為了推動與社會主義中國的友好關係而奉獻了大半生。岡崎先生則從進入日銀後，觀察現實時總不忘察看經濟動向，向來會從經濟實務的層面思考亞洲。比起思想家毛澤東，他對務實的周恩來總理較為崇敬，這一點似乎與伊藤先生不同。至於松本先生，他似乎從年輕時就與日本的國家領導中樞有廣泛而深入的關係。從三位先生與社會主義的關聯，也可以看出本書安

---

* 時任亞洲經濟研究所調查企畫室長，專研現代中國問題。

排的絕佳的人選。

說起來，這三位明治出生的先賢都是硬漢，雖然就學於歐美，卻對亞洲抱持終生不渝的感情，即便身處於二次世界大戰後一面倒向美、蘇的潮流，仍堅守對亞洲的立場。

本書是以鼎談的紀錄形式，彙集永遠的青年似的三位先生在日中關係中的見證。尤其對於有意鑽研日中關係史的學生，本書可以提供無數的新研究線索，以及必須深入挖掘、提出證明的研究課題。

這場無拘無束、樂趣橫生的座談會，是由優秀的訪談人訂立體系與焦點。在總共九次的鼎談中，負責調整路線的是擔任聆聽者的阪谷和戴。

阪谷芳直的祖父曾任大藏大臣，父親是滿鐵理事，他本身又曾師事隱居北京的思想家中江丑吉。除了有多本與亞洲有關的譯著，他也曾在日銀、輸銀、亞洲開發銀行擔任重要職位。

戴國煇是生於台灣的中國人，雖然這一年來在美國做研究，但已經在日本住了28年，是立教大學的教授（史學）。

本書講述的日中關係史中，也有一些非同小可的地方，例如提到田中義一的《田中奏摺》是偽造的，「寫的人必定是當時在滿洲的人」，不過此事還有待確認。還有松本先生認為，盧溝橋事變在停戰談得差不多時就展開了，此事背後可能有劉少奇在運作。

另外，岡崎先生也說到，西安事件是為了抵擋外敵日本，實現國共合作，才沒有殺掉宿敵蔣介石；把這樣的真相寫出來比《十八史略》還有價值。這些發言都足以激發後進學生的研究欲望。

根據書末的人名索引，這一系列的鼎談提到的人數多達四百數十人，日中的歷史就是由這群人交織而成。其中有好幾名中國人留學生是三位先生的一高同學，看到這些人後來行蹤不明，就不禁覺得雖然事情已經過去，但慘烈而不幸的中國近現代史與日中關係史仍不能不回頭去嚴肅地審視。

本文原刊於《朝日ジャーナル》，東京：朝日新聞社，1984年3月16日

輯二

省視現代漢民族

走向文化統一與國際化

——現代的漢民族座談會

◎ 蔣智揚譯

時間：1982年9月24日

地點：山川出版社

與會：岡田英弘（東京外國語大學亞非語言文化研究所教授）

斯波義信（大阪大學文學部教授）

戴國煇（立教大學文學部教授）

橋本萬太郎（東京外國語大學亞非語言文化研究所教授）

橋本萬太郎（以下簡稱橋本）：本書一直對生存在東亞大陸的人如何興起，在何種環境下達成各個社會的統一，建立了文化的傳統，並形成了廣義的民族，將這些以中華民族——尤其是以漢民族為中心做為探討對象。我希望最後在此將現代中國民族應有狀態之特色，尤其基於與日本之對比再做檢討，並將其在現代世界所具有之問題，包含對未來的展望加以討論，做為本卷之總結。

漢民族與中國民族

橋本：首先，在現代社會，雖然說是漢民族，也必須把做為中國民族或中華民族應有的狀態當作問題。至目前為止，民族這個概念未必被明確定義，而一直稱之為「漢民族」。此「漢民族」與「中國民族」是如何從不同的觀點來稱呼的，可否從此點開始談起？

岡田英弘（以下簡稱岡田）：問題在於所謂民族是非常近代的觀念，而且中國是最不適於用此種民族觀念的地方吧。

所謂民族的觀念是在18世紀末法國革命以後所出現的。在此以前的歐洲，相當於國家的並非民族國家。各個王室或大公家透過聯姻或繼承所兼併的領地，只不過如馬賽克般分散在各處，因此雖然有王室但不曾有王國。

在歐洲之中，法國雖然已經具有最接近王國的形式，但由於法國大革命而不再有國王，其間開始出現所謂市民（citoyen）〔譯註：即英文citizen〕之觀念，然後出現所謂市民國家。演變為有操法語者的地方屬於法國，居住其地的人就是法國民族。自此以後，經過第一次、第二次世界大戰，所謂的民族主義就逐漸強化了。

但是所謂的中國，是在人類社會完成近代化的統一之前就已存在的國家，所以在此總覺得能開始適用先前所謂的民族的說法，是在甲午戰爭以後的事吧。也就是說，敗給日本人之後才有了中國人。（笑）

橋本：這是非常直率的說法吧。（笑）雖然有點無根據，但那時候正是亞洲近代民族主義興起的時期。由於鴉片戰爭的戰敗，以及因亞羅船事件被英法聯軍擊敗，而考慮到民族的危機。

岡田：一直到那時候，即使說是清國人，當然沒有意識到自身為滿族、自己是漢人。即使有某種程度的自覺，也不可能有今日所謂的民族意識吧。

橋本：正是如此，否則當時旗袍就不會稱為「中國服」，那純粹是滿洲族的服裝吧。還有辮髮也是吧，在描述古時候中國人的圖畫上必會出現，雖然如此，但這不是漢民族的習慣。

岡田：把中國古代傳說中的皇帝「黃帝」的子孫說成是漢族的人，大概也就是那些從日本回去的留學生（笑），這也是他們日本化後所產生的。可能因而形成漢族等於中國人等於非日本人的想法吧。

而使此變得更強烈的是發生了日本《二十一條要求》及山東問題等，認為對日本懷有反感的就是中國人，也就是等於漢族。

因此在中國所謂民族的觀念，事實上是進入20世紀才真正成立的。因此在本卷中處理中國民族的觀念時，以此意義所稱的民族必須附上引號。亦即，也許只能認為是現代20世紀末的我們，所能想到如民族之範圍內的中國人吧。

橋本：能否思考如下：可將目前我們所談「民族」這個名詞的意義稍加變換。亦即，通常我們所說的民族，正如岡田先生所說，是指在近代歐洲的浪漫主義時代之後所形成的人類集團統一吧。但是依本書對於歷史長遠的漢民族發展之跡象所做的觀察，似乎歐洲近代所謂「民族」統一方法，看起來反而是非常局部地區的現象，覺得其實在這個近代以前就有的漢民族的統一方法所具有的意義或特徵等，才是做為人類集團應有的狀態，成為了必須探究的問題。

以下我們把所謂民族以二分法來談。其一是以一民族一國家的形式來理解在近代歐洲所成立人類集團的統一方法，以此意義所稱的民族加上引號。此意義之民族若從世界史觀察，則為非常局部地區性的統合方法。若是另一種意義的民族統合方法，以此意義來使用時，不加引號。在追究無引號民族為何之同時，也將加有引號的「民族」與其來對比思考。

若如此觀察下去，要把日本人目前所想的「民族」套用在漢民族時，總會感到稍有不同。其不同處在哪裡也可由此兩個民族的語詞區別而得知。

政治概念與文化概念

戴國煇（以下簡稱戴）：岡田先生所謂民族國家的思考方法，就是法國革命以後的「民族」吧。基本上我贊成由此做出的概念規定。但其另一端則有國籍問題。

更清楚地說，國籍也不是超歷史的存在，它仍在法國革命以後伴隨著近代國家的成立，以國籍法的形式而產生。中國是在滿清末年，圍繞著居住在印尼的華僑與荷蘭爭論其法律地位時，才開始產生清國的國籍法。

這麼一來會發生什麼問題呢？首先我想指出的是日本人具有的民族意識或國家意識，與中國人以中國的歷史意識為基底的形式所建立的國家意識及民族意識，二者之間有相當的差距。一般日本人總是採取明治維新以後在日本的，極端而言是成為近代政治學的一般概念，或是大眾傳播所傳播下來的法意識或概念，來嘗試理解「漢民族」。但是如果以現在的時間點來重新定義的話，必須先對中國人過去或現在所認定的國家是什麼有明確的認識，否則很難得到真正的理解。

明確的認識是什麼，茲舉一例來說明。例如新加坡的李光耀總理非常排斥不加區別的適用法，像認為新加坡是第三個中國，或把原為華僑的新加坡公民依然稱呼為中國人，或稱呼為從中國人衍生的華僑。亦即，認為雖然自己在血統、文化層次上或出生的歷史背景與中國有關係，但已經不再是中國人。又認為既然不是出外掙錢的中國人，也不是暫時旅居國外的中國人，亦不是華僑。

因此他所提出的不是華僑，而是「華人」的概念。在此要確認在先的，是李總理為英國劍橋大學出身，是以歐洲近代的概念來掌握民族，也如此掌握國家。也就是說，李總理以所謂近代國家的國家概念來掌握所謂的現代「中國」。

如此一來，此處所說的中國民族，這種表現具有什麼內容，還是加以討論比較好吧，這樣的構思為其一。

其二為中華人民共和國及台灣的國民政府當局都將「中國」或「中國人」的稱呼用得非常曖昧。例如在對美國獲諾貝爾獎華人系物理學者的時候，以「外國籍中國學者」的說法表現；又夏威夷州選出的原參議院議員（共和黨）鄺友良先生，祖籍應是廣東的華人系美國人，他有一段訪台的插曲。記得是1960年代，面臨接待的國民黨當局有點為難。因為若表明為中國人或華僑並不妥當，以往的慣例是不分青紅皂白都當作華僑處理。但因為他具美國國籍，也是名人，我記得最後採「華裔美國籍國會議員鄺友良先生」的說法來報導。因為當時若被駐台美國大使館抗議就不妥。

就像這樣，在不讓被抗議的範圍內，實際上曖昧地為自己方便而把名人當成中國人或華僑。這是因為不考慮或不想考慮國籍或市民權之故吧。應該以近代的法律概念或政治概念處理的問題，將其與應該以文化概念處理的問題混淆在一起，有許多這樣的習性。因此造成曖昧而被誤解，尤其在東南亞更是如此。

在這種意義下，本書為日本人讀者著想，我想應該明確說明這點比較好。

斯波義信（以下簡稱斯波）：即使歐洲也有這種情形。例如，目前法國、德國或俄羅斯都被認為是像一整塊大岩石是一體的，但應該被劃分成以內陸農村為背景的人們和在都市沿岸的資產階級。如果再稍微追溯的話，其淵源可到達羅馬、希臘。

目前因為建國運動正在東南亞等地盛行，所以是非常熱門的課題，但畢竟由於文化或環境因素，如果問題牽涉到人們要如何進行統一之事，我想戴先生所提出的問題在人類社會上是相當普遍的。

岡田：還有亞爾薩斯－洛林〔譯註：Alsace-Lorraine，法國東北部之一區〕人的事情。如眾所知，那是第一次世界大戰的原因之一。因為他們是法國人，也是德國人。

橋本：在語言方面也確實是如此。如果住在巴黎，聽到亞爾薩斯－洛林的法語，會發覺他們雖然是在講法語，但發音卻是德語的發音。事實上若查看法國的語言地圖，那裡是講非常不一樣的法語。仔細打聽後，聽說在亞爾薩斯—洛林的居民中，有很多人與生俱來的語言是德語，他們在家中講德語，只有外出時才講法語。也就是說，單字及措詞都是法語，但其法語是以德語發音來講。所以正如您所說，是法國人也是德國人。

岡田：即使在產生所謂「民族」觀念之法國，也有這樣不可切割的事情，更何況是在中國，就是這麼回事。

戴：日本人的讀者若能了解此實際狀況就好了。

橋本：以下我也要將目前的議論加以整理。本書若要當成「中國『民族』」之卷的話，最後應該討論中華民國成立以及中華人民共和國成立，近代意義國家的想法與所謂「民族」的統一取得一致，才開始有意義。但是查看本卷所寫的研究，都在討論其之前的階段。日本人對漢民族的關心大部分也都在這裡。

所以談到中國民族，這是指與所謂現代中國之國家做某程度結合的意義下之中國「民族」，就漢民族而言，問題就是指之前的人類集團的統一。這樣的想法如何呢？

所謂「中華民族」之想法

岡田：應該是「漢民族」之處，卻成為「中國民族」吧。

橋本：就是這樣。所謂漢民族者，就是在形成中國「民族」之前的人類集團統一的問題。

岡田：是國家以前的？

橋本：是在成立中華民國或中華人民共和國之現代國家以前

的。所以所謂中國民族的考察，其實完全是另外的議論。其歷史充其量也是小於一個世紀，對我們而言，一點都不是新的統一。不過其中存在現代的問題，存在少數民族的問題或複合社會的種種問題，但是我覺得那不是本書主要關心所在。您認為如何？

岡田：的確不是。而是所謂漢民族者，如果能夠使用民族這個名詞的話，問題點在於是怎樣的民族……。

橋本：是的，這是饒富趣味之處。

岡田：這也就是談到與平常日本人所認為所謂「大和民族」者，整個在基本上有何不同。因此對於中國民族是什麼的問題，可以藉本書整體來回答吧。

戴：一般說中國是漢、滿、蒙、回、藏五族共和所成立的。問題是要以此五族來表示而稱為「中國民族」，還是要以接近文化概念的表現而稱為「中華民族」呢？

我想最好把政治概念以及法律的範疇與文化概念，好好加以區別。例如論及華僑問題時，若不明確區分華僑與華人，就會牽連到要把李光耀、鄺友良等當作華僑或中國人處理的政治層次問題，成為令人感到怪異的事情。此問題變得最嚴重的絕佳例子，就是中越對立藉「華僑」問題而將事件表面化。

因此，有別於政治・法律概念的中國人、中國民族，我認為做為文化概念的「中華人」、「華人」、「中華民族」或是「華族」，這樣的表現也能普及到日本就很好。事實上在東南亞，「華人」、「華族」的用法已經成熟而普遍使用。但在日本，並不習慣用華人、華族。尤其華族另有意義，是早已存在的語詞而容易混淆，語感也不太好。考慮這點，我想以中華民族來表示，其實比較容易說明吧。

橋本：做為文化概念也不是漢民族，而是「中華民族」嗎？

戴：基本上我贊成岡田先生在歷史過程中讀取語詞的思維。就是中國的「中」及在歷史中的「國」之意義。中國與其他的區別，在語源上或在誕生的歷史來說正如語詞那樣。

但是問題是以我們日常接觸的大眾傳媒等所說的國家，僅指近代國家本身。近代以前的「國」還是無法包括。一般的人並沒有空閒來吟味歷史的前後關係。但是在越南與中國的對立中，在議論中國人現在究竟還在不在越南時，中國當局及越南當局所指的中國人到底是指誰——此問題應該是與「近代」國家或是社會主義國家形成之關聯而引起的。

岡田：話題不斷地回到前面那裡了。

戴：我個人認為，如剛才所說以「中華民族」來表示其實比較容易說明吧。所謂「中國民族」之表示，若不小心使用的話，會限制華僑的民族政治面上的性格，因此不僅成為大漢民族主義，而且容易成為大中國人沙文主義。

對於北京當局、台灣當局雙方，為了圖謀今後華僑政策的展開，一方面希望解讀為中國民族，但另一方面在外交關係上不妥，而有必要淡化在政治、法律的意義上所稱的中國。可以說有難言的矛盾之處。不論如何，華僑與華人、中國人與華人系外國人，亦即持他國國籍者與保持中國國籍者之間，必須將政治及法律的區別加以明確化。

橋本：剛才斯波先生所指出現代的，尤其是東南亞等地正在進行的建國運動，這大概是全世界都公認的想法吧。

在此來看中國的憲法中說「中華人民共和國是統一的多民族國家」，已經以近代nation之想法為前提，以正在成立的原則進行著所有的談論。

岡田：是的，知道了，那麼我們就回到這點來討論吧。（笑）

漢族及少數民族

岡田：既然假設已有中國民族，就其中的漢族與少數民族的關係，我想到了一件有趣的事情。

有個叫作西條正的人，寫了一本書《做為中國人而被養育的我》〔《中国人として育った私》〕。他在20歲以前是中國人，到20歲時才來到從未見過的日本。從此開始過著當日本人的生活，可說是為了獲得日本式對事物的看法或生活感覺，而在痛苦奮鬥的人。

書裡寫著其前半生20歲以前的事情，至於20歲以後的事則寫在《具有二個祖國的我》〔《二つの祖国を持つ私》〕一書中。其中令我覺得有趣的就是，他在18歲時就因中國的國籍法而必須決定其國籍要採日本國籍或中國國籍。之前其戶籍上的民族之欄寫著「日本」。母親是日本人，隨著母親再婚，繼父是中國人。經過種種考慮後，還是決定選擇中國籍。如此一來，戶籍人員就一下子把「日本」塗掉，而寫成「漢」。這究竟是怎麼一回事？

橋本：除了那個人本身文化上自我規定的問題之外，應是國籍的問題。

岡田：不，不是國籍。是把以前寫在戶籍民族欄的「日本」改寫為「漢」。

橋本：那不是與問題的本質混淆了嗎？他本身內心深處並不認為已經是漢民族，或者希望成為漢民族吧。

戴：通常這種混淆是常有的。我在想，因為我不在中國內部寫東西，站在其間，一方面希望讓日本讀者明白的同時，雖然作用其實很小，也把球丟到中國那邊，希望讓中國大陸及台灣雙方的人們也能了解。

這的確很為難啊。例如圖一時的方便，將「戰爭孤兒」當作日本人，或者當作中國人，那是很可憐的，也會造成混亂。某一個人在法律上地位的問題，與「人情」的問題，最好盡量將二者劃分清楚。季辛吉是猶太裔，但在政治、法律上是美國國民，也是公民。又李光耀在文化、血統上是華人，與中國的歷史不可能無關。但他始終是新加坡人，不是中國人，當然也不是華僑，充其量只能說是華人系新加坡人之一。

岡田：是的。

橋本：剛才提了一下，亦即所謂民族者，當自己不再認為是那個民族時，就已經不是那個民族了。重複來講，這是基本上民族成員個別文化所規定的問題吧。

所以剛才岡田先生所說的，原來為日本族而被改為漢族，那並非該成員自己文化傳統所規定的問題，實際上已是法律的問題吧。

戴：本來理當如此。

岡田：我想在少數民族的清單中，沒有名為「日本」者是最大理由吧。另外也有這樣的例子，就是雖然為滿族，在登錄戶籍時寫成滿族的話，就不管什麼滿族不滿族，被改為漢族了。

橋本：說來也不是不可能的事。（笑）

戴：在這次的人口普查中，恐怕少數民族增加了吧。

橋本：那是當然的。因為說自己是少數民族就對啦。

戴：這在像美國等的國家，是採用自我申報吧。這次的情形，聽說中國是採用自我申報制。說是自我申報，是以不受差別待遇為前提才會申報，若有差別而造成不利，一般而言自己是不會申報實情的。

橋本：豈是差別？應說非常有利吧。要生幾個小孩都沒問題。也可以另外的基準進入大學，沒有像這樣有利的事吧？所以肯定會一直增多。

戴：增多是難免的，因為這次也開始有造假的申報。例如並非日本的「戰爭孤兒」，卻開始有裝成日本人孤兒而申報等。

岡田：有人會站出來說應是日本人之類的。

少數民族的規定

橋本：另外還有一點，中國少數民族的現狀整理，還需要許多時間。

例如我曾在兩年前，出版廣東省海南島稱為Bei或Onbe語言之語彙集。聽說最近對使用該語言的人是否有意做為少數民族而統一，已開始進行調查。因為那是在海南島的臨高縣使用的語言，所以在中國被稱為「臨高話」。

我的書對該調查好像多少有益處，這是令人高興的事。在中國經過初次調查後，聽說除了臨高縣之外，還有二、三十萬人口。這可能不是新發現的居民，而是至目前被當作漢族或民族歸屬尚未成為問題的人們，從一開始調查就來申報。

因此僅雲南一省，聽說若像戰前依服裝如青苗或白苗的形式來區分民族的話，馬上就有200或300出來。戴先生所說的自我申報若可通過——何況還有優惠的話，肯定會源源冒出。

不過做為新族群的少數民族認定，可能相當慎重地被執行吧。

岡田：其實那不是現代才發生的事。您大概知道吧，從梁元帝之後，歷代都製作了「職貢圖」。最新的大概是在清朝時代——可能乾隆朝代所製作富於色彩的職貢圖，直到最近還在台北的故宮博物院展示著。

觀看此圖，列記著一排居住在中國之內的少數民族。因為不僅僅是在中國內部，所以有點困擾，甚至出現法國人或澳洲人、西班牙人等。總之奉呈職貢的人應該都被刊載在上。在某意義上是中國世界的象徵。所謂中國世界之中國，也就是正中央的國家，所以在中國從最初就沒有國境的觀念。與中國的皇帝有關係的人，大家都有被登記在中國職貢圖上的權利。

但是，說到要以什麼做為民族的標準，主要就是服裝。男人穿這種、女人穿那種服裝，此即定義，只有穿著某種服裝的人才能說他是這個種族，有200以上，似無止境地排成一長排。

橋本：台灣的中央研究院出版了二冊彩色印刷的西南少數民族圖譜（《影印苗蠻圖集》）。因為這是同一畫家所繪，雖然想要區別臉型，但都是同樣的表情。（笑）不同的確實只有服裝。也就是有的裙子上有花樣，有的無花樣。有的戴有藍色頭巾，有的沒戴。另外還有一點，就是地名。是某處的某一族。

戴：說到這裡，如果要問中國人在傳統上區別自己和別人的基準——亦即成為漢民族與蕃夷之形式區別的基準是什麼？雖然是非常曖昧的概念，答案是「中國的禮教」。

總之，以懂得行儒學禮教之禮儀，或穿著其服裝而被接受。

橋本：若追根究柢，就是懂不懂漢字之事吧。所謂懂漢字就是藉此學習古典，並理解中國的禮教。

戴：但是因為總不能把腦袋剖開來以確認，所以自然而然還是以外表的服裝做為判斷的基準。

在此很有趣的一點是，例如元朝等的色目人，究竟那些被帶到中國的色目人都在哪裡消失了？曾經住在泉州或揚州一帶的波斯人或阿拉伯商人，究竟是否已經混血而分不出來？當時有相當多的人數吧。

橋本：甚至有一種情形，元朝時有人來到京城的大都（現在的北京），娶了當地的女子。在當地生的兒子回到波斯後，受伊兒汗帝之命，把中國的醫學書譯成波斯語。雖然自己懂得北京話，但因為未受過醫學的專門教育，結果還專程從北京請學者來幫忙。

戴：在這次的人口普查中，可能會有人出來聲稱，我其實是波斯人、我其實是阿拉伯人，或者我是蒙古人，祖先從蒙古王朝那時起已經在泉州、揚州，那就有趣了……。

岡田：可能會有吧。

例如在1948年以色列建國時，從河南省的開封有大量的猶太人移居到那裡。一看之下，完全是中國人，從服裝或臉型看來完全是中國人，但只有一點與中國人不一樣，即把自己的宗教稱為一賜樂業教。就是「以色列」教，保存了猶太教的某一種形式。

如此一來，這些人究竟是漢族還是猶太人？畢竟應是猶太人吧，雖然外表與中國人完全一樣。

橋本：認為自己是猶太人，就是猶太人。沒有別的，猶太人就是那樣。反過來說，從猶太人去除猶太教的話，與普通的美國人、法國人有何不一樣？

戴：所謂猶太人已經不是人種概念了。

橋本：正是如此，從金髮到黑髮，從北歐式的大個子到小亞洲式的小個子，樣樣齊全。只要那樣地經過混血，即使原先是來自以色列，但現在都變了，也是當然的。

岡田：大概是因為沒有所謂的猶太文化。但是，漢族還是會考慮文化。（笑）即使是河南省，若在那裡居住了幾世紀，就會接受漢民族的文化吧，但還算是猶太人嗎？

橋本：在談論一個脫離國家的民族時完全是文化的問題。繼承何種文化的人，就是說文化上的自我認同問題。

戴：是的。因為我們在理解中國時，極為勉強地以法國大革命後的歐洲概念之「國家」或「民族」來切入，所以無從知悉——這是我的主張。

橋本：我有同感。

岡田：完全同意。

日本人所理解的「民族」

橋本：從日本人眼裡看到的民族，這個問題尚未提出，所以下面可能需要對此稍作討論。

亦即本文曾經寫過，在日本的情形是從歷史上的偶然，可能是法國大革命以後對民族的想法，與當時想要完成的日本式近代化之狀況非常吻合吧。因此「一民族一國家」就被認為是理所當然，有如自明之事而不斷地擴大了。

在此，日本人的民族統一之中只有兩極端，就是自己個人以及日本民族。

其實民族的統一並不是這樣吧？有自己，有家族，這是共有的生活感情。然後再來是共有文化傳統的地域統一。接著若是在中國，就出現祕密結社的幫等各種團體吧。

如此一來，在一個國家中，雖然是同樣的國民，卻有不同語言的族群存在著，這是極為理所當然的事。但是對於日本人，因為沒有那樣的統一方法，在同樣的國民之中，有不同文化傳統民族存在之狀況，總是感覺不被允許。

您認為如何呢？斯波先生。反過來說，就中國式的「民族」的形成方法、統一方法而言，「民族」的統一也只是在斯波先生所說的隔間區塊（compartment）的堆積之上終了吧？

斯波：我所看到的中國社會像是百貨店的大賣場，擠滿了形形色色的專櫃，而且呈現一片祥和。但是中國人卻有這樣的想法，即使在那裡有矛盾或反對概念，在同樣的天空中有中華的太陽和夷狄的月亮並排著，但是那樣的矛盾或對立者，是提供做為改變終極的文化或血統之要素而存在的。也就是說可能非常厭惡極端，或者是與其區別自己和別人，寧願認同陰陽輪迴的循環，或認為王朝一旦興盛，不久就要滅亡，但會再起。若是歐洲的傳統，通常認為大帝國盛極必衰，以致徹底滅亡。

中國因器大而且歷史悠久，總是把那種對立者視為供以後發展的發條之一。因此並非如基督教及伊斯蘭教由上至下一條線貫通到底的形式，而像是整體由上至下保持著平衡的機動結構（有如「平衡偶人」〔譯註：一種不倒翁，兩臂外展垂下，臂端較重，雙足成一尖端立於支點，能平衡如走高空鋼索者〕），形成接連吊掛下去的構造。因為這樣，所以比較不與他人做明確的區分，而社會就是家庭的聯繫，近鄰的結緣、職業的關聯，進一步牽連到祕密結社或日常經濟來往圈，其實它劃分為各種不同的隔間區塊的單元，彼此涉足其中而複雜地統一，似乎並不覺得有矛盾或道理不通之處，這是我所想到的。

戴：因為經常習慣一邊比較日本和中國，一邊思考事情，所以還是從此觀點來說吧。

例如很久以前，在學生時代，留學生和日本學生一起組團到北海道做了一個月的旅行。那時候曾順便到北海道大學的愛奴研究室。在其後的座談會上，記得是一位兒玉老師，他本身是否為愛奴人另當別論，在他的發言中所說的「日本民族」之中，並不包含愛奴民族。

橋本：從世界的常識而言，那是相當奇怪的想法。

戴：因此我提出了質問，為什麼呢？我說，做為上位概念的日本民族是居於大和民族之上的。有了做為對等觀念的愛奴民族和大和民族，在其之上才能成立日本民族。如果沒有這樣的思維，儘管剛才聽了老師的許多話，但對於老師在研究愛奴人並慎重其事，我還是有點懷疑。當我如此一問，大家都很驚訝。大概認為我是相當果斷敢言的男子吧。

橋本：大概是大家都沒有這樣思考的基礎吧。

戴：正是。因為不那樣思考才是日本人的常識。即使談到沖繩復歸的問題時也是如此。首先要聲明，我雖做為中國人，但完全沒有因為沖繩曾經擁有兩屬關係，而硬要主張琉球是中華帝國的一部分或提倡琉球獨立論。但是大部分的日本人包含革新派，為何藉沖繩復歸而把琉球民族定位於大和民族之一分支，只強調兩者的類似性而勉強要把它歸屬於大和民族呢？我不明白。對於那樣牽強的所謂大和民族國家論，疑慮不盡。

由於這樣我也曾被誤解，但在我的想法中，琉球民族是以民族而存在，又在歷史上也曾有琉球王國，那是史實吧。雖然據此而主張日本民族、日本國家之統一，並不會認為有什麼奇怪，但是……如果琉球民族尚未成立，是否成立則可以議論的。

不過，日本人不太想議論啊。總想消除琉球的軍政及基地，以大和民族等於日本民族之思維勉強拼湊復歸論，這是我不解之處。其實我曾抱持疑問，做為革新政黨為何要陷入這種狹小的民族主義之中。

有日本民族這樣的上位概念，其下存在著琉球民族、大和民族，也有鄂倫春民族、愛奴民族，我認為本來就是如此，而逐漸形成做為近代國家的日本國以及日本民族。我想全然沒有矛盾，而且這樣的作法比較不會引起像最近關於處理沖繩縣民的教科書記述問題而受到抗拒。這是我在很早以前就曾提出的問題。

但是，日本人的想法及一般的想法就不一樣。是單一民族國家。因此大和民族等於日本民族。

橋本：我默默地期盼讀者諸君能藉觀察漢民族的歷史，做為自己日本人的問題，把琉球民族的事情認為有其可能性——至少希望讀者能學到這種觀點。因為實際上他們沒有這種想法。

若從語言方面來觀察——尤其僅就發音的組織層面而言，沖繩的語言不是日語吧。若從日本全國的方言來看，只有沖繩才有那種方言。而且其特徵也全部與大陸的語言，尤其是只與沖繩相對的長江下游區域相同。目前的語言學中，尚無妥善處理這種事態的觀點。因此沒有把它當作問題。但要是這樣說，哪怕是沖繩縣，好像也會招惹沖繩縣人的反感吧。

戴：由於在沖繩內部有二派⋯⋯。

橋本：不錯。二派之中有一派——也就是被強迫當作大和民族的人們，他們自認是大和民族。

對這些人來講，他們會說：「橋本沒有認真學過沖繩的語言卻說我們的語言不是日本語，真是豈有此理。」這麼一來，也許會招來很大的反感。說不定會成為所謂的歧視。

戴：那是與「黃帝的子孫」之論相同形式的思維吧。

橋本：「黃帝的子孫」的問題完全是一樣，希望後面再詳細討論。

戴：琉球人也不必凡事都對大和民族卑躬屈膝吧。

橋本：是的。不過少數民族與多數民族的傾軋就是世界的歷史吧。又反過來說，雖不需凡事都要勉強造出少數民族，但在人權思想已經如此普及的現代，我想也可以認為形成少數民族，其結果比較有可能讓沖繩人的權利受到相當的保護。

戴：中國的歷史本身可重新看作是少數民族與漢民族的對立、抗爭、統一的過程，是漢民族無限擴張的過程。換言之，這也就是歷史的全部啊。

橋本：我與戴先生的意見常會不謀而合。曾想過為什麼會這樣？這是因為少數民族的立場吧。我曾一度決心歸化為美國人，決心此後要身為合眾國的少數民族的一人而生存下去，所以對於做為複合社會的少數民族而生活是怎麼一回事，我略知一二。可能因為是這樣。

戴：儘管這樣，與日本民族的歷史比較，中國人還是不得了。因為經常有五族的存在（笑），漢民族時常被騷擾。

其實在漢民族之中，也有模糊地知道自己不是純粹的。但是認為「雜種」這語詞非常不好吧。「那傢伙是雜種」，說這種話時，是侮辱人的話吧。所以連旗人的後代都說自己絕對是漢民族，故擺姿態，以怪異的主張或邏輯橫行其道。

橋本：為了沒有學過中國話的讀者們，我想稍加解說較為親切。在中國若被稱為雜種，就是說不知道他是誰的種，不僅自己的名譽，甚至雙親的名譽都受損，是最低級的罵人的話。

戴：其實若追根究柢至此，就成為儒教倫理的問題。儒教給日本的各位添麻煩了（笑），終於形成了正統論這個東西。在各位思維的基底有儒教的思維，而正統者如何思考之，這是首先可以指出的一點。另外就是在日本的情形，有近代國家的影響，主要就是近代歐洲對日本人在意識層面上的影響。我認為有這二個問題。

中國人動不動就相互說，我們同是「炎黃子孫」吧。這正是對神話、傳說中人物的尊崇膜拜，在中國人之中也不乏樂此不疲的人。大家都說我們是黃帝的子孫，我們是漢民族。因而說我是中國人。這點希望也還是免了吧！這樣非科學的事要持續說到什麼時候？首先有稱為中華民族的上位概念，並有所謂五族的五個民族和其他多數的少數民族，慢慢地經過歷史的過程而形成了中華民族。以往也有沙文主義的一面，就是以各種方式欺負或壓迫少數民族的所謂大漢民族主義。或是北方的諸民族不知不覺間進入而建立了王朝，並促使漢民族南遷。進入中原後的少數民族的一部分終於融化在漢民族的坩堝裡，有這樣的見解。

橋本：那也是神話吧。

戴：少數民族曾經想要支配政權而從上鎮壓，但不知不覺間反而被漢民族誆騙了，這誆騙的過程可說就是漢化。

反正經過長期漢化的結果，現代中國人各個都把自己當作起源於中原的正統繼承者，大家都要認為自己文化的根源是在中原。大多數的人都是將此無自覺、無批判地接受。至於這件事要如何思考，就是接下來的主題吧。

探討「中華人特質」（Chineseness）

橋本：到目前為止，我們把在東亞大陸人類集團統一的方法，主要是從語言或書寫語言的應有情況，再下來從近代遠東的國際關係中所形成的統一方法，在這方面自外圍加以評論。

關於民族是什麼這個問題，與剛才所說從外圍探討之同時，也有以追究該社會的應有狀況、民眾的生活或深層心理，抓住其內涵來做解釋的作法。從1960年代末的校園紛爭中，被問起少數派（minority）的自我認同（self identity）的時候，北美的東亞研究者做為關於此論爭的智慧的參與而被動員者，就是專從此內涵所作對亞洲諸民族的追究。是採透過劉子健（James T. C. Liu）之「中國制度史」（institutional history）的議論，以及來自牟復禮（F. W. Mote）之「中國文化史」（intellectual history）的素描（dessin）形式。

在這個方向，斯波先生認為如何呢？歷史學方面正採取什麼新的探討方法呢？我想斯波先生有很多問題⋯⋯

斯波：沒有特別的，不過我想說的剛才已略提過。例如血緣關係、近鄰關係、經濟來往或其團體，又如為找門路而拉攏各種關係，或社會的秩序觀等。這些也涉及民族。就是此民族的秩序觀，還有在底層的文化價值，或其民族的社會組織。我想這可能又是民族的一部分吧。

除此之外，還有在宇宙觀、帝國觀、現世來世觀可看到所謂人與人的秩序觀，這些匯總而形成了民族。所謂建國運動，確如您所說是最近的現象，但在古代我想可能也曾建立與此相似的秩序吧。

因此，一談到此所謂中國的民族，包括中國的宇宙觀、社會秩序、帝國秩序，以及其中的地方與中央、多數派與少數派是如何處理等，就涉及對社會是如何思考的，也就是人本身的秩序。在其中可能就出現了民族性思維的一端。對於此等流程，我想在此討論中還是必須先做某種程度的溝通。

當然，以語言或漢字的世界來整合可能是最輕鬆愉快的。如此一來就出現民族的一個形象，即戴先生所說的Chineseness吧！然後與中國風等比較看看，究竟在文明史上有什麼不同之處，像這樣的事情也會水落石出。是Chineseness，或是文化的組成原理，以剛才的話來說，就是「器」方面成了問題。要從實質找出問題，或從器找出問題呢？

岡田：原來如此。如此一來，無論如何會成為華僑問題吧。也就是說中國人留在中國的器之內的期間，這件事不會成問題。走出才成問題吧。

斯波：因而1950年代以後，在香港或台灣進行社會調查的人類學者或社會學者，深感在偏遠地區工作，反而擦亮了眼睛，能看到中國的全體或本質。亦即變成獨具慧眼而能探出真正的中國人。

岡田：我在新加坡或吉隆坡時，那裡的大學老師有一半以上都是中國裔。我與他們一起去吃午飯，一邊吃來自澳洲的牛排，一邊喝啤酒聊天，從開始到最後，每天都是談Chineseness的事。這在他們國家是很嚴肅的問題。

尤其在馬來西亞，都在議論何謂Chinese，自己是不是Chinese。從姓名來看，很明顯是中國裔，但自己卻說不是Chinese。（笑）

戴：因此我要思考的是，在邏輯上他們的出路在哪裡。也就是說，法律・政治概念與社會・文化概念是不同的。由於將不同之物勉強以政治的有色眼鏡來看，然後被解釋，以致在受苦且受到鎮壓。

岡田：如果是中國人而決定自己是Chinese，就要考慮必須遵守某一定的行動規範。

戴：本來應該是完全沒有支持北京，或是支持台北的問題，如果做為文化概念的Chinese的話，也就是如果能考慮與政治・法律上的身分，而允許個別Chineseness存在的話。要緊的是，北京當局也要使這方面的邏輯明確化，不要在政治面將強人所難的問題推給華人。做為前題，我想華僑與華人的法律概念之明確化是必要的。當然，華人本身的自我認識及華僑意識的自我克服等之努力，也是不可缺少的。

岡田：所以這還是最好請戴先生發言。我來說的話……，由日本人來說有點奇怪。（笑）

戴：與此同時，我本身尚未改變國籍，所以可能比較好。而且我連一次也未去過中國大陸。我是以台灣的護照在奮鬥，由我來說或許還有說服力。也有為此在奮鬥的一面，簡直像呆子。同時也在期待著東南亞各國華人觀的變革。不分青紅皂白，以斑駁褪色的華僑觀全面抹殺華人，視為中國人而展開政策，實在可歎。我希望惡性循環能到此斷絕。

橋本：戴先生您這樣說出口了，心情也變為輕鬆愉快吧。

岡田：但是，這樣沒問題嗎？（笑）

戴：東南亞的華人、原華僑及其後裔真的很艱困。經常擔心會犧牲生命，不知如何是好。所謂的居住國政權或者當地的輿論，也是專擅矇騙造假，視情形將早已歸化的人當作中國人處置，煽動人種主義的排外情緒，使其淪為代罪羔羊，以供政治上的利用。悲劇不斷地上演。這一點以往的日美關係也一樣。「東京玫瑰」正是這種案例。

斯波：不過在中國史研究之中，至目前的所謂歷史敘述，未必把社會視為一個發揮機能的整體。幾乎都是從單方的照見吧？行政的趨勢、政治的趨勢，或經濟上是否也有資本主義等，大部分的議論都集中在秩序或制度的脈絡。但是在這些地方所呈現的Chineseness，還是應該有相當多的實情面。

岡田：因為事關原則吧。

斯波：所以無論如何想聽真心話。

岡田：但是在中國文化所講的只有原則，若說真心話，就不成為中國人了。（笑）

民族國家應有的狀態

岡田：我想可以慢慢地把議題移到中國民族的將來展望，不過這是個難題。

橋本：一談到將來的展望，就是所謂民族等於國家之想法。這還是不容易除掉的傳統吧？在近代初期它曾發揮絕佳的作用，由於太過於美好了！

戴：為了使明天更富裕而在「人類號」這條船上同舟共濟，但已經遇到了瓶頸，可以看作現在已到了必須打破此瓶頸的階段。

橋本：所謂不易除掉的意思，茲舉一例說明。對於移居法國的人們，有非常困擾的事情，就是生小孩。生了小孩，首先要登記名字，因為這是手續的第一步。

但是名字若不是在法國已經決定的名字之一，則政府機關不會受理。這簡直令人驚訝不已。竟發生在這個提倡自由、平等、博愛的國家！

岡田：是以法律所定的嗎？

橋本：已經定好了，也就是除了這些名字，以外的都不是人。

岡田：不是法國人？

橋本：是的。就不是法國人。

戴：就是法國式的「中華思想」？

橋本：是的，所以剛才所說的琉球民族等，也許有本人所不希望的事，即使認為有其可能性，也是難以接受的想法。

戴：但是，實際上那種動向也慢慢在獲得力量。日本社會也終於逐漸在國際化。至目前為止，所謂國際化就是認為能說英語就是國際化。但是已能逐漸地覺得並非如此，而且好像已經開始理解，不管願不願意，若不從內部國際化，則日本的貿易立國就不能成立。也許由於世界逐漸多元化，日本人本身已在承認多元化的價值。

在一個國家之中，多元民族或多元人種也可以共存。其實這種情形在世界的規模中不屬例外。日本同一民族的情形，其實才是例外，日本人對此也漸漸地了解到。有很多人都往國外跑，而且大眾傳播也給予很多思考機會，所以這正在轉換到好的方向。若不能理解多元宗教、多元文化，或多元民族共存的國家的存在，就不能成為真正的國際化。這樣的思維其實就是為了能讓明日更富裕，大家要攜手合作、共同思考、共同生活，這是我個人想要主張的。

橋本：是吧。在1960年代以後的美國，少數派一直擁有發言權，此事是其典型的動向吧？這是在美國minority也可以存在的想法。

不過必須先正確掌握現實。這也是我一貫的見解，或許會被討厭。我認為在日本總是把美國社會理想化，認為美國人雖然各種人種具有各種的文化背景，但都身為美國國民而美好地共存共榮。至少這是日本人對美國社會所具有最典型的形象吧？但是，其實不然。

岡田：這是沒有辦法的。

橋本：第一代不放心自己的母語從家庭中失去，這是理所當然的事，是沒有辦法的。不過為什麼第三代那麼想要學習自己民族的語言呢？例如中國裔的第三代為什麼那樣想學習中文呢？

戴：可能在尋求自我認同，以返祖歸宗為目標吧。尋求從「白人文化」優勢的不安中逃脫……。

橋本：日裔第三代也是一樣。為何那麼想學習日語？如果加以分析，就會知道問題的背景。

最近景氣不好吧？如此一來，所謂小的語學（學習者較少的語學）就無法在普通的大學繼續開課了。像蒙古語那樣的語言，因為蒙古人的第三代加總起來的人數少得可憐，幾乎可以忽視。現在不知美國的大學是否還有蒙古語教學？勉強還在教的是哈佛大學與柏克萊（加州大學校本部）？

岡田：是，還有印地安大學以及楊百翰大學。

橋本：只有寥寥無幾。但是為何其他的中文、日語或塔加拉語（Tagalog）等在大部分的校園還在開課呢？這是因為第三代的學生不斷地進來。學科是要湊齊學生人數才能開課的。

第三代為何那樣熱中，戴先生說是為了返祖歸宗，但是有更深刻的動機。因為第二代說什麼都要擺脫自己的文化傳統，而想當美國人。因其力量或社會的強制力太大，所以被第三代抗拒，於是變成這樣。

戴：其原因之一還是美國越戰的失敗。也有對美國WASP體制的反省及批判吧？

橋本：是的，所以其結果少數派做為少數派，能夠保持著自己的同一性而生存下去。想要達成這種社會，即使在美國也是今後的事。至少是1960年代以後的事吧。

戴：還有這也是促使艾力克斯・哈雷（Alex Haley）所著《根》成為暢銷書的一個支撐吧？

橋本：正是如此。所以可說此事還是今後的課題吧。

民族問題的今後

岡田：將此話題拉回到中國的現實，今後在中國的民族問題會變為如何呢？不知變為對中國有利還是不利？

橋本：關於這點，首先得要聽聽斯波先生的想法。就是中國的社會若以傳統隔間區塊的集合而持續鞏固其組織，則要以何種形式打破其框架，然後才能具有超越此框架的意識？

斯波：不，不，因為我是研究歷史的，不能談未來。

戴：這就傷腦筋了。（笑）中國的歷史學家主要就是為了展望未來而寫通史的吧？日本的歷史學家太過於禁欲克己，傷腦筋……。（笑）

斯波：我認為中國的社會若由平面來看，不論家族、幫派或市場，都一面往橫向隔間區塊化，一面也在縱向有道路展開，亦即形成一種活動雕塑（mobile）〔譯註：美國藝術家考爾德（Alexander Calder）所創，將金屬片以線繫在可移動之桿上，使其旋轉，形成不斷變換之新視覺形象〕模型的狀況，並具有悠久的歷史，因此我想今後還是會持續下去。例如地方主義（Localism）與國家主義（Loyalism），乍見有如相反的樣子，其實不可思議地能夠共存。我想有幾把可以解開這種均衡難題的鑰匙。

西洋人認為十分中國式的優點就是，譬如有陰就有陽的這種相對主義的彈性思考方式。對於現今的世界，這可視為非常有效而富於柔軟性的思考方式。

另外還有，在文化價值底層只有勤勉才是善的，這種共同德目在其他的社會也有，但中國將此勤勉以一種平等觀善加彙總，這點說起來我認為他們是組織的天才，這就是中國社會的特色之一，而且是連草根階層都很容易了解的社會組織法。假如目前的近代化進展得很好，交通技術發達的話，就可繼續保持社會的平衡狀態，並可展開更均質的人文領域，所以地方主義不久也會被超越，中國社會今後可能會一步一步地成為如近代法國社會的一塊大岩盤吧。但是因為規模超出我們或西洋人的想像，所以目前還是做為一個傾向，社會的活動雕塑結構會持續吧。

不過關於這點，身為華僑的生存方式有二種考慮方法。是要堅持衣錦還鄉，或是進行同化融合？我在此毋寧要請教戴先生「落地生根」與「落葉歸根」，那樣的生存方式在華僑的社會中，目前有何前景？

戴：我所得出的圖式是，華僑至今「落葉歸根」的生活原理，今後若要做為華人要生存下去，除了「落地生根」的方向以外，恐怕無法生存下去吧。

斯波：華僑的情形可能是這樣。

戴：在現在的世界史的階段，對於社會主義的中國，無論華僑問題或是少數民族問題，可說都是非常負面的要素，或成為沉重的負擔。

其一可以蘇聯為例。所謂蘇聯，某種意義上在一國社會主義的時代，也曾有共產國際與共產黨和工人黨情報局。無論在理念上或是實際方面，當時世界的無產階級，不論是否適當，總是支持蘇維埃聯邦，把它當作萬國勞動者的「母國」。

但是，由於中共革命或新中國的成立，導致一國社會主義的結構解體。不過實際上截至目前在斯拉夫民族與其他民族之間，其支持關係還是保持著。做為國家，蘇聯以外的東歐圈在某意義上也是「殖民地」吧。在這中間其實完成了以莫斯科為中心的部分的資本儲蓄，以資本主義而言，原始積累已告結束。實際上曾巧妙地利用於第二次世界大戰以及戰後。至此，目前可說正在進行蘇維埃型的社會主義圈經濟的營運。

但是，社會主義中國卻非常困難。因為從理念來說不應該持有殖民地。當然也不應該有國內的殖民地。加上中蘇國境邊界的少數民族問題也因中蘇對立而造成緊張。

西藏問題如從對外關係的方面來看的話，至美中接觸之前，就是所謂美國・印度對中國的對立問題。

若這樣看下去，對於社會主義中國的「原始積累」，過去和現在都沒有轉嫁的對象，這是實情。想從邊境少數民族榨出油水，卻相反地自己擠出「飴」，為了防衛反而支出無法輕忽的巨額費用。其間為了韓戰及越戰，曾有驚人的支出，這是眾所周知的。

原始積累的泉源畢竟只存在於農村、農業。但因急「功」所進行的大躍進、人民公社之道遭受極大挫折。糟糕的是，人口的自然增加本應隨之抑止，卻反而大幅度地提升。

1950年代前葉，在社會主義建設高揚期的農村土地改革運動，趁勢吸收農業生產高收穫的部分，卻以韓戰貸款等種種形式被蘇聯吸走。1960年代被美國及蘇聯封鎖，以孤立的形式奮鬥著。雖然貧窮，卻拚命地把錢投入越南及第三世界。越戰一結束，蘇聯卻獲得成果，如今與越南對立，最後甚至引起中越戰爭。若不好好款待金日成，金日成・北韓就不知會往哪裡走的狀況下，講明了就是事態嚴重。所以我說目前的情況是北京當局正背負著歷史與現在的重擔，拚命爬坡。

我認為這些因素及其他種種因素重疊，中國大陸因而被逼迫到文革這種極限的狀況。經歷這個過程，實際上考慮今後的展望，不管發生什麼事，我想若不進行毛澤東自己所提對大漢民族主義的批判，或提升少數民族的地位的話，還是不能實現中國社會主義的理想，而且物質上的支撐仍十分困難且必須解決。與此相關聯的是華僑問題若不妥善處理，與東南亞各國的外交關係也就無法保持友好。由於外交即為內政的延長，華僑問題處理方法的基本理念，本來就是應從中國內政之中找出來。總而言之，我認為在中華民族的上位概念中，以漢民族為中心而掌握政權，故必須設法調整漢族和少數民族間的關係，承認少數民族的權利，幫助他們提升水準，並妥善吸取他們的能量，否則西藏問題就會再次復燃。近年來在議論著達賴喇嘛歸國的問題，非常期待西藏問題的好轉。我想這個問題若不能解決，中國社會主義的理念在民族問題上就了無新意。

橋本：就是半途而廢吧。

戴：正是如此。

中國社會的將來

橋本：接下來想請斯波先生發言。法國成立了近代國家，現在我們所稱呼的法國人，做為民族而統合時，其人群統合的最基本理念應該是其成員間的平等主義（Egalitarianism）的想法吧？我想正因為如此，所以國家與民族才能結合起來。

在日本的情形，剛才只指出單一國家民族想法的弊害，相反地應也有非常好的一面。

戴：那是規模適當，容易統一的意思吧。

橋本：不，我所說的是依一民族一國家的理念所產生出來人們的思考方式。真的，在世界上沒有像日本這樣平等主義的國家，有93％的人屬於中等階層，這就是它的產物。是可愛呢？或怎麼說？

戴：如「鐵娘子」柴契爾（M. H. Thatcher）所稱讚，日本人是非常有效率的。（笑）

橋本：那麼，中國從外面看來，自古就有為了遴選支撐中國社會的官吏而統一舉辦的「科舉」考試，這應該是高度平等主義的思想和制度吧？我想這是居世界之冠的。那種高度的平等主義在其他文化圈上從未曾見過！從科舉考試被排除的，大概只有理髮師及賣淫者的兒子等三、四種人吧。

岡田：此外，還有賣肉的人。

戴：被當作邊疆之民、化外之民來處理的部分少數民族也是。

岡田：少數民族也並非不行。

戴：在台灣，科舉是到了清朝才好不容易被允許的。

斯波：不過那是因為官方允許遷入台灣是在雍正皇帝時。

橋本：也就是說，不曾有其他的民族把平等主義思想那樣地加以制度化吧。若只從這方面來看，對於做為民族來統一，沒有像這樣的有利條件。所謂法國單一民族國家的型態，依此發展而產生出來的思想，就漢民族而言，應該是早就有的穩固傳統吧？難道不能考慮在這方面好好利用，想辦法打破社會隔間區塊的結構嗎？

岡田：橋本先生，我有很大的異議。正是託了這個制度的福，才形成多重結構啊。

科舉的考試也是如此，現在也沒改變。如您所知，在現在的中國有所謂「三六九問題」。因為在中國小學還不是義務教育，小學入學占就學年齡兒童的90%，那就是九；其中六年間不輟學而念到底的占三分之二，那就是60%；畢業生中能讀寫漢字的僅占半數，所以是30%。由此可知，僅在小學教育六年期間，大約有三分之二以上的人達不到水準。這是在日本所不能想像的事情。

至於這是怎麼一回事，肇因於中文並非根源於中國人的日常語言，而是文字語言。由於有這種本質，所以必須完全當作外文來學習。說得極端一點，不是智商140以上的人，就無法充分應用中文。只有那種人才能成為真正的中國人。所以中國人從最初就是少數者，即使在漢族中也是。

橋本：這樣一來，因為有了平等主義的制度反而……

岡田：是的，因此智能已被開發到某一程度的人，經過一而再、再而三的開發就變為繁複的多重結構。

與此開發成比例，權力和財富這些東西，就變為集中在被開發的階層。極端的菁英教育（meritocracy）就是這麼驚人的東西，而且歷代採優生結婚，智商高的人們，彼此結婚生子，形成社會中的穩固階級。

所以漢族之中與日本正好相反。也就是說，因為是菁英教育所以變得非常不均衡。說實在地，少數民族是在這種漢族中的階層外緣，並不是在其外側。

由於這個緣故，只要中國的語言結構不變，即使在將來，非常中國式的、不均衡的社會結構是不可能改變的。（笑）

戴：這種說法，我不太能贊同。

橋本：請斯波先生做解說吧！

斯波：我比岡田先生所說的，再稍微考慮到縱的、橫的激烈動態，並重視草根的生命力。依我的想法，即使說平等主義也是附上「中國的」加上引號的平等主義。自古以來的儒家也是如此。人的才能雖然與生俱來而千差萬別，但由於後天的修養而產生平等，所以與西洋的意義的平等主義，其構想似乎不同。

橋本：那麼，只是形式嗎？

斯波：不是這樣，不如說有能力的必定站在上位，所以要敬謹修養自身，就是孔孟正名之想法吧。因為藉由教育可消除本來才能的不平等所造成利害的衝突，所以姑且不論是否有除此以外的發明，我認為對於中國，為了打破貴族的世襲制度或稱霸者的獨占，做為解決社會紛爭之裝置，把教育與平等主義裝入政治機構的科舉是最大的發明。

科舉的效果是把教育開放給有才能的人們，並把官職授與徵集而來的菁英，那麼在中國社會曾產生菁英獨占的種姓階級化嗎？絕對未曾產生。首先，因為官吏不是世襲的，也有均分繼承，經過60至70年家運也會傾頹。與此同時，在與科舉或教育的縱向志向難於兩立的家族制度也劃上局限，以免過分與國家競爭。例如宗族等拿出武器相爭械鬥的情形，對於孝行的理想而言，做為家族主義的表露也許值得獎勵，但國家必定介入其間而鎮壓吧。因而一方面同業公會、結社或地方主義等種種橫向展開的組織，抓住社會的各個角落，進行隔間區塊化，雖然確實進展著，但反而科舉則意味著要把社會往縱向志向更加收斂，這種想法在開放競爭途中就成了重要的均衡控閥。

例如有人說初等教育或識字不太普及，但這說得太過分，也有人說清朝的識字率，男性為30%至40%，女性為2%至10%，平均為總人口的16%至28%。在宋、元、明、清有科舉機制的階段，例如農民出身的話，就可以當商人，也可以當地主、醫生、經理或私塾老師，當什麼都可以。其中最正統的管道是當官吏，但其他的管道，只要不是欺詐強盜或乞丐，當什麼都可以，甚至也記述在家訓上。因此與垂直的同時，水平的移動性也相當強大。如果不便在狹小的家鄉互相競爭，也可以到外省或外地去奮鬥，所以人才也成為地方的特產之一，官吏也與工商業者一樣，可視為出外工作的夥伴。

就此意義而言，不高明的還是文革。把教育搞壞，這點打擊最大，所以教育制度就是不靠武力而能統一社會所不可或缺的。

橋本：斯波先生是說若沒有考上科舉也可當商人，但以傳統的中國知識分子所持的理想而言，有那麼容易嗎？

戰前研究支那的學者或漢學者（現在稱為中國學者）都曾經把「要當中國人」設定為生涯的目標。因為生活樣式或想法全部都是以成為中國人為理想。這是在思索日本與中國的關係上頗為有趣的現象。與其他的文化圈相關的研究者並未變得如此，只有中國學者。夏目漱石從開始就沒考慮要成為英國人，即使森鷗外也是如此吧，甚至不曾考慮要娶《舞姬》的模特兒。

為何那麼想當中國人，當了中國人之後要做什麼，誰都會有這樣的疑問吧。我並不是挖苦，實在是感到懷疑。因此我當研究所學生時，在曼哈頓遇到一位現已過世而眾所周知的有名中國學者，曾當面請教他這個問題，他的回答實在是直截了當，說是大家都「想要應考科舉」，我聽了目瞪口呆。生活方式甚至腦袋裡面都拚命地要成為中國人，究竟想做什麼，竟是要一圓應舉之夢。

為了慎重起見，這可是日本人所說的呀。日本人都這樣了，中國人更不得了吧。換言之，說科舉即使沒有考上也可當商人，當什麼都可以，應該不是那麼容易的事吧。在以往的中國，對於凡事都與文化或教育有關係的所有的人而言，那應該是一生的願望，人生的目的，就是「為了科舉才有人生」吧。

斯波：這有點言過其實吧。因為中國有那麼多的人口啊。若只看縱向志向的最後成功者而不包含預備軍，就不能看到整體。而且依據最近的研究，在傳統中國，當時初等教育竟也相當普及。因為在私塾階段學了讀書寫字，而且記帳也應該都學了。來到函館的華僑其實都能寫一手好字，換算各種貨幣的匯率，也能計算或分配資本，帳簿也都記得清清楚楚。數學或習字的能力都達到那樣的地步，並非只有現在的加減計算的程度，而是具備再稍高的知識。因此在某階段已經不指望立身於官界，而往工商業、服務業做橫向移動。一旦錢儲夠了，就為兒子買官位，聘請家庭教師，孫子當顯赫的官吏。又若有幾個兄弟，則各自琢磨技能，使其自奔前程。中國人將勤勉當作文化價值而共有，科舉對於他們而言，本來就是容易了解的制度，而國家則著手使其制度化。

這樣一想，我認為在較為前近代時，流動性就已在提高。由於考慮日本的情形，一提到士農工商就連想到一種caste，但中國的士不是武士，而是學者官吏吧。日本的武士是武的技士，順便也做行政。我想日本人不了解之處，就是在此。由於是行政專家也是有教養的人，如果其行政才能受限時，譬如可繼承家業而一變成為地主，或成為商人，然後買官當官吏。最終目的畢竟是逐漸與正統的官界同化，即使中途做了各種階層的工作，也絕不會有辱祖先之名，這大約從宋朝就這麼說著。

將來的展望

岡田：依據這樣的議論，就看看將來的展望吧。我剛才確實有點過於誇大學習中文的困難（笑），但從某方面而言，只要有與生俱來的才能，未必不能成為中國共產黨中央委員會總書記吧。不管是出自何處，也許母親為日本人也應該可以當的。如果是中國的平等主義就可以這麼說，但如果是日本的平等主義，其根本就不同吧。

橋本：如何的不同法呢？

岡田：在日本的情形同樣還是依照能力而升遷，但與中國不同的是，在中國如果沒有能力就逐漸降下來。在日本則可能會升遷到某一程度之處而停止，親兄弟位及高官，而自己卻當乞丐，在日本這是不可能有的事。這總有不同之處吧。

很抱歉，我把所有都還原到語言（笑），我想還是與日本的狀況有所不同吧。也就是說，我覺得是因為相互理解手段的性質，根本上就有不同。

斯波：就此意義，有所謂拉關係的事吧？也就是說，互相幫助，因為有對方，才有自己。這種思維在中國從上到下好像很明顯，認為自己沒有才能或條件不利，就可以期待拉關係。

岡田：是拉關係的性質吧。

橋本：一說到拉關係，我首先想到的是中國人的社會，如何呢？戴先生……說到拉關係？

戴：在此之前，先從語言方面來說。我想提出台灣的情形做為實例。我想這個還是考慮社會經濟的條件比較好。

當然，中國因為廣大，所以地域主義的跋扈是免不了的。

說地域主義很強是理所當然的，因為中國整體的大小相當於歐洲，認為有四川國家主義，有福建國家主義，應該也是當然的吧。

橋本：一點都不奇怪啊。

戴：我們卻勉強把它當作一個國家，而想以歐洲的民族國家為模型來處理，所以會搞不清楚。

例如台灣的情形，一方面有從事台灣獨立運動者，也有提倡台灣本位主義者。尤其也有像王育德先生的例子，他把福建話當作「台語」來推行而考慮獨立。這個暫且不論，標準話的北京話（在大陸稱之為「普通話」，在台灣稱為「國語」）也與台灣人本來的「母語」不一樣。對於北京話，客家話比較接近，但福建話與北京話是相當不一樣。少數民族高山各族的「母語」與北京話之距離更遠。不過，目前如閩南籍台灣人作家陳若曦，已開始出現以近乎完美的形式來使用北京語的台灣人作家。

這樣一想，如有一定的社會經濟條件的話，在漢族同夥之間藉由既有的漢字為媒介，就會認為學習共同語言不是那麼困難了。做為社會的一般觀念，並進一步做為社會的價值，在中華人民共和國成立以後，尤其1957年的反右派鬥爭到文革期之間，橫行著對知識分子、專家、大學教育的蔑視，這使人們喪失志氣。再者，對於肉體勞動與精神勞動的看法，也變得極度偏頗。對肉體勞動的重視還可以，但對精神勞動極度侮蔑，造成這樣的社會狀況，我認為還是負面。

另外一件就是軍備等預算太大，以致對教育投資的預算不夠，這種狀況也可視為是與剛才的三六九問題相關的因素之一。如果能珍惜知識，進入大學會對一般社會造成刺激或被評價，出現這樣的狀況的話……，我認為目前已有很大的徵兆，既為創造科舉制度的國家，對教育的熱心應會恢復。

從中國共產黨的建國過程來說，就某意義而言對知識、大學加以蔑視，確實也有較為容易做事的一面，但終究只不過涉及短視的、姑息的利益而已。如今這筆帳對於近代化政策已經反彈為負面。當時如果太重視大學，反而會不可收拾，供應能力的缺乏會使欲求更加無法滿足，可推想當時中國並沒有解除困境的辦法。我想在這方面如果不稍加主體的、綜合的探討，可能無法說明事態。

接著，關於拉關係一事，傳統上血緣（同姓、同宗）、擬似血緣（乾兒子、乾女兒）、姻戚（尤其裙帶關係，總之透過與妻子的親戚關係）等之關係，進一步加上地緣（同鄉）、學閥（同門）關係，都非常跋扈。曾經期待藉由社會主義革命來打破克服，似乎未獲致成果。中國式的任人唯親如果不能克服的話，四個現代化等就靠不住了……。

岡田：新的黨中央規律審查委員會成立了，做為其政策，很早以前就在說將來的方針是中國共產黨員都要大學畢業。這可說完全是科舉官僚了。（笑）就是恢復由讀書人階級來統治。就此意義，中國的制度極具韌性。這樣一來，中國就會回歸成非「民族」國家，像這樣的話要怎麼說好呢？讀書人國家嗎？

斯波：費正清說是“Culturism”，亦即文化主義。

岡田：就是「文化國家」吧。

橋本：如此一來，中國的將來會以文化國家來統合吧？的確，今日的中國，不論到哪裡都充斥著「文明」、「禮貌」等標語。

岡田：可能回歸到原來的樣子吧？

本文原收錄於橋本萬太郎編，《漢民族と中国社会》，東京：山川出版社，1983年12月24日，頁435～471

台灣史學家戴國煇

◎ 林長風

戴國煇教授是當今很有名望的一位台灣史學家，台灣省籍人，長期居於日本。1966年在日本東京大學取得了農業經濟博士學位，先後在日本多家大學任教。1970年以來，一直在東京主持「台灣近現代史研究會」。

應該坦白的說，戴國煇教授引起我尊敬的，是他研究台灣史的史學觀，我看過他有關這方面的一些文章和演講稿。但是，我沒有讀過他的史學著作。他的史學著作是用日文寫的，而我卻完全不懂日文。遺憾的是，海峽兩岸似乎都沒有把他的史學著作翻譯出來。台灣「黨外」雜誌不時刊登戴國煇的談話和文章，知道這位台灣史學家的人多一些。但在大陸，戴國煇這個名字卻鮮為人知。大陸有那麼多的研究台灣問題的機構，卻很少看到有人介紹戴國煇，這是我至今還是很難理解的問題。

最近，讀到戴國煇教授去年在芝加哥大學的一篇演講稿，對他研究台灣史的史學觀又加深了理解。對於那些不重視或不那麼重視戴國煇教授的人，介紹一下應該是有益處的。

戴國煇教授首先介紹他下苦功研究台灣史的原因。第一是他不滿意當年在東京搞「台獨運動」的廖文毅、邱永漢、王育德等人的史觀，尤其是他們對日本統治台灣史的看法，結論是「媚日」兩個字。而「媚日」又不止限於「台灣人士」，「甚多台灣知識分子犯有同樣的毛病」；第二是「台獨認為日本給台灣帶來了資本主義，促進了現代化云云的話」，使他感到「害人不淺」。一、二兩點其實是一個動機。戴國煇教授把「台獨」的台灣史學觀，提升到將會給台灣、中日兩國，甚至對東南亞帶來災禍的高度。由此可見戴國煇教授決心研究台灣史，是帶有很神聖的使命感的。

還有第三個原因是他在1950年代中期從台灣到日本時，看了一些大陸出版的有關台灣的書籍，發現編著者連漢族系台灣人的風俗習慣與高山少數民族的風俗習慣都沒有搞通的實例，感到「傷心」和「無限的失望」。應該說，近幾年情況已略有改變，大陸出了幾本質量不錯的台灣史，但為數眾多的宣傳文章與小冊子，這種使人「傷心」和「失望」的實例還不少。

戴國煇教授研究台灣史，最主要的是，要否定這樣一種觀點，「日本在台灣的殖民統治是成功的，是少有罪過的」這種錯誤觀點，不僅存在於日本史學界，還存在於台灣史學界，甚至還「包括以（所謂）馬克思經濟學的方法來看問題的一部分學者先生們」。戴國煇教授對此深惡痛絕。

他第一篇博士論文是《中國甘蔗糖業之發展》，敘述7到17世紀的中國糖業史，駁斥所謂台灣兩大產品之一的糖，是日本殖民統治時才發展起來的謬論。由此展開了「日本帝國主義統治台灣的真相」的研究。

他的另外一篇論文是〈晚清期台灣的社會經濟——並試論如

何科學地認識日人治台史〉〔參見《全集》6〕，極力排除「後藤新平治台」的神話。論文論述日人統治台灣之前，台灣經濟已有了一定的發展，已經「樹立了資本主義萌芽的基礎」，絕不是一些人所醜化的那樣，在日人統治之前，台灣仍是「化外之地」、「瘴癘之地」。

去年《生根》第八期，刊登一篇高伊哥的文章，題為「後藤新平——台灣現代化的奠基者」，戴國煇教授斥之為「被殖民心態」。他對這種「心態」長期存在於「很多中產階級以上的台籍知識分子」中，「感到有無限的悲哀和說不盡的內疚」。

在我看來，反對「被殖民心態」，似乎是戴國煇教授研究台灣史的史學觀的精髓。正是在這一點上，引起我最大的敬佩。

另外一個突出之處是，戴國煇教授非常尊重高山族的歷史。他早就提出，而且多次說過：「我們客家人和福佬人雙手並不是頂乾淨的，尤其是參與開拓台灣的客家父祖輩，扮演過侵占山地的先鋒隊。我始終保有一種『原罪』感。」

他編著了一本《台灣霧社蜂起事件——研究與資料》，高度頌揚高山族同胞英勇抗日的精神。但是他認為自己「是屬於迫害、欺凌高山籍人士的後裔，所以必然具有不少的局限性」、「只能暫時代為蒐集和整理資料」，期望將來能有高山族的歷史學家，自己「來敘述他們的真正歷史」。

在海峽兩岸的台灣史學家中，我認為戴國煇教授的史學觀是最實事求是的。

只有真正懂得台灣歷史的人，只有真正掌握正確觀點來研究台灣歷史的人，才能對當前非常複雜的台灣政治現實，站得高、看得遠、看得準確。

在台灣史研究中有高度成就的戴國煇教授，在涉及台灣人問題上的政治觀點，水平也是很高的。

他歷來反對把「省籍矛盾」看作「民族矛盾」。反對與「中國意識」相對立而孤立地強調「台灣意識」。他很鮮明而一貫地反對「台灣獨立」。

他在芝加哥大學的演講中說，「很多同鄉不滿現狀，常常自閉守關地，不願把自己的台灣的『位置』擺在世界地圖，亞洲地圖，全中國的地圖來瞄一瞄，來思考思考我們自己所站有的地位（包括歷史地位）」、「為了明察『台灣何去何從』的課題，我們還得從全中國史，從亞洲史，從世界史的關聯上做好台灣史的定位來考察問題，才不至於陷入自己的小『框框』，溺死於『小浴池』裡頭」。

如果讀者了解當前台灣的政治狀況，了解台灣省籍同胞的思想傾向，將能理解戴國煇教授這段針對台灣省籍知識分子，特別是針對「黨外」人士所說的話，分量是很重的，確能一針見血地指出某些人的思想障礙。

美國的「台獨」組織肆意地攻擊戴國煇教授，因為他從台灣史的深刻研究中，從根本上否定了「台獨」炮製的所謂「台灣民族論」。他的威望、影響和水平，有力地壓制著「台獨」謬論的氾濫。他在芝加哥大學的演講最後說，「我希望我們鄉親們，不管他的省籍，只要對台灣海峽的安靜，台灣和大陸雙方老百姓們的福利和人權的進步有關懷的，我們一起來互勉互勵」。

筆者很愛讀戴國煇教授的政論演講，他不僅對台灣省籍同胞有教益，對大陸省籍同胞也有教益，海峽兩岸老百姓都可以從中找到融洽相處之道。

很遺憾的是，大陸方面似乎很少注意到戴國煇教授。他的歷史書都是用日文寫作的，大陸如能翻譯出來發行，對讀者將有很大好處。這是應該而且很值得做的事。

本文原刊於《大公報》（海外航空版），1984年5月25～27日

從美國及香港看中國大陸．香港．台灣

——吉田實vs.戴國輝

◎ 吳亦昕譯

時間：1984年5月15日

對談：吉田實（1931年出生於台灣，至今年4月止擔任香港《朝日新聞》香港支局長，5月起赴新加坡擔任亞洲總局長）

戴國煇（1931年出生於台灣，立教大學史學科教授）

——：吉田先生、戴先生，歡迎回來。吉田先生之前在《朝日新聞》香港支局追蹤香港問題——當然也會牽涉到台灣問題——現在將調任為亞洲總局長。因此趁著您這次暫時返回總社的機會，想向您多多請益。

戴先生則於去年〔1983〕3月底受邀為加州大學柏克萊分校的訪問學者，為期一年，最近剛回來。聽您說，舊金山是中國人非常多的地方，而柏克萊分校也是歷史悠久，同時有很多中國留學生的學校，所以您從在美華僑、華人社會的面向出發，以台灣問題為中心做了種種觀察。

吉田先生和戴先生又是舊識，因此今天邀請兩位在百忙之中聚首，針對香港或美國所見的香港問題、台灣問題進行討論。

首先，請吉田先生談談赴任為香港支局長之後的經過。

吉田實（以下簡稱吉田）：我是在1982年1月底前往香港，待了約兩年四個月。這段期間內，我所關切的問題是占有香港面積92％的新界租借即將於1997年到期，以此為分界，未來的香港會如何變化？其間遇到英國首相柴契爾（M. H. Thatcher）訪中，中英會談以此為契機而展開。

另一個關切的問題是與香港前途息息相關的，包含中國大陸、台灣、香港，還有東南亞的華僑、華人社會在內的中華民族的未來。我以此做為大方向的問題意識，在香港待了兩年多。

——：聽完了吉田先生赴任香港的經過與抱負，接下來也請戴先生談談旅美的經過。

戴國煇（以下簡稱戴）：我的情形是從立教大學以海外研究一年的形式到美國，以及接受加州大學柏克萊分校兩個研究會請我去當訪問學者（visiting scholar）的邀約而赴美。這兩個研究會機關分別是中國研究中心（Center for Chinese Studies）與亞裔美國人研究計畫（Asian American Studies Program）。此外，哈佛大學歷史系也向我提出邀請，不過我只去做了短期訪問而已。

我也想要談一下我赴美前在思索什麼。首先，由於我在日本從事中日關係近現代史和台灣史的研究，又出身台灣，向來持續關注台灣和中國大陸今後的關係變化。尤其自1969年以降，出身台灣的中國人急速移住美國，開始紮根，這些人怎樣改變？又如何思考台灣的問題？這成為我的課題。

第二，我也以東南亞華僑、華人為中心，研究華僑、華人問題迄今，由於我已出版的著作《華僑》（研文出版）〔參見《全集》11〕中，提出和以往的通論很不一樣的問題，碰巧美國那邊有人注意到這點，因而邀請我。於是我也開始關注亞裔美國人社會在美國如何形成及變貌？這些人今後打算追尋怎樣的生存方式？

換言之，我的第一課題是台灣今後處境變化的問題，也想實地見識華人系美國人社會中的台灣出身者群是用什麼方式融入美國社會而生存；這些人又如何看待故鄉台灣，或是涵蓋中國大陸和台灣的全中國今後的走向。我抱著對這些問題的關心，去美國待了一年。

對中英協議一喜一憂的香港

——：謝謝戴先生。那麼吉田先生在香港期間，如何處理香港問題？吉田先生從香港為《朝日新聞》寫報導，請重新整理一下，跟我們談一談。

吉田：在我赴任（1982年1月末）的前後，大家開始關心香港將來的變化。由於租借期限至同年6月30日正好剩下不到15年，這使得不動產及金融等業界人士開始擔心不動產融資或是長期貸款的問題會不會逐漸變得困難，於是造成不動產行情下跌的趨勢。因此，當地人和英國人雙方都想盡早知道香港的前途如何解決。在這種情況之下，英國首相柴契爾於9月訪問中國，和鄧小平、趙紫陽等中國首腦舉行會談，中英雙方皆以香港將來的安定和繁榮為共同的關心點，決定今後將經由外交途徑進行協議。

不過，共同點確認是做了，可是中國主張這理當涉及主權問題，英國則站在有關香港的三項條約——鴉片戰爭後《南京條約》中的香港島永久割讓（1842年9月）、亞羅號事件後《北京條約》中的九龍半島永久割讓（1860年10月）、租借占有香港全域92%的新界99年（1898年6月）——仍然有效的立場。

對此，中國認為這些是英國用砲艦外交強迫而來的不平等條約，不予承認，表明主權問題不能協商。英國則保留可於交涉過程中有轉圜的空間，主張條約的有效性。

照理說，中英會談已經進入外交協議階段，可是卻有長達9個月的期間內沒有任何進展。不過雙方首腦都知道必須要打破僵局，於是翌年（1983年）夏天，英國首相柴契爾寫給趙紫陽總理一封信親筆，信中的口吻似乎打算將主權歸還中國。中國方面收到信後，氣氛轉為接受協商。之後進入實務會談，可是看看會談的動向，英國雖然說過要歸還主權，卻又好像不太乾脆。就我們的觀察，英國方面似乎是要歸還主權，但仍希望保留統治權的氛圍。

這種情況看在香港人眼裡，引發9月24日港幣暴跌的事態。中英談判在根本的問題上產生分歧，造成香港自身的動盪。當時連一般庶民都拋售港幣，轉買美元、買黃金，將米糧等等一切收購殆盡。

此後的談判中，英國打出經濟牌，說中國是因為有香港，才能賺取許多外匯；此外還打出民意牌，透露香港的民意未必是希望回歸中國。然而，相對於英國的經濟牌，中國主張外匯是經由正當貿易行為賺取，並非從香港不勞而獲；相對於民意牌，則打出民族牌，主張香港的前途應由530萬的香港同胞與10億的中國人民來決定。

因為談判出現如此膠著的狀況，導致香港動盪不安。那時的中國持非常強硬的態度。當時派駐香港的日本銀行業、金融業、商社關係者曾說過：「吉田先生，港幣被換成物品，幣值不停下跌，可能已經變成廢紙。」港幣甚至一度還跌至9.6。不過我認為：「不，不會有那種事。」對方卻回答：「雖然吉田先生這樣說，但是中國的態度強硬，明天以後聽說應該還會繼續下跌。」我之所以不那樣認為，是因為我覺得香港人熟知大陸生活和香港生活的不同之處，所以一定會產生不能任憑香港完蛋的心理變化，讓自己安定下來。

在這般極度動盪的狀況下，香港政府提出1美元兌換7.8港幣的外匯管理案，中國方暗示香港的貿易按照以往只以港幣交易，控制住港幣的變動使之趨於安定，穩定了香港民眾的情緒。英國方面隨後進行議會討論，據說柴契爾又寫了一封信，透露要將主權和行政權都歸還。

在英國議會上則主張福克蘭群島和香港不同：福克蘭群島屬於無主土地（free field），香港屬於租借土地（lease field）。當時柴契爾表示雖然實際上是92%，但等1997年一到，就必須將香港全域的95%還給中國。儘管有議員質疑沒有顧及民意，然而不管怎樣這都是國際協定，不能不歸還，結果大概在11月、12月左右開始轉為主權和統治權雙方都歸還的方向。

英國外長賀維（Geoffery Howe）訪中之際，中國方面除了外長吳學謙之外，也與姬鵬飛（香港澳門辦公室主任國務委員）、趙紫陽、鄧小平會面。其結果賀維外長順道至香港，於4月20日發表英國政府的方針。根據此次發表的辦法，由於有1997年的問題，英國無法持續以目前的方式干預香港，因此，到時候在中國的主權之下，香港如何邁向高度的自治，將關聯到今後香港問題的解決辦法。

老實說，當時大家的看法都是「果然如此……」。英國終究會把手抽離香港，雖然做了很多暗中策劃，應該還是很難改變這個大概經過。就算有些波折，最終是完成了這樣的大框架。

對中國大陸存有連帶感的在美華人

——：吉田先生談到這兩年多來中英交涉的具體經過及港幣的相關走勢。接著請教戴先生，從美國看到的香港問題是怎樣的情形？

戴：美國的華僑、華人社會中，有的是從香港，有的是從中國大陸或東南亞經由香港移到美國、加拿大定居，或者暫時棲身之人們的群體。

特別是對於香港問題，剛剛吉田先生提到的港幣波動時期，在美國也出現過各種流言，譬如在我住宿的柏克萊附近有個叫奧克蘭的地方，傳說那裡的都市再開發案中有香港資本的流動，或是說加拿大境內有香港資本的流動等等的各類傳聞滿天飛，而實際上也有那樣的徵候。

還有一件非常有趣的事，就是內人到成人學校（Adult School）學習英語，在那裡和從香港來的富太太們成為同學，開始互相往來，因此獲得聽到各種意見的機會。而我自己在美國的第一場演講，則是獻給柏克萊分校中以香港為主的中國同學會所主辦的五四運動紀念集會，演講題目為「五四運動對台灣的影響」。因為這場演講，我結識從香港來到加州大學柏克萊分校的留學生們，得以和他們吃飯、喝酒、聊天。加拿大也有我的舊識，我去拜訪了大約一週的時間，在那邊也聽聞到很多事情。

包括香港知識分子們的言論在內，以我從美國所做的各種觀察，總結來說，就是香港人認為依照中國大陸目前的現況，要談香港回歸仍算時機過早。對此，樂觀的看法是認為倒不如請北京方面交還主權，由香港人自己主導香港的管理。就實際問題而言，如果貿然改變現況，對北京來說不也是負擔，可能造成負面影響？

另一個看法是覺得沒有那麼容易，所謂共產黨體制，就算交還主權，到時候還是會突然把你吞掉。但是持這種看法的人反倒是少數，大多數的意見都是不知將來會如何，所以有錢人姑且先將風險負擔分散到加拿大或美國，看看情形再說；而樂觀的人則認為反正同為中國，要是胡亂來的話對北京來說也是損失，所以應該不至於改變太多現狀。更激進的學生當中，也有意見認為現今香港腐敗的社會風氣需要好好整頓，所以那些想要照現況延長殖民地統治體制的想法是很有問題的。

對此，有人提出文革後對北京政府的信賴感產生動搖的部分，質疑北京政權憑現在的狀況收復香港，是否有讓香港這個殖民地社會在自身主導下變好的力量？另一方面，也有人覺得現在中國大陸的狀況已有改善，苦勸香港民眾可以運用在中國以外的看法、專業知能、技術等各種方式，透過香港來為窮苦的大陸同胞、老百姓的生活做出貢獻，讓北京現在的政權早日安定，經濟也早日步入正面循環，這樣不是很好嗎？

不管如何，這些持各種意見的人都有共通之處，就是對中國大陸的民族情感或連帶感為零的人倒算是少數，大家或多或少都抱有連帶感。只不過因為那場文革，尤其是1957年的反右派鬥爭以降，身邊的親戚等等遭受過各類被害經歷，傷痕至今尚未完全癒合，所以恐怕無法教他們馬上信任北京當局。

以上是我在美國觀察到的感想。另外我感到非常有意思的就是美國的華僑、華人社會事實上是將香港問題與台灣問題結合起來使其產生連動，以此方式關注情勢的展開。

基於此，我想請教吉田先生，香港內部是否也認為香港和台灣的問題有連鎖關係？

吉田：香港的人口約530萬，也有人說是550萬或600萬上下，其中98%是中國人，與廣東省有淵源的又占了其大半。因此，如同戴先生方才提到的1957年反右派鬥爭，特別是文革的經驗導致香港人認為中國共產黨的作法無法信任，所以討厭共產主義。還有從上海來的人因為經歷過稍早的三反、五反運動，強烈認為中國共產黨的所作所為並非法治，而是人治。

但是，自己的親人、孩子、兄弟、朋友都還在大陸，現在又可以用「港澳同胞回鄉村」的名義自由地從香港回故鄉，如此一來，他們之間的人情關係又更加地深厚。因此，大陸和香港的關係非常緊密。從廣東人的角度看，與直接去看台灣問題如何，有不一樣的掌握方式。

然而，從台灣到香港的人也不少，這些人在香港從事纖維產業、食品工業等事業。他們非常關注香港在與台灣問題的連動之下如何變動。我也認為香港的前途，與其如何影響台灣的問題密不可分。而香港的前途又與深圳經濟特區等等的處理辦法息息相關。我感覺，我所來往過的各方人士，不管是大陸方面的人、台灣方面的人，還是香港人，這些知識分子畢竟還是一直將此放在心上思考的。

成為台灣．大陸中繼地的香港

戴：我見過的人之中，有位退休學者說過非常有意思的話。一個是說鄧小平集團如何好好運用香港這張牌，就是北京當局展現其手腕之處。這種用旁觀者及對象化來冷靜觀察局勢的觀點實在饒富趣味。

還有一個是他認為就時勢看來，香港和中國陸地相連，所以到頭來就是條件鬥爭。也就是如何牢牢構築起香港內部的主體性，來和北京進行討價還價。畢竟主權不得不交還北京，英國又已經束手無策，可是要以條件鬥爭的話，光憑香港的力量又未免薄弱，所以盡可能將台灣問題一併捲進來，以形成更大的力量來和北京討價還價的意見。

吉田：這個非常有可能。站在整個中華民族的立場，雙方都主張民族的統一。不過，大陸也希望能盡可能放柔軟，所以中國極力端出如果能夠收復香港主權，收復後至少會讓香港維持資本主義體制50年，盡可能不干預香港事務的「港人治港」。

儘管如此，不管怎麼說，北京還是握有權力，不知道會怎麼出手，但我感覺北京一直處於屏息忍耐的狀況。我認為最好的解決方式是香港的智慧、台灣的智慧，如果允許這樣說的話，還有包括日本及美國的外國智慧能夠攜手合作，大方向上贊成香港回歸中國，但是一方面也保存香港社會生氣蓬勃的、獨特的智慧，反過來對中國提出意見，如此一來對中國的四個現代化不是也有正面的幫助嗎？這也是我懷抱希望的觀測結果。

戴：總之，對於50年內不隨意改動香港現狀的說法，有兩個意見。一個是擔心假如鄧小平去世後會如何變化？一個是認為以北京現在的力量，姑且可以信賴，因為就算沒有規定50年，也不可能會再使用文革那樣的方式。不過，為了讓北京當局始終不忘自己提出的條件，同時又因為迫使其落實的力量單憑香港是不足的，所以捲進台灣問題進行條件鬥爭以牽制。對於台灣，中國也提出「一國兩制」，表示不會任意改動。我覺得這些意見很有趣。

但是，客觀來看，香港並沒有政治主體，實權是由英國殖民地當局掌握，只有少數集團能干涉其中一些部分。可是台灣的情況是國民黨的中樞儼然健在，若是簡單就將國民黨中樞捲入，不過在實質問題上不知如何交易有些難度。

此外，從事台灣獨立運動的人士對於香港問題的解決也感到困擾。反過來說，台獨人士期待香港問題無法妥善處理，可把香港當「反面教師」，如此一來才有利於台灣獨立運動。也有持這種特殊看法的人士。

不過，我在旅美期間聽到許多台灣出身的旅行業者或是貿易業人士，倒是都考慮以香港做為中繼地，進行美國、台灣、香港、中國的多角化經營。特別是台灣從數年前開始落實觀光旅行的自由化，而台灣人也開始有多餘的閒錢，使得觀光業急速成長，但也逐漸面臨飽和。所以這些業者為了開拓新市場，開始帶領移居美國、加拿大，取得美國或加拿大公民權的人，還有美國的非中國人士到中國大陸觀光旅行。這些觀光業者會說中文、英文，加上北京熱切歡迎台灣出身的業者和資本家赴大陸，所以打算好好利用這些條件來做生意。

因此，我想請教吉田先生，在香港，是不是也有利用香港做為台灣和中國的中繼基地來從事互通有無貿易的台灣人……？

吉田：我沒有深入了解實際狀況，不過現在中國方面強烈希望台灣人能多來中國看一看。事實上，用各種方式從台灣出境，經由曼谷、東京、美國，或是到加拿大轉由香港進入中國的人很多，就我所聞，前年一年間有1萬人，去年大概有2萬人……。

至於台灣方面也因為很多人前往中國，得知台灣和中國相比，在經濟上處於有利的狀況，所以不會被中國洗腦，反而可以安心歸來。而且根據我的訪問，從事纖維或食品業的台灣人，皆肯定中國擁有廣大的市場。而台灣內部應該也知道這樣的趨勢，才會解除千百種輸入限制，允許中國商品進入台灣吧？不過必須經由香港或澳門輸入才可以。

中國也釋出隨時可以開放各處港口的訊息，在這些動向的交互出現之下，認為在香港能夠大展宏圖的人逐漸增加。其間，我曾在報上（〈轉換期・香港的智慧6〉〔転換期・香港の知恵6〕，《朝日新聞》，5月14日）介紹過的台灣出身的黃仁峰先生，不知不覺已經開了六間公司。這些人的底下又聚集更多台灣的智囊團，這是在香港才辦得到的。我認為現在的香港有這樣的榮景，在某種意義上或許能不知不覺逐步形成對中國、台灣，甚至對日本、美國都有利的狀況。

質、量皆高的美國的中國・台灣資訊

——：話題漸漸進入台灣問題。有關於此，戴先生在美國的見聞是？

戴：我自己是台灣出身，在美國當然也與各種人會晤。我在那裡感受到的事物，與日本的狀況截然不同。

首先，住在東京的我持續注意觀察有關台灣和中國的資訊，可是到美國待了一年後，意外發現日本的相關資訊量很少，反而是當前在美國的相關資訊，質與量又多又高。其原因之一，應該是定居者和往來者數量的差異：在美國的中國裔美國人約有百萬人，在日本的卻只有五、六萬人。

此外，從台灣到美國的人際往來也是，自國民黨中樞到台灣省出身政治家、學者在美的活動就遠比來日本的人多出許多。更因為九一八事變以來不幸的中日關係，中國現在的海外留學生前輩（ＯＢ），以留學美國占壓倒性多數，這些人如今又是中堅分子。台灣的國民黨也是一樣的情形。加上中國大陸的開放政策如今變得較為開放，所以住在中國的人也開始造訪美國。這些人的來去之間所帶來的資訊，於質於量都非常可觀。

反觀日本，自從廖承志過世之後，後繼的人並不多。早先留學日本的台灣出身者有一部分到了大陸，但是幾乎沒有進入北京政權中樞的人，成為中堅的人也不多。因此，這些人或他們的弟子往返日本之際所伴隨的資訊，不管質、量都很有限。儘管中日之間表面上的交往非常頻繁、旺盛。

吉田：確實如此。

戴：如何看待這樣的情況，應該也是今後的課題吧！因此，我感覺日本也必須趁此機會多多開拓接納中國留學生的管道，或更加積極的進行文化交流。這種有益於正常交往的，也就是做為伏線的資訊交流，不管對台灣還是對中國，今後如果不好好關懷的話，我擔心日本會宛如掉進氣囊（air pocket）般的險境。

去年，北京不是舉行過「『台灣的將來』學術討論會」？有許多台獨運動色彩濃厚的份子前去參加，引起話題。我在東京時，對於北京的統一戰線的戰略　戰術，總是一再感覺到「有必要做到這種程度嗎？」也就是一再對那露骨的演技感到懷疑。實際上，我不太有直接的接觸，這是做為第三者所觀察到的感想。而去美國一趟之後，我發現蔣經國或是國民黨中樞所忌憚的狀況逐漸且具體地顯現出來。

以前我認識的、曾經明顯傾向台灣獨立運動的幾個人，去過北京之後就變了。說什麼搭過「紅旗」高級車、見過周恩來的夫人、和哪個偉人一起照了相等等。中國收回以往對國民黨的批判與不信任感，也對反右派鬥爭以後中國共產黨自身在文化大革命期間所犯的過錯進行自我批判，不拘形象地從海外招待許多人士來訪。我對那樣的招待方式是否合適感到懷疑，中國的百姓正處於貧窮，卻大擺宴席款待海外訪客，這樣好嗎？我從沒去過中國大陸，但是正因為知道中國農村和百姓的貧困，就更加感到與意識形態無關的心痛。

然而，在美國，我卻清清楚楚看見照樣接受款待的人士，在所謂「見面三分情」之下，漸漸解開他們對中國或中國共產黨的不信任感……。

另一方面，我有位晚輩在美國某大學擔任研究員，他取得美國國籍，非常美國化，可以說變成一個近代主義者。他曾受邀到北京演講，與我見面的時候，大罵中國大陸，說那種陳腐封建、充滿官僚主義作風的體質根本無可救藥，希望我不要去。我問他：「你可以批評北京政權、中國共產黨，可是當你看到那些窮困至極的民眾時，難道什麼感覺都沒有嗎？」他回答：「不，說沒有是騙人的，可是憑我個人的力量是幫不上忙的。」他的例子可以說是完全以美國或日本的近代主義價值觀來做為所有價值判斷的依據。也有因為中國大陸的現狀和自己所居住的美國的富裕生活相比，感覺和節奏極為不同，所以就只曉得批評，而不去深究其背後原因的人們。

我就曾經在某次聚會上，遇到有人對這些只會批評的人發怒。這個發怒的人並非是支持中國共產黨，不過他批判說：「就人性而言，我們對於第三世界、非洲的貧窮人民都抱有同情心了，更何況是對於自己同胞的貧困？你們的報告之中卻完全沒有惻隱之心，這是怎麼回事？為人之道怎麼可以只停滯於此？」使會場氣氛一度陷入緊綳。總之，在美國也有各式各樣的意見。

在越南反戰運動的延長線上，對於第三世界，特別是出自於對非洲饑荒的連帶感，因而參加不要吃牛肉、改吃植物蛋白、天然食品的運動，希望能夠對解決非洲食糧問題做出貢獻的趨向，也出現在美國華僑、華人社會中的年輕世代之中。讓我感到人性也有令人放心的溫暖之處。

逐漸開朗的海峽兩岸氣氛

——：那麼請問吉田先生，關於圍繞台灣問題的第三次國共合作的動向，在香港有沒有什麼感觸？

吉田：嗯……讓我想一下。在我來往的台灣人之間，有很多人認為只要現在蔣經國先生還健在，應該就很困難。蔣介石、他的兒子蔣經國，那接下來的第三代會是誰？不管如何，到第二代為止，應該都會堅持自己是正統，可是一旦蔣經國去世之後，可能就會出現比較現實的改變。我感覺不少人持有這樣的想法。

戴：我在美國察覺到的感想是，一方的看法是認為蔣經國的確不會簡單回應；同時也有另一方的看法則認為蔣經國身體不太好，如果去世了，台灣可能會陷入混亂，發生暴動、政變等等狀況，要是再度有民族內部的流血暴亂，就不妙了。

所以，也有人在期望世界和平、亞洲和平，以及全體中國人的幸福的意義上，為蔣經國和鄧小平兩人的健康祈禱。認為只要他們能夠再有十年長壽，彼此的不信任就會慢慢消除，如果中國大陸的生活改善，到時就能慢慢形成對話的空間。

吉田：我在香港來往的相當高層的知識分子之間，也有像戴先生現在說的，希望鄧小平先生和蔣經國先生健康長壽的人。但是對於一般人來說不太可能，反而有很多人認為要等兩人過世之後，才有可能發展現實的、實際的、自然的交流。

戴：只是，打算獨立運動的人士當然討厭國民黨也討厭共產黨，應該另有想法。

吉田：對，對。

戴：因為這些人設法在自己的主導下奪取政權，想法當然不會一樣。所以不希望看到台灣再次發生流血事件的人，還是認為如果蔣經國去世，國民黨失去標竿人物之下，可能會招致最壞的事態。

吉田：其間舉行了台灣總統選舉。當時也有人提案希望蔣經國先生不要擔任總統，專心當國民黨主席，避開雜事而得以長壽，可是最後沒有成為共識。在香港觀察台灣問題的人士，多半都預測蔣經國會再次當選。

我在香港每天都閱讀左派的報紙、中立的報紙、右派的報紙等，發現中國人都將台灣的動向視為中國人自己的問題，非常關注。

戴：當然是這樣，因為是自己的問題。還有，我在美國發現許多持有美國護照的台灣關係者前往大陸。他們之中，有脫離舊國民黨的人，以及他們的孩子，其中又有再度回到台灣的人。國民黨方面也漸漸了解這種情況，知道去大陸是去掃墓，或只是要去旅行見識一下，並非要去說國民黨壞話或當奸細，而是基於人之本性、常情不得不去，所以對此也就變得寬容。這使得海峽兩岸的氣氛與以前相比大為開朗起來。

吉田：是這樣沒錯。

戴：只不過，也有希望能再多花一些時間的心情。比起中國對國民黨的不信任感，不管怎麼說，中國很大，從國民黨方面或台灣內部的人看來，還是存有如果與這樣龐大的存在談判可能會被吞噬的畏懼和不信任感；另一方面，也有人強烈不滿中國較為貧困，有什麼臉來談統一？認為應該先整頓好自己再來。

吉田：也對，算是有一番道理。

戴：但是，定居美國的台灣出身技術者、教授等，不分本省、外省，也會回台灣講課、回中國講課，所以彼此之間有相當程度的往來，而不是揮舞著國民黨旗幟去交往。

譬如在柏克萊，施伯樂教授（R. A. Scalapino）要是舉辦派對，雙方都會出席，從中國來的人會頻頻發名片，所以互相認識、拿到名片之後，就不能佯裝不理不睬。

而國民黨也開始有了自信。中國很窮，文革時又做了許多錯事，所以感覺台灣還不錯。可是另一方面，看看台灣現在的社會狀況，經濟犯罪大為增加，犯罪也愈來愈惡質，暴力團或槍枝走私、麻藥等等台灣社會中的美國式犯罪也急速增加。整體而言，中上流社會對於台灣的未來不太具有信賴感，也有人擔心如此會導致「先把錢抓到，之後再逃去美國」的風氣，結果使得犯下恐怖主義式犯罪者的數量增多。

中國開放體制的落實是關鍵

——：最後想請問吉田先生，今年5月前後，相當於日本國會的香港議會議員表示要反映他們自己對香港前途的意見，這件事的影響如何？

吉田：當中國和英國在協議上意見相左之際，香港人總會害怕得不知何去何從。但是一旦中國和英國進入磋商時，他們就會出很多意見。在他們的看法之中，英國已經不想站在自己這一方，所以剩下的就是自己和中國大陸的關係。如此一來又出現別的擔憂，說穿了就是會不會真的實現「一國兩制」？

他們同時還憂慮如果就這樣和中國合併，由於他們自己是英國推薦的議會議員，會不會因此喪失發言權？要是不趁現在趕快表示意見，也會損害到自己的威信。所以才會有許多發言吧！

他們的發言主張在中、英達成最終協議之前，我們也有討論的權利。不對，說有權利也不太對，應該是說讓我們也能表達意見，就算中英之間就快要達成協議，也請告知我們。香港報界對此發言的反應是左派報紙持批判的態度，一般報紙則表示歡迎。到頭來，大家都贊成應該要討論。

然而，就在如此這般左派反對，可是大家都贊成的喧騰之中，恆生股價指數卻出乎意料的幾乎沒有受到任何影響。

有位我在香港認識的朋友說過：「吉田先生，香港也有三民主義，就是移民、殖民、難民。還可以再加上一個『伸手牌主義』，從大陸獲取食糧，從英國拿來法律或經濟、社會制度。而我們只是暫時棲身於此。」在香港也有如此觀點之人。因此，必須認真思索今後該如何主張自己的立場？如何憑自己的手經營自己的政治？這樣的思維，在香港的年輕知識分子之間開始萌生。

而且他們認為，面對大陸，雖然香港社會有剛剛提過的那些缺點，可是同時也具有大陸所沒有的優點，即可以自由思考，可以臨機應變，又握有交通運輸手段非常發達等等設施上的優點，以及足以運用這些優勢的人才。這樣的香港長處一定有助於中國的近代化，希望中國可以注意到這些地方。我感覺這樣的改變正在有良知的、優秀的知識分子之中一點一滴地形成。

戴：最後談談我個人的意見，是我在美國一年期間集中觀察到的事情。

其一是當前中國的社會主義式國家建構，拿以往世界史上的事例來比，有若干其獨特的或是不同的一面。也就是在懷抱廣大國土和10億人口的境況下施行社會主義的特殊性。

還有一個，譬如「自由貿易區」（free zone）就是以往社會主義圈的經濟中不存在的制度，至少蘇聯沒有。如此一來，問題就是這個自由貿易區的成果是否穩固下來？以及外資導入——最近甚至說可以接受100%外資——是否真能落實？如果「自由貿易區」能在中國社會主義建設的體制中牢牢占有一席之地、落實並妥善運作，在此連鎖效應下，香港體制50年不動的說法，就能成為說服香港人的一個客觀的要素。因為不管嘴裡再怎麼主張要承認50年維持現狀，都無法成為回答「鄧小平要是過世了怎麼辦？」「政權要是改變了怎麼辦？」等等各種問題的直接根據。

現今北京政權以相當驚人的氣勢派遣研究生及進修生到美國，也有很多觀摩團和留學生，這種作法也是以往的社會主義圈不太有的事情。或許南斯拉夫是例外吧！況且再怎麼說中國如此大，要是能見到這種中國社會主義體制沒有從內部崩壞，還能落實、發揮機能並持續展開，才算首度備齊對香港或台灣具有說服力的中國大陸內部的條件。如此一來，香港問題和有關台灣的問題也不會形成以往所預測的那般急遽變化，而能找出較為圓滿且和平的解決途徑，不是嗎？

然而，若是失敗了就非常糟糕，情況將變得更加困難。有基於此，我認為北京政權採取的對日本、對美國的開放政策是貨真價實的。中國的社會主義按照他們自己的方式，在考量其生存後採行的諸多開放政策，應該可以評價為真品。我不知道這會不會成功，但我在美國的一年期間，可以看出這樣的脈絡。

不過，我不覺得狀況有那麼簡單，今後還是有可能發生許多問題。發生問題並不那麼可怕，可怕的是中國內部沒有從內側解決問題的力量。問題總是不斷而且理所當然會發生，但是只要有解決的能力，就不用害怕。

吉田：我的香港友人說過一個比喻，我覺得很有意思。他說如果將中國比喻為一隻狗的話，那香港就是狗的尾巴。這個尾巴雖然沒辦法搖動狗的身體，但是只要這隻狗有真正的智慧、活力與體力，尾巴就能自在活動。他希望大陸有這樣的自信，為自身的安定與繁榮而努力。

戴：這和我的意見一致（笑）。

吉田：我把這番話又說給別的香港朋友聽，這個人在文革期間到北京大學念書，畢業後繞了整個大陸一圈，之後到日本的大學就讀，現在在香港做生意，腦筋很好。他聽完後說：「吉田先生，你說的很有趣，可是我有更有趣的比喻。如果將中國比作男性的身體，那香港就是『那話兒』（笑）。這個『那話兒』不能割除，也不能吸收進入體內，這樣會失去作用。要附著在外面，但不可分離，才能發揮功能。」也就是不能獨立，但也不可以同化，要在這樣的狀況下讓香港發揮機能（笑）。

戴：很有趣、很不錯的一番話（笑）。

——：再請教一個問題，到目前為止，兩位對香港問題，還有與其連結的台灣問題做了許多狀況分析，想請教日本或美國今後對此應該要持怎樣的立場？

吉田：英國的怡和洋行（Jardine Matheson）不是將怡和股份有限公司從香港移到百慕達？這是因為不信任1997年以後的狀況。但是生活的據點還是擺在香港，展現屬於英國的頑強韌性，反正不管怎樣，1997年一到，權利的根源就會從英國移往中國，所以怡和洋行必須從事其他地域的事業推展，也為了讓股東安心，必須在英國的法律體制內進行。

這個鴉片戰爭之前就進入香港的公司逃離了。可是有丟就有撿，美國的寶維斯（Paul Weiss）律師事務所在去年11月入駐香港。美國真是有趣的地方！這個事務所的負責人由哈佛大學教授孔傑榮（Jerome A. Cohen）擔任，他很有意思，頭髮全白，乍看之下有點老，其實據說才53歲，還年輕。這位孔先生認為以近代化為目標的中國，不管怎麼說，對內要活化經濟，對外則不可避免要持續採取開放政策。

戴：這是因為除此之外中國大陸沒辦法在生存。

吉田：因此，中國必須推動外資導入及合辦、技術轉移，也就必須製作契約書，使其法律化。為此，孔傑榮先生說中國和國際的法律體系必須互相尊重彼此的立場，促使其產生結合。

英國離開，美國進來，照這樣看，美國真是個不得了的國家。

戴：畢竟是世界的大國，自信滿滿。

吉田：這就像戴先生剛剛說過的，美國的資訊在質與量上非常厲害，很遺憾的，比起日本，美國更是大國。大陸和台灣又都會傾聽這種大國的發言。所以雖然我很想說中國人不好好振作不行，但是日本人才更需要加油。

本文原刊於《日中経済協会会報》，1984年8月，頁19～31。爲「雷根訪中後的中國・亞洲情勢」特輯內文章

與亞洲共處

——現在為何要放眼亞洲座談會

◎ 李尚霖譯

時間：1984年9～11月

地點：立教大學

與會：小西正捷（立教大學文學部教授）

野村浩一（立教大學法學部教授）

戴國煇（立教大學文學部教授）

梅原弘光（立教大學文學部教授）

主持：大鄉博（立教大學校牧）

大鄉博（以下簡稱大鄉）：《立教》雜誌的編輯負責人拜託我參加座談並兼任主持人，我左思右想，在立教大學的創校者威廉姆斯（C. M. Williams）主教抵達日本第125年的今年，我們迎接立教大學創校110周年，威廉姆斯主教放眼亞洲，為亞洲奉獻一生服務工作，站在這基礎上，理應負起立教辦學一部分責任的校牧，現在必須思考什麼事？必須做什麼事？我推想可能是因為這樣，才會受託擔任座談會的主持人。

我聽說今天與會的老師們，每位都擁有不同的亞洲研究領域。因此，雖然一言蔽之說是亞洲，但由於亞洲非常廣大，我想先請各位老師解說一下，在各自的領域上從事何種研究。如果能由其中找出諸如：我們面臨的問題是什麼？我們的任務是什麼？以及再縮小範圍，談談立教大學之於亞洲或是日本的需求，必須扮演何種角色？如能做到這點，便算是盡了我個人的義務。

現在先請每位老師分別介紹在各自的領域上從事何種研究，並且介紹與亞洲有何種關係。請梅原老師先開始！

梅原弘光（以下簡稱梅原）：我是在昭和35年進入亞洲經濟研究所工作，研究所當時剛成立，專事開發中國家問題研究。然後，兩年後，我從亞洲經濟研究所到菲律賓大學農學部留學。這之後，我便與菲律賓長相交往。我先談談我21年前初次去菲律賓的感覺。

當時亞洲經濟研究所還成立不久，常有人問及研究所成立的經過、目的或是研究所的社會責任等種種問題；而這研究所在年輕一輩之間也屢屢成為話題。另外，當時也正是開發中國家開發論的鼎盛時期。

我那時天真的相信研究菲律賓是為了日本的發展，同時也是為了菲律賓的發展，因而前往菲律賓。但事實並非如此簡單。菲律賓研究並無法以一般所說的方式貢獻於日本的經濟，也無法幫助菲律賓的人們。相反地，我被迫猛烈地反省，所謂的菲律賓研究到底為何？

當時菲律賓人的對日情感，還鮮明地殘留著戰時種種不好的回憶，我常常被菲律賓人嚴厲地追問有關戰爭經驗的想法以及如何擔起責任等問題；這讓我非常苦惱，搞不清楚自己到底是在做什麼？到底如何是好？到底為何研究菲律賓？在無法整理內心掙扎的狀況下，我剛好任期終了，就回到日本。

之後，我下定決心，以被認為是菲律賓社會最大癥結的農業問題為中心，在仔細觀察當中，思考菲律賓全體問題，再擴及亞洲全體之問題和我自己相關的問題。此後，我開始專心研究農業和農民問題。

大鄉：請野村老師談談關心中國問題的動機，以及現在關心的重點。

野村浩一（以下簡稱野村）：我主要研究中國近代史，基本上關心的中心論點還是在於日本與中國的比較。透過日中比較，去思考比較日本的歷史應有的狀態，以及廣義的日本以外的亞洲諸國的歷史應有的狀態，再進而比較西歐社會的歷史應有的狀態。雖然我以這相當具學術性的問題為出發點，但說到中國研究，畢竟由於長期以來忽視戰爭的善後問題，加上到1972年為止，日中關係尚未正常化，我認為這有相當大程度壓迫到我們的研究和學習。回過頭來看的話，事實上這件事本身，對思考中國乃至亞洲，也都具有非常重要之歷史意義。除此之外，如大家所知道的，中國的現代歷史呈現著非常巨大的變動，在這當中，我深切體會到歷經的焦躁和掙扎。

然而，關於今天的題目，這一、二十年間，廣泛地來說，我覺得提到亞洲的時候，我們的感覺變得十分廣闊。戰後10年、15年間，在包含經濟、貿易、觀光等各方面的國際情勢發生種種變化，中國自不待言，連中國以外的地區，在日常的層面或者民眾的層面上的往來，都遠比以前廣泛。

同時，語言、人種、宗教等諸問題，我有種很強烈的印象，我們對亞洲的觀感，正是透過這些問題擴大開來的。

因此，在這個前提下，我想請教其他諸位老師，以極為常識的說法，亞洲包含有日本、中國、朝鮮半島，以及越南等所謂的東亞文化圈——chopstick culture，也就是筷子文化圈，以及這之外的地區、文化圈。chopstick culture這一邊，我們多多少少覺得能夠理解，但對這之外的地區，我本身就不大能夠完全理解。如何吸納這類的文化，然後更進一步如何將這樣的感覺塑造成更具體的見解？這個問題對包含年輕學子在內的我們而言，不是今後非常必要的問題嗎？我感覺到上述這些為共通的問題意識。

大鄉：就這點而論，我想小西老師的研究是否與野村老師所說的東亞chopstick culture更西邊的亞洲有關係。

小西正捷（以下簡稱小西）：有人提到筷子的事了。但印度以及更西邊的亞洲，連湯匙、叉子都不用，而是用手抓食的文化。因此，雖然統稱亞洲，但南亞、西亞這些地方與我們所熟知的亞洲，文化上卻是大相逕庭。

1961年，我剛到印度留學時，當時的狀態不像今日，人們可以輕易前往亞洲。那時我並不知道日後會與印度文化牽絆如此之深、相處如此之久。在我自日本的大學畢業的同時，很幸運地獲得印度政府的獎助，在加爾各答大學總計念了四年左右的書。

當中，令人非常驚訝的是，現實中的印度與我們一般所抱持的印象非常不同。首先，我們一提到印度，就會有既定印象，好像對其瞭若指掌，但其實卻是一竅不通。另外，印度過去的文化光榮與現實的印度存在著巨大的落差，問題可說極大，我也捲入其中，曾經痛苦掙扎許久。

由於設籍在大學研究所，一方面我雖然也會拖著學界人的尾巴，但另一方面，我又想盡量遠離這些東西，常揹著背包進入農村走進鄉下，盡量累積、接觸活生生的印度體驗。

在這之前，我雖然學了印度古代史以及印度考古學、美術史，但比起這些學術世界的學問，我寧可試著接觸民俗文化，試著接觸普通人的日常生活。不過這對我而言有何幫助？確實有這方面的問題，但不管如何，我仗著還年輕，不顧一切想要去體驗、接觸這樣的印度文化，不知不覺間，說短不短的四年光陰就這樣過去了。

剛開始，我在加爾各答亦即孟加拉地區待了一段很長的時間。印度與中國相同，非常廣闊，不同的地區文化狀態也大異其趣。不久，比起孟加拉受季節風影響的濕地文化，到了後來，我的關心更漸漸轉向與日本相反的西方，現今是自半乾燥地帶的拉賈斯坦一帶延伸到巴基斯坦、乃至阿富汗最近更到伊朗以及中東一帶。

某方面，由於這些地區的世界，與我們熟悉的文化乃至價值觀之類完全不同，因此造成很大的衝擊。正因如此，我一直思考著，要理解自己，便要觀察這些地方普通人的生活方式，而且今後我也想這樣地研究下去。

大鄉：我雖然不知道要請教戴老師什麼才好，但想請戴老師體察我無法形於言表的意思，以老師個人的方式自我介紹，並稍微談談自己的研究領域。老師個人如何涉足亞洲、日本？

戴國煇（以下簡稱戴）：不管怎麼說，都是些沉重的往事。我與日本的緣分，也是在心不甘情不願、無可奈何下發生的。原本以為既然來了，就待個二、三年再逃跑，但還是跑不掉，轉眼已過了29年。

我的狀況與其他老師相當不同，研究的對象，或者說做學問以自己的實存做賭注的生存方式，常常是在重疊的狀況下同時進行。

例如，即使以日語來說，雖然初來乍到時有人稱讚我的日語能力，稱讚的人也非常單純，理由不外是：留學生能寫出這種程度的日文、說出這種程度的日語、知道可以這樣表現之類。對接受稱讚的我而言，想到的是，你們可知我到底是在何種過程中才習得這樣的日語？這與各位學習英語等語言的形式，所得出的成果完全不同。這是伴隨殖民地政權所得出的強制性結果之一。由於知道對方是出自善意的讚美，因此我往往無法作答。

因此，反過來說，在我內心中，不得不常常與自己的「日本」對決。這所謂的「日本」，是指伴隨日本殖民地統治所產生的一種價值體系。我認為，只有在對決成功時，或者說我自己意識到成功時，所謂的我這個人才能成為正派的人。就是因為如此，才會感到沉重。

1955年，我原本打算到美國留學，卻來到東京。理由非常簡單，因為直到1945年，台灣是日本的殖民地。二戰結束時，台灣的島民大概有600萬人，日本人則包含軍隊在內約40萬。以二戰結束當時的統計資料來說，日本政府從550萬人的台灣人家庭中收取稅金，創建了很多學校。然而，好學校卻都是日本人就讀——這是在日本的各位所無法想像的。你們大概認為日本人蓋了學校吧，卻不提這些錢是從哪裡來的。不管是蓋學校、建醫院，都是為了遂行殖民地統治。

而且，連明治憲法在台灣都不適用。因此，台灣總督在台灣擁有絕對的權力，有非常嚴重的歧視，台灣人進不了好學校。反而在實施明治憲法的日本國內接受教育遠比在台灣自由。因此，大體上台灣的有錢人都會在東京蓋房子，再安置一個管理者，以招集一族鄉黨的年輕人讓他們就學。

我的哥哥那時剛好遇上學徒出陣的年代，完全不寫信回台灣。父親因為擔心，所以對我說到東京去找你哥哥。這真是命運注定！我來找我哥哥，當然，對日本極盡批評，也因此惹惱了他。

他斥責我：你怎麼將體制與個人混為一談！你一味地指責處於殖民地體制下的日本人在台灣做了什麼事，但每個個別的日本人受到原子彈等的轟炸，日本人本身也非常痛苦。你連這點都不懂還打算專攻社會科學？不做也罷！連這種層次不同的問題都無法整理清楚，還專攻什麼社會科學！

我無意中考上東京大學，遇到東畑精一、神谷慶治等知名老師。不是我自傲，我日文寫得相當好，事實上我從翌年開始就匿名投稿日本的商業雜誌，有這樣一段經歷。在這樣的狀況下，我拿到學位時，東畑老師對我說，你到亞洲經濟研究所來吧。因此，我到亞洲經濟研究所就職，在那裡待了十年，之後來到立教大學。

結果，問題在於一直以來糾纏著我的東西，也就是日本對我個人而言到底是什麼、與對台灣出身的中國人而言到底是什麼？台灣是日本明治以後的政府對外擴展政策最初的實驗地。台灣的人們如果不在這點上好好發言，不是很容易發生誤解？就是這麼一回事。

然而，就我個人而言，我不知這是否可說是日本與亞洲關係的原點，但大體上，原型可在台灣看到。比如殖民地的統治方式、少數民族的歧視問題等。因此，非得站在台灣人一方好好整理台灣與日本的關係。

對我個人而言，這正是我如何活過日本的「近代」與台灣的「近代」問題，是針對這個問題對自我的挑戰。

威廉姆斯主教經由上海來到日本，眨眼已過125年，他當時恐怕以中國為中心，抱持著美國人對東北亞之使命感。姑且不論我是否過於主觀，但出發點應該是認為啟蒙異教徒乃是善舉。

然而，如果看看日後的狀況，日美關係在太平洋相關事務的關鍵，結果還是在於中國問題。

當然，東南亞諸國也存在著很大的問題，但就大框架而言，就威廉姆斯主教來說，就與美國的主流之間的關係而論，日美關係，或者說中美、中日這三角關係的現況，在這大框架上大致還可以。我認為有必要先確認一遍這大框架的存在。

另一點是中南半島的問題。雖說看似大致已解決了，但事實上留下很多問題。中南半島諸國的共通課題在於：如何克服這些國家所殘留的殖民地遺制？如何超越殖民地遺制來克服形式上與殖民地遺制緊密結合的封建遺制，以達成他們國家的國民統合，塑造國家。

再者是貧窮問題，也就是經濟開發的問題。伴隨這點的，當然是政治的近代化、基本人權之確立等亞洲問題。整體而言，處於大國間對立的狹縫中之狀況雖然已減弱許多，但每個國家所擁有的問題依舊十分嚴峻。

到底日本會變怎樣？該如何對應才好？日本未曾經歷過如此多從外國來日本取經的時代，因此有良識的日本人說不定會感到困惑。另一方面，日本也有部分冒出火藥味。對這部分，亞洲其他國家也深感憂心。

正因如此，我才一直認為，不斷述說台灣絕不是殖民地統治成功的事例、殖民地統治是無論如何都做不了好事的體制，我這樣的強調，至今仍是有意義的。今天在這個地方，我也想確認這件事。

大鄉：在放眼亞洲這件事上，我也得到老師們的協助，帶領學生前往菲律賓，至今已施行六年。之所以會做這種嘗試，背後有與18年來沖繩的「癩園」的人們一直來往有關。

18年前，我一個人前往沖繩時，接觸到沖繩的現實情形，一方面對自己太過無知感到生氣，另一方面，不得不思考起沖繩與造成沖繩如此狀況的日本本土的關係與應有的狀態。在這當中，得了痲瘋病的人們，因而在某種意義上必須活在雙重歧視之中。促使我開始思考事物的出發點正是沖繩，正是拜「癩園」的人們所賜。戴老師雖然說排除台灣的殖民地統治政策便無法思考日本的近代，但與此相同的事例，我認為在沖繩與日本本土的關係中也可看到。

我完全沒料到自己會以校牧的身分來到立教大學。來到立教大學，與學生一同思考何謂基督教時，我認為若不去思考我們所處的狀況以及我們在現實上的問題，基督教終究也會變得無足輕重。而且，特別是由於我是戰後出生，戰後出生的人如何思考戰爭？我認為這是戰後世代所背負的重大課題。

我在沖繩被迫思考這問題，因而前往與沖繩擁有相同歷史結構、曾淪為戰場的其他國家。我進入曾為戰場的村落，想要探索戰後出生的我們與這些人們如何建立理想的關係。我們的學習，不正是要從這裡出發嗎？我一直思考這樣的問題，因而得到老師們的協助，從六年前開始舉辦現在的「菲律賓營」。

但是，即使是以這種方式陳述亞洲，我這18年來，畢竟千頭萬緒縈繞在心，各位老師所說的話，再次提醒了我，讓我覺得日本人在放眼亞洲之時，實在糾纏著非常沉重的問題。

聽了梅原老師的話，似乎看到老師往昔想要透過與菲律賓的關係，駐足在非常人性化的問題之前的姿態，現在看來老師也還站在這樣的立場上。針對何謂研究亞洲，請教老師一些問題。現在老師就此立場本身是如何思索？在反躬自問時所扮演角色為何？

梅原：真是慚愧了。我的菲律賓研究，到目前為止，不用說，對菲律賓人實際上沒什麼用。然而，如果說到是否對日本有幫助，那就要看是對日本的何人有幫助了。因為日本人形形色色，有各種階層，對誰有幫助、對誰沒幫助，並不是那麼簡單的問題。我所做的事，結果似乎只對我自己有幫助。儘管如此，我到底為何一直研究菲律賓呢？

剛剛各位老師的發言中也約略提到，日本與菲律賓的相關問題、美國與菲律賓關係上的問題，以及現代先進資本主義國家與開發中國家的關係的問題。菲律賓可以非常鮮明地告訴我們這些問題。因此，我雖說研究菲律賓，但只不過是從菲律賓、菲律賓人，或者從菲律賓的歷史上學到各種東西。如何善用這些學來的東西，才能幫助我理解自身在日本的存在？我在日本到底處於何種立場？以及什麼是我該做的事，或者說去探索我所背負的任務。

例如，最近發生這樣的事情，菲律賓的國會議員選舉已在五月舉辦，但關於是否參與這次的選舉，菲律賓國內的輿論分成兩派，發生論戰。在這過程中，有一部分的人認為抵制這次選舉的意義十分重大，因此以原參議院議員為團長，派遣代表團來日本。他們來日本提出「現在的日本政府援助菲律賓等於是幫助馬可仕政權苟延殘喘，令人不快，因此請停止援助」之類的呼籲後回國。

我曾出席迎接這代表團的小型歡迎會，果然是受益良多。原參議院議員的團長引用日本憲法的前文，論述為何日本目前援助菲律賓並不妥當。

「日本國憲法中揭櫫否定專制、高壓政權的理想並不只限於日本國內，而是遍及全球。然而，為何現在的日本政府試圖提供菲律賓政府巨額援助？」我聽到他以這樣的論述呼籲時，十分感佩。

確實，菲律賓的問題，基本上除了菲律賓人自己解決之外，別無他法，我想不出我們有何著力的地方。即使是這次的問題，在這種狀況下我看了菲律賓人的訴求，十分清楚地知道，我們能做的事畢竟是在日本國內，不是在菲律賓。我對研究菲律賓的意義所下的暫定答案是：一直以來都認為菲律賓研究對我的重要意義在於理解自身、在於讓人們充分理解日本國內該做何事；這點，在那晚的小小宴會席上，我似乎得到再次的確認。

大鄉：我也每年都帶三十名左右的學生前往菲律賓，剛開始時，學生們無論如何還是會有某種想法，認為亞洲是落後的地方，我們已開發國家要提供援助之類的。

但是，在與村民生活的三個星期中，事實上，也徹底的揭露所謂已開發國家的內裡到底有什麼具體的東西。而且，借用某個學生的話：「我們這些不借助機械的力量便什麼都做不了的人到底是什麼？被人說『你們的國家是機械力的國家，我們的國家是人力的國家』，機械力的國民如果不使用機械的話什麼都不行！至少，我要抬頭挺胸地走。」

自己的國家日本到底是什麼？這問題在探索亞洲時，亞洲將化身為鏡子返照回來。因此，學生原本想要援助亞洲國家菲律賓的想法，就此打住，態度轉變成想要從亞洲人身上學到東西回國。我覺得這樣的逆轉有非常大的意義。

要擁有眾多的座標軸

野村：剛剛也有人提到，我認為歷史知識非常重要。包含亞洲國家與日本至今的關係為何之知識在內，這些過往，特別是面對理解亞洲這個問題時，必須十分重視。

剛剛雖然有人說到國際感覺的擴增，但對亞洲的體驗，就我個人而言，因為想要研究中國，在此大前提下，我終究是要前往當地。但一直到最近，中國都不開放外國留學生去留學。當然，道理是非常清楚的，但為什麼是那樣，卻是切身的感受。在那時間點研讀中國近現代史，誇張一點來說，研究者個人必須承擔戰爭以及戰爭的後續處理問題。

然而，日中邦交正常化遲遲未有進展，這問題當然與政治問題有關。剛剛梅原老師所說的，也是很大的政治問題。對於這些問題的感覺或認知，不是非常重要嗎？特別是最近的年輕人，在政治上有點過於天真。事情的道理之所以會變成如此，真正的現狀到底為何？這真的除了透過經驗去理解之外別無他法。在接觸這些事物當中，不斷地自我開發，不是非常重要的嗎？

只是在思考這些問題時，每個人畢竟都有不同的生活方式，突然間被人要求放眼亞洲，也許反而造成困擾？因此，只要有一定的動機，並且善用偶然天賜的機會，稍稍接觸一下歷史問題、政治問題——或許有點誇張，但我們在對自己所處的狀況，以及其他的狀況能吸收多少新的東西？——我認為只有透過這樣的比較，才能夠看清楚自己的定位。

或許與亞洲沒什麼直接關係，但日本人不是老被說成非常地過於整齊劃一嗎？我希望日本的文化能更加多樣化。因此，了解他者是必要的，就這方面而言，我當然非常重視亞洲問題。與此同時，包含歐美社會在內，我希望各位創作更多像這樣的座標軸，在這樣的過程中，可以發現非常大的意義。

同時，如剛剛大鄉校牧所說的，現代日本所抱持的，或者說現代文化所抱持的機械文化這一問題，無須贅言是非常大的問題。關於這問題，有什麼樣的解決方法，不是馬上就可以得出答案，只要大家一起思考，從可以修正的地方開始修正就好。

日本是連結亞洲與歐美的橋樑

大鄉：現在老師說要大家再多擁有一些座標軸，必須透過這樣的比較，確認自身的定位。關於這點，我有點好奇，在立教大學之中，擁有多少這一亞洲的座標軸呢？

《立教》雜誌呼籲大家放眼亞洲，我有種感覺，是不是在立教大學中亞洲已得到公民權？是不是大家開始關心起亞洲來了？我個人覺得，擁有如此多的老師、工作人員，這股力量不是有必要再集結一下嗎？

我18歲時前往夏威夷，那是我第一次接觸外國。在接觸到沖繩之後，我有意識地背離西歐社會，這20年來，我一直努力以亞洲為思考事物的座標軸，我覺得也差不多到可以再次放眼美國、歐洲的時候了。

只是我覺得日本可以成為連結亞洲與歐洲的一座橋樑。這是我到菲律賓時的感受。一開始看到我們、接受我們的或許也是事物的想法、人性等，但相同的膚色最是讓人抱有十足的親切感。就這方面而論，日本人的臉部五官與亞洲人相似，屬於亞洲的我們。雖然我們腦袋裡塞滿了西歐社會的東西，但在人情上的微妙處，其實有非常多的共通處。

如此具備雙方特性的日本人，不是可以成為一座橋樑嗎？我一直以來關心著沖繩、菲律賓、尼泊爾，這到底有何意義？最近我希望能對照美國、歐洲的座標軸，思考這點的意義。

在這層意義下，這一年來，戴老師在美國充分地親身感受美國文化，不知戴老師有何種想法？老師的座標軸是什麼？

戴：例如，我即使在美國，還是認為美國雖然確實在汽車等種種表面問題上輸給日本，並有日、美貿易摩擦問題，但美國根底的生活水準「力量」，依舊十分之高。這高大的力量，到底是由什麼所支撐？這問題與如何理解世界經濟的機制相同，例如包括我在內的現在日本或者東京，之所以能夠維持高水準的生活品質，到底是在何種的機制運作下與亞洲有關聯？這點年輕學子並不清楚。就好比小孩子認為錢只要帶提款卡去銀行提出存款就有了，小孩看母親或父親這樣做，卻看不到背後存在的東西，這樣的狀況搞不好已在日本的年輕人之間急速地蔓延開來。

對於這一狀況，事實上我高度評價大鄉牧師透過「菲律賓營」徹底地帶給學生衝擊。因為我本身也曾以工作人員的身分參加過這營隊，見識過身邊學生的感動。然而，我相當懷疑，是不是所有的學生都能對此現象以社會科學的態度再進一步探索。

至少在我本身，我希望從個人專研領域的華僑史、華僑問題，讓年輕學子在觀察亞洲進而重新審視日本與亞洲關係的過程中，在他們心中植下一種觀點，使其能在機械的背後，或者在日本高生活水準的背後，掌握到亞洲的問題，或者第三世界的問題。

我們真的很奢侈，輕易地丟棄東西。然而，幾乎所有的資源，不管是紙也好，免洗筷也罷，都是在付出破壞亞洲自然的巨大社會成本之下才享受得到，對此種機制，以個人而言雖然無能為力，但在某層意義上若不了解這一實態的話，是令人擔憂的。

日本所抱持的問題點

戴：剛剛野村老師指出很重要的一點，要大家建立許多座標軸。我在日本也一直在思考，為什麼日本人如此不了解亞洲？四、五年前，我注意到基本上這可以整理成幾個問題。最終來說，日本明治以降的近代的狀態本身，由於形式非常特殊，導致日本人內在的座標軸，在結果上只要很少就足夠了。因此，在內部裡既無法比較，也沒什麼掙扎。常有人說只以自己的升斗去衡量他人，而日本人所擁有的升斗本身便有局限。雖然不管是哪個民族都有局限，但特別是日本人，首先的問題是，日本的社會內部沒有猶太人問題。

如果日本是西歐型社會的話，原本的西歐社會猶太人問題往往潛藏在其內部非常嚴重，日本則沒有這種問題。

其次是黑人問題。所謂的黑人問題，也就是少數民族問題。然而，在日本的話，雖然有在日朝鮮人問題，但並不將這問題等同黑人問題看待。日本人與朝鮮人像是兄弟民族，血緣上非常近。所謂的近親憎惡，如果一旦憎惡，那就是變成層次非常低的吵架。若想在高層次的精神層次上創造出新的東西，在這樣的對抗中非常難。然而黑人、白人的對立與日本的這個問題，在某種意義上是完全不同世界。因此，非常明確容易對決。

某種意義上，日本少數民族問題內部的部分，例如愛奴族，好不容易在幾年前才在革新政黨的政策綱領中初次被定位為少數民族。但是，我並沒有干涉內政的打算，總覺得日本的開明文化人士趕不上時代。沖繩問題也是如此，雖然發生要求美軍歸還沖繩的基地鬥爭問題，但為何沒有人在概念上將琉球民族與大和民族視為同一層次的民族問題，再將日本民族視為二者的上位民族？我看著這場鬥爭，心裡覺得奇怪，為何沒人將琉球民族視為與大和民族同一層次的民族，二者之上則有日本民族，為何沒人以此想法去抗爭？

因此，由結論來說，我發現由於國際化、國外貿易關係的擴展，日本主要是被美國毫不留情的修理，才發覺不處理一下在日朝鮮人問題及朝鮮半島問題不行；這二、三年來，對在日韓國人、朝鮮人的看法，日本已改善非常多。《入國管理法》的修定方式，也與十年前的「改革案」完全不同。

對這樣的事情，大學或者說大學的人該如何定位？以及如何落實到年輕學子，我覺得是非常重要的事。只有在將這樣的事順利地引進大學教育時，日本人的座標軸才能增加，也才能看清世界與自己！我個人是如此地彙整這件事情。

就這方面而言，美國內部狀況極為複合，富於彈性。這一點也在某方面對他們有益。而日本由於容易統合，確實以迅雷不及掩耳之勢達成近代化，並在通產省的指導下孕育了經濟實力，接下來如何提升文化上的問題，或者如何提升能夠對應物質生活的精神生活，將是問題關鍵所在。而且，不也需要這樣的觀點嗎？

因此，與其說日本人能為亞洲做什麼，不如先去強調如何透過亞洲這面鏡子重新審視自己不是比較安全，比較有效？

之所以這樣說，乃因為年輕學子一到亞洲去，往往自認已認識亞洲，認為亞洲不過是髒亂、貧窮不堪的地方，便就此割捨。因此，他們會說還是東京好。如果是為了確認這件事而前往亞洲的話，還真是令人感到可悲。長期來看，如我剛剛所說，台灣有日本近代身為「加害者」之原點，就如同擺在眼前的歷史教訓。因此，我們不是需要有該如何反躬自省，重新思考這些教訓的觀點嗎？

大鄉：老師果然觀察到非常深處的東西，如果不這樣做，日本人便不會成熟。我所看到的學生，對目睹真相也都還抱著非常大的恐懼。因為座標軸增加愈多，對自己現在的位置，就會愈加清楚。

但是，若同時擁有複數的座標軸，要以怎樣的視點統合整體呢？另外，我確實也在菲律賓營中看到有些學生，在看清自己所擁有的富足是藉菲律賓等近鄰諸國為踏板而得到時，自己本身也無法忍受，變得很固執。

但是，就如戴老師所說，如果害怕複合的座標軸的話，日本人的成熟度就無法向上提升。這類的課題值得深思。

小西：關於這點，日本常常被說是單一民族國家之類。評論家也若無其事地這樣說，另外，學生也常在報告上這樣寫。我每每被這種說法弄得心煩氣躁。想說到底哪裡算是單一民族了！某方面，這是明治以後的日本政府所設定的極為意識形態的一個目標，如今這目標不再是目標，而是偷天換日，變得宛如是事實一般，這是非常惡質的造謠。我在教書時也講述這事。

對這件事，我以前多多少少便有注意到，但徹底地面對問題，是前往印度這一多民族複合國家時，當時我覺得這國家真不得了，具有著多樣的座標軸。不要說是數百個不同民族各自都有自己的座標軸，某方面來說，每個人都擁有不同的價值觀；而且不同的價值觀互相抗衡，他們的世界令人歎為觀止。這集中了6億人口的世界，我投身其中，真的感到被徹底打垮了！

事實上，由印度來看日本，真恰如由鏡子反映出日本的狀況，日本這邊不是有愛奴族的問題嗎？不是有沖繩問題、在日朝鮮人問題嗎？——戴老師雖然剛剛說日本裡面沒有猶太人問題、黑人問題，但我覺得應該說是現實中雖然有，卻被隱藏起來。

美國不管如何，今日也被說成像是「沙拉碗」一般，並非各種民族互相融合，結果不過是各族群並排平列而已。更何況，並不是並排平列就了事，他們以盎格魯撒克遜白人為中心，有著非常劃一的世界，但印度絕不是這樣。印度是個在各行其是的狀況下互相抗衡的世界。想到這點，我們雖口稱「日本人」之類的，但這是指日本國民？還是指大和民族？我們不大習慣思考所謂自己到底是什麼，而我覺得這不就是最重要的問題所在嗎？

因此，看到與日本完全不同的世界，這鏡子就會照出我們自己到底是什麼；藉此，首先可以逼問每個日本人，我到底是什麼人？我希望盡量能擁抱多樣的座標軸，因此不局限於印度，最近視野擴展到中東方面。雖說如此，但像伊朗與伊拉克這兩個地方，雖同屬伊斯蘭世界，但還是發生戰爭。因此伊斯蘭世界裡頭也存在著完全不同的價值觀、文化抗衡的狀態。我想要以我的方式，進一步探究這問題。

以我的體驗來說，雖然赴任立教大學沒多久，還並不十分熟悉，但我也是從小便接受一貫的教會學校教育。在求學時，我大學畢業後，想要到印度留學，與老師們商量時，老師們說：「如果你要去印度的話，先去美國或英國的大學留學。應該再由那裡以『調查』的名義去印度。不要去印度的大學留學，你是為何而去的？」我對這番話感到十分反感。因此，無視老師的忠告，我毅然決然前往印度。更且，即使在印度，我也不大待在大學裡，而是揹著背包，周遊印度各地，從旅行中我學到很多東西。由結果來說，我覺得十分幸福。

在這當中，也是我個人的體驗，剛開始在很多場面，我發覺終究無法擺脫來自「已開發國家」日本的想法。例如，印度的大學生問我，你從日本來想學什麼？我只要一說來學習印度的歷史及古老文化的時候，常讓他們陷入深思。日本有電晶體收音機、電視及十分進步的文化，來自那裡留學印度的你，說想要了解印度的文化，到底是什麼意思？難不成日本雖然物質豐富，但因為沒有文化、心、歷史之類的東西，所以你才想來印度學嗎？他們就以自身能理解的答案反問我。就我而言，這種說法讓我覺得彷彿被利刃刺到，一時不知如何作答。

另有一件事，是發生在大學實習時的事，由於我設籍在大學的考古學科，因而必須參與發掘工作。地點在一處人口在八十到九十人左右，十分貧窮的村莊，發掘工作在村民的幫忙下進行。

村民中有一個營養失調的男孩子，他身上的衣著破舊到連「貧窮」這句話都不足以形容。那男孩子真的為了我們做了很多事，我也很疼愛他，在一個半月左右的發掘工作結束，營隊要徹收時，由於他穿的汗衫太過破爛，我離開前將自己的汗衫送給他。

這一來，我被周遭的同學罵得狗血淋頭，總之，「你送一件汗衫給那孩子就覺得自我滿足了嗎？那麼印度需要5億件汗衫哦！你送一件汗衫到底有什麼用！」被徹底地修理一番。那時，我才真的痛切體會到，我認為能為他們、為印度做什麼事的想法，是妄自僭越，是錯誤的！說起來，這件事變作一面鏡子，映照出我自己是如此地不堪，映照出我無論如何都擺脫不了培育我的日本。儘管我是因為討厭日本才遠走高飛的，但因此也讓我極力深思，說討厭日本這件事的天真之處，或者說無可奈何之處。以上是我曾有過的經驗。

大鄉：我在這之前剛從加德滿都回來時，也曾無由分說地心生厭倦。當地一個月的生活讓人疲累不堪，坐上飛機後，我覺得鬆了一口氣。在那時覺得，啊，可以逃離這地方回家去了！當發覺自己想要立刻逃離返國時，頓時覺得無法忍受這樣的自己。

我想這樣的心情也存在於前往亞洲的學生們心中。心裡不喜歡日本，對自己的生活呈現抗拒反應。然而，一旦真的置身一整天都不確定是否吃得到東西的環境時，就會發現，這些畢竟是在受保護下的個人想法。如何對抗這樣的自己？由於對事物一知半解地看到，所以才不得不質疑自己本身的問題，抱著這樣的問題，心情會變得沉重。

但我們所謂的成長，不正是由此開始？我認為在立教大學的教育中，必須做這樣的質疑，我們也必須與自己交戰，同時丟問題給學生。拖著這樣的問題，在這點上好像對梅原老師的經驗，我也有同感。然而，我個人也是努力在尋找自我的一個旅行者，我最近有些許感覺到，這種關聯使得與學生的相逢變得容易。

年年改變的學生意識

野村：我有一點疑問，聽說透過「菲律賓營」學生們受到極大的衝擊，另外也聽說可達成某種價值觀的轉換。雖然我也完全贊同這種說法，但如再廣而論之，全體學生中，不是有種很強的氛圍，覺得那事本身很可怕，說起來像是小兒病的自閉症狀，出國觀光的話還好……的，像是這樣的氣氛變強了，去菲律賓的學生，果真與一般學生不一樣嗎？

雖說有「放眼亞洲」這一命題，關於現狀觀察是如何，又有什麼樣的印象？我想請教一下牧師，例如「菲律賓營」的報名者非常多嗎？

大鄉：沒錯。但去年是最高峰，今年猛然減少很多。一個原因是我們本身沒有積極從事宣傳活動的緣故。但是，我覺得學生的意識、參加者的意識，年年都有極端的變化。

關於學生意識上極端的變化，去年發生一件事，讓我非常震驚，這事可想作一個典型。我們前往隔壁一個叫比薩歐的大村莊，因此考慮是否要辦個日本人與比薩歐村民的交流會，後來真的舉行了。

當交流會結束時，村子的村長站起身來，拚命地對大家講話。那村長的表情非比尋常，臉色鐵青，一邊講話一邊顫抖著。

比薩歐在戰爭時曾淪為戰場，慘事連連，村長的血親也淪為戰爭的犧牲者。他討厭日本人。但他討厭的日本人五年前開始來到村莊，他自己也不打開心房，一直以旁觀者的態度觀望，觀察日本人來幹什麼、到底是怎樣的日本人，就這樣一直觀望著。

但是，好不容易五年過去了，他才確定這些年輕人是真的想要和這裡的人建立新關係。他說，我知道有這樣的日本人，非常高興。他激動地說，我不會終此一生對日本人抱著恨意，啊，原來也有這樣的日本人存在！現在，我心情上已能與日本人和解，非常開心。

那時，我看我們學生的態度，覺得有些學生看似不知這位大叔在說什麼。有些學生在逗弄旁邊的小狗，有些學生在後頭商量著接下來要表演什麼節目。雖然並非所有的學生都如此，但這類的學生非常多，我看到這種狀況，非常受打擊，覺得這三個星期的菲律賓營到底算什麼？學生到底學了些什麼？

畢竟，當初村民與我們的關係很緊張。被人指指點點說這些傢伙到底來做什麼？但是，這狀況後來轉變成村民認為立教大學來的日本人是好的日本人，流露出歡迎之色。學生們與村民的緊張關係曾幾何時消除殆盡。

如此，今年在重新審視下，稍稍修改了計畫。一開始進行的是所謂馬尼拉計畫。在這計畫裡，菲律賓聖公會的人會與貧民窟的居民一同前來進行。第一天帶學生參觀美好的一面，真的是豪宅街；隔天，急轉直下，把學生全部塞入貧民窟。這種作法，是為了希望學生體會這落差就是菲律賓並思考其中的落差由何而生。

這樣的馬尼拉計畫，以往都是在我們執行完山地計畫後進行，但在回國前從事這種活動，由於學生們都已疲累不堪，就會覺得馬尼拉計畫是畫蛇添足，真是夠了！我修正之後，因此今年將這行程排在一開始，以告訴學生，我們接下來要接觸的菲律賓，有這樣的問題，這國家處境艱難，希望學生接觸時稍稍深思熟慮些。

梅原：最近立教大學裡也成立了一個希望與菲律賓高山省（Mountain Province）的人們提攜的小團體。這社團的中心成員都具備行動力，非常活動導向。除此之外，上智大學也有亞洲掘井會，僅就我所知，在東京周邊，與菲律賓有關的社團組織，就有五個左右。雖然不清楚高山省之會成員有多少人。

大鄉：參加營隊的學生，基本上全部都是團員。

梅原：在我印象中，這四、五年之間這類社團急速增加。這些學生團體行動力非常強，到處都有，他們都由各自的立場和所關心的問題，以各自的方法，與菲律賓往來、交流。

然而在這些動向的另一面卻也可以看到，有些學生不太能正視，在可怕的現實前畏縮了，對這樣的傾向，該如何思考是好？因此，我剛剛聽了一下大鄉牧師說的話，覺得與我所感受到的現實不大符合。

大鄉：我想營隊中可分成兩極。所謂的「與高山省的人們提攜」，基本上是以援助農村的小孩子為目的設立獎學金，一年交付40萬日幣給農村的共同體，由他們選拔獲得獎學金的學生。運作上希望學生無須來日本學習，讓他們在自己國家就學，以自己的雙手支撐所生長的村子。

另外，同時也有學生積極地去加以研究菲律賓的事物，試圖以亞洲為鏡返照自己的樣貌；但除此之外的其他學生，半數會覺得亞洲的實況令人感到沉重，不忍卒睹，有這樣兩極化傾向存在。

野村：去到當地雖然也非常重要，但在這大學的一般社會教育中，再多納入一些這種問題如何？再者，所謂大學某種意義上便如同社會的實驗場，因此，我認為納入這方面的問題也不錯！

大鄉：教會不正是站在這樣的事實上，希望學生能由活生生的現場，從現實中學習，因此希望「田野教育」能發揮功效？希望學生將田野中所得到的體驗，帶回校園中。在「校園教育」與當地現場的連結之下，不是能讓人更全面地看待事物嗎？我認為這也正是大學的定位。

亞洲留學生的問題

野村：另有一點，具體來說，便是留學生問題，也將這問題納入討論如何？

戴：我們學校具有如此的歷史性與國際性，但在留學生對策上，一直都只是一面倒向歐美。對亞洲門檻設得很高。

只是，我們想想看，立教大學雖然是綜合大學，基本上卻欠缺接納來自第三世界學生的條件。例如沒有農學部、沒有工學部、沒有醫學部。當然，從第三世界來已開發國家留學，也有學生學習社會科學，但就比重來看，無論如何，大部分的人都會跑到工學部、農學部、醫學部那邊去。

某方面來說，到底立教大學所能承納的——這並無其他惡意——是否完全能夠符合第三世界的需求？更進一步來說，由於是教會學校，我們應該更加用心募集亞洲相關的獎學資金，設法思考一些獨特的留學生接納制度。

野村老師所提到的構築多元化的座標軸，如果年輕學子的身邊有更多來自亞洲留學生的話，不只是觀念上，自然地也更可以在肢體語言上建立座標軸。就這方面而言，立教大學確實稍微有所缺憾，我贊成今後應該將努力的目標設置在這上面。

梅原：我也完全贊成野村老師的提案。畢竟，我們也不可光是顧著闖入人家的國門，如果不致力於接納對方，要對方接納我們也會變得困難重重。我想也有這方面的問題。畢竟，互相給予方便，才是取得平衡的交流。

與此同時，是不是也要思考如何更加活用現在既存的設施或組織？具體來說，如「亞洲地域綜合研究設施」。從昭和33年起，在文部省特別科學研究費預算補助下，擬定研究亞洲的社會、經濟、文化的計畫，依部門別，在幾所大學設置共同利用的研究設施。其中，地理部門的共同利用設施便設置在立教大學，現在成了「亞洲地域綜合研究設施」。

只是，那之後，到昭和40年的八年間，有文部省撥下的預算，這計畫就此終止。在此時間點，這設施在形式上變成捐贈給立教大學。之後，以「亞洲地域綜合研究設施」為基礎，雖然進行了海外調查之企畫、出版調查成果等，但最近沒什麼顯著的活動，似乎陷入連組織主體何在都不清楚的狀況。

總之，這設施應該與研究所的地理學專攻互相結合，不管如何，那裡已收藏了3,500冊的單行書，5,000張地圖，因此也要讓一般人能更加活用。

我問了一下這設施的相關人員利用者人數大約多少，據悉一個月的總人數約七、八十人。一般認為這設施可以再擴大使用範圍。好不容易校園裡有這樣的設施，大學方面還是要好好加以定位，善加利用，努力將它培育成與亞洲交流的一個核心機構。這是不是有全盤認真考量的必要？

往後的大學教育

小西：即便是關於「亞洲地域綜合研究設施」，這樣的具體方策目前都發生問題，就如同一開始大鄉牧師乃至梅原老師所說的一般，威廉姆斯主教抵日125年，如果將這之中的110年定位為立教大學的歷史，在這歷程中，立教大學為何對這樣的問題如此消極？我覺得非常不可思議。

由於我新到任不久，或許因此覺得更加不可思議吧！我深切體會到，包括這樣的問題在內，學校整體，不是應該採取更稍加積極處理的態度嗎？

大鄉：就這方面而言，也有大學制度上的問題；另一點是，基本上我覺得日本的社會，欠缺學習亞洲的態度，或者說欠缺亞洲有值得學習之處的認知。

因此，日本人的基本態度，不以為亞洲有什麼值得學習的。我覺得我們要打破這個態度，如此才是往後立教110周年的出發點！

而且，我認為我們必須證實亞洲有很多地方值得學習。就這方面而言，立教大學中的「亞洲地域綜合研究設施」目前的現狀，十足象徵了立教，同時也象徵了日本社會。

小西：至少希望在立教，能由做得到的地方做起。

戴：現在大鄉牧師所說的問題，雖然是日本社會全體的問題，也是以機械文明為中心的近代社會所帶有的病理。特別是在日本的狀況，確保拿到大學的畢業證書，像是最終的目標一般。

然而長遠來看，說起接下來21世紀該如何生存，我們必須賦予學生們綜合性的彈性。透過四年的校園生活，或者是說透過菲律賓營，以各種方式，讓學生不只是讀書，還要培養綜合彈性。事實上，要讓年輕學子最終成為人生的勝利者，就必須讓學生的家長們理解這樣的機制。

幸好《立教》雜誌據說家長們閱讀率頗高，就正如大鄉牧師們所嘗試的「菲律賓營」、「尼泊爾營」般，以各種方式與亞洲交流時，學生在其中所得到的東西，那便是真的成了他們綜合彈性。希望家長有這樣的認識，書本上學習不到的部分，事實上是各位的子女，在不久後的10年、20年，接下來的人生上，成為勝利者的一個條件，事實上也已灌輸在其中。因此，如何啟蒙家長也是一個課題。

現在的日本已喪失往昔送孩子出門旅行藉以鍛鍊的想法，習慣接受管理，即使出門旅行，一般也傾向於跟團比較安全。這方面與美國相比是絕對地薄弱。

野村：我也想附加一句話，剛剛雖然提到國際感已普遍了，但這只是其中一個層面。裡頭存在有雙重結構，人們見聞雖然增廣了，但由於日本社會本身的既成體制路線牢不可破，在這方面，落差非常大，不太能進而發展成每個個體都能擁有自己豐富的世界。開拓己身世界之類的想法已消失無蹤，甚至已萎縮了。

我對戴老師所說非常有同感，如果思考大學社會的將來的話，我希望每個人能夠真正地開拓出自己的世界，創造豐富的成果，希望學校能盡量提供這樣的契機給學生。不如此的話，極端來說，我不懂為何要從事教育？而且，我痛切地感覺到正是因為這裡出了問題，所以今天我們討論的主題「亞洲的問題」才會風大浪高。

小西：野村老師說是雙重結構，但結果，是自己的世界越形僵化，離開國門，只有立刻逃回來才能鬆一口氣。這大概也牽涉到大學及大學教育中如何因應這種狀況的問題。

大鄉：因此，我們帶領營隊時，在出發前二個月，雖說也要做種種的功課，臨行前會對學生說，姑且先將塞進腦袋裡的東西拋棄，之後以真正謙虛、空無成見的狀態，珍視眼前所見的亞洲。雖說如此，但畢竟愈是研究心裡愈是會有相應而生的座標軸，感覺上前往亞洲好像為了檢視這座標軸，是為了發現原來是這樣，或者，不，原來是那樣。因此，我認為該以何種方式挑戰也是一個課題。

就這方面而言，提供多元化的座標軸，不也是往後大學教育的任務嗎？同時，也必須以亞洲為鏡，照映我們自身的樣貌。這次我與各位討論放眼亞洲之事，醒悟到這一點。

那麼，討論就到這邊為止，謝謝各位！

本文原刊於《立教》第111號，東京：立教大学，1984年11月（秋季號），頁6～25

譯者簡介

李尚霖

1971年生。輔仁大學日文系畢業，日本一橋大學言語社會學博士，現爲開南大學應日系助理教授。譯有：《單身寄生時代》（新新聞文化）、《伊斯蘭的世界地圖》（時報）、《陰翳禮讚》（臉譜）等。

李毓昭

1961年生。中興大學社會學系畢業。曾任出版社編輯，現爲專職譯者。譯有：《銀河鐵道之夜》（晨星）、《顏面考》（晨星）、《霍去病》（實學社）等。

吳亦昕

1977年生。東吳大學日文系畢業，日本筑波大學大學院人文社會科學研究所博士。曾參與政治大學台文所「教育部台灣文史藝術國際交流計畫——日本帝國時期台灣文學・文化研究論述翻譯計畫」之譯者、審稿人、共同主持人，現爲中正大學台文所助理教授。

蔣智揚

1942年生。台灣大學外文系畢業，美國西海岸大學電腦學碩士。曾任職大同公司，現專業翻譯。譯有：《不老——新世紀銀髮生活智慧》（遠流）、《閒話中國人》（馥林）等。

（以上依姓氏筆畫序）

日文審校者・校訂者簡介

◆ 日文審校

吳文星

1948年生。台灣師範大學歷史研究所博士。曾任美國哈佛大學及史丹佛大學訪問學人，東京大學、京都大學等校外國人客員研究員及招聘外國人學者，歷任台灣師範大學進修部教務主任、歷史學系主任、文學院長，現爲台灣師範大學歷史學系教授、台灣教育史研究會會長。研究專長爲台灣近現代史、中日關係史。

著有：《日據時期在台「華僑」研究》、《日治時期台灣的社會領導階層》、《台灣史》等；〈東京帝國大學與台灣「學術探檢」之展開〉、〈札幌農學校と台灣近代農學の展開——台灣總督府農事試驗場を中心として——〉、〈京都帝國大學與台灣舊慣調查〉等論文一百餘篇。

林彩美

1933年生。中興大學農經系畢業，日本東京大學農經系博士課程修畢。旅日長達40年，中華料理研究家，曾主持梅苑中華料理研究室（日本）二十餘年。致力於梅苑書庫的保存與研究，長期投入《戴國煇全集》的編譯工作。

著有：《中菜健康瘦身法》（文經社）、《新灶腳的健康料理》（文經社）等；主編：《戴國煇文集》；策劃：《戴國煇全集》等。

邱振瑞

作家和日本思想文化研究者，現任教於文化大學中日筆譯班，並從事翻譯及創作。

著有：短篇小說集《菩薩有難》；譯有：山崎豐子、松本清張、宮本輝等小說，鶴見俊輔《戰爭時期日本精神史》（行人）。

（以上依姓氏筆畫序）

◆ 校訂

林德政

1955年生。政治大學歷史系史學博士，現爲成功大學歷史系副教授。專長及研究領域爲中國現代史、台灣史、兩岸關係史、口述歷史採訪、方志研究等。

著有：《抗戰期間國民政府之整軍與備戰》、《光復前台籍抗日志士在閩粵的活動》、《嘉義縣志・住民志》等；〈論梁啓超的治史方法〉、〈孫中山與同盟會幹部的互動〉、〈審著人回唐山：台籍人士對抗戰的貢獻〉等數十篇論文。

戴國煇全集 24
【採訪與對談卷七】

著 作 人　戴國煇
策劃／總校　林彩美

編 輯 製 作　財團法人台灣文學發展基金會
10048台北市中山南路11號6樓
02-2343-3142
編 輯 委 員　王曉波　吳文星　張錦郎　張隆志
陳淑美　劉序楓（依姓氏筆畫序）
主　　編　封德屏
執 行 編 輯　江侑蓮　王為萱
美 術 設 計　不倒翁視覺創意

出　　版　文訊雜誌社
發 行 人　王榮文
發 行 所　遠流出版事業股份有限公司
10084台北市中正區南昌路二段81號6樓
（02）2392-6899
http：//www.ylib.com

排　　版　浩瀚電腦排版股份有限公司
印　　刷　松霖彩色印刷事業有限公司
初　　版　民國100年（2011）4月
定　　價　全27冊（不分售）精裝新台幣16,000元整
ISBN　978-986-6102-07-3（全集24：精裝）
978-986-85850-4-1（全套：精裝）

國家圖書館出版品預行編目（CIP）資料

戴國煇全集．18-26，採訪與對談卷／戴國煇著．
－－ 初版．－－ 台北市：文訊雜誌社出版；遠流
發行，2011.04
冊；　公分
ISBN　978-986-6102-01-1（第1冊：精裝）．－－
ISBN　978-986-6102-02-8（第2冊：精裝）．－－
ISBN　978-986-6102-03-5（第3冊：精裝）．－－
ISBN　978-986-6102-04-2（第4冊：精裝）．－－
ISBN　978-986-6102-05-9（第5冊：精裝）．－－
ISBN　978-986-6102-06-6（第6冊：精裝）．－－
ISBN　978-986-6102-07-3（第7冊：精裝）．－－
ISBN　978-986-6102-08-0（第8冊：精裝）．－－
ISBN　978-986-6102-09-7（第9冊：精裝）

1. 史學　2. 文集

607　　100001715